AANTEKENINGEN UIT ~~~~~~~~~

Van Bill Bryson verschenen eerder bij uitgeverij Atlas:

*Een klein eiland**
*Het verloren continent**
Tegenvoeters

* leverbaar als Pandora Pocket

Bill Bryson

Aantekeningen uit een groot land

Vertaald door Tinke Davids

Uitgeverij Atlas – Amsterdam/Antwerpen

Omslagontwerp: Zeno
Foto auteur: Jerry Baur

ISBN 90 450 0346 5
D/2001/0108/596
NUGI 470

INHOUD

INLEIDING

In de nazomer van 1996 werd ik in New Hampshire opgebeld door Simon Kelner, die zowel een oude vriend als een
bijzonder aardige kerel is, met het verzoek of ik een wekelijkse column wilde schrijven voor *Night & Day*, het maga-
zine bij de *Mail on Sunday*, waarvan hij zojuist hoofdredacteur was geworden.

In de loop der jaren heeft Simon me weten over te halen
tot allerlei werk waarvoor ik geen tijd heb, maar in dit geval
kon er werkelijk geen sprake van zijn.

'Nee,' zei ik. 'Dat gaat niet. Het spijt me. Het is domweg
onmogelijk.'

'Dus je kunt volgende week beginnen?'

'Simon, je lijkt me niet te verstaan. Ik kan het niet doen.'

'We dachten aan de titel "Aantekeningen uit een groot
land".'

'Simon, je zult het "Lege ruimte aan het begin van het ma-
gazine" moeten noemen, want ik kan het niet doen.'

'Geweldig,' zei hij, zij het ook enigszins afwezig. Ik had de
indruk dat hij op dat moment met iets anders bezig was –
modellen keuren voor een nummer over badpakken, zou me
niet verbazen. In elk geval legde hij telkens zijn hand over de
hoorn om als hoofdredacteur belangrijke aanwijzingen te geven aan andere mensen in de buurt.

'Dan sturen we je een contract,' vervolgde hij toen hij weer
tijd voor mij had.

'Nee, Simon, doe dat niet. Ik kan geen wekelijkse column voor jullie schrijven. Zo eenvoudig ligt het. Dringt het tot je door? Simon, zeg dat het tot je doordringt.'

'Schitterend. Doet me reuze plezier. Nou, ik moet ervan-door.'

'Simon, luister nou alsjeblieft. Ik kan geen wekelijkse co-lumn schrijven. Het is gewoon niet mogelijk. Simon, luister je? Simon? Hallo? Simon, ben je daar? Hallo? Verdomme.'

Dus vindt de lezer hier vijfenzeventig columns uit de eerste achttien maanden van 'Aantekeningen uit een groot land'. En let wel – ik had er écht geen tijd voor.

Thuiskomst

Ik heb eens in een boek het grapje gemaakt dat er drie dingen zijn die je in het leven niet kunt doen. Je kunt het telefoonbedrijf er niet onder krijgen, je kunt een kelner niet dwingen je te zien voordat hij klaar is om je te zien, en je kunt niet meer terug naar huis. De afgelopen zeventien maanden ben ik in stilte, en zelfs enthousiast, bezig geweest met een herwaardering van punt drie.

In mei een jaar geleden, na bijna twintig jaar in Engeland te hebben gewerkt, ben ik met mijn vrouw en kinderen terugverhuisd naar de Verenigde Staten. Teruggaan naar huis na zo'n lange afwezigheid is een merkwaardig verwarrende kwestie, een beetje als ontwaken uit een langdurig coma. Je ontdekt alras dat de tijd veranderingen heeft aangebracht die je een beetje een dom en vervreemd gevoel geven. Je steekt de mensen in winkels veel te weinig geld toe wanneer je kleine inkopen doet. Je staat te aarzelen bij verkoopautomaten en telefooncellen, en je reageert stomverbaasd als je, doordat iemand streng je elleboog vastgrijpt, ontdekt dat wegenkaarten in tankstations niet meer gratis zijn.

In mijn geval werd het probleem nog verergerd doordat ik als jongeman was vertrokken en op middelbare leeftijd teruggekomen. Alle dingen die je als volwassene doet – een hypotheek nemen, kinderen krijgen, een pensioenplan opzetten, belangstelling ontwikkelen voor de bedrading in huis – had ik uitsluitend in Engeland gedaan. Dingen als verwarmings-ketels en voorzetramen waren, in Amerikaanse context, het domein van mijn vader.

Toen ik dus plotseling de eigenaar werd van een oud huis in New England, met van die mysterieuze leidingen en ther-mostaten, met een onberekenbare afvalvernietiger en een le-vensbedreigende automatische garagedeur, was dat zowel ze-nuwslopend als tamelijk stimulerend.

Na jaren naar huis teruggaan lijkt daar ook op, in allerlei opzichten – een merkwaardige mengeling van dingen die heerlijk vertrouwd, en dingen die merkwaardigerwijs onbe-kend zijn. Het is niet goed voor je gemoedsrust als je je te-gelijkertijd zo in je element én als een vis op het droge voelt. Ik kan alle mogelijke kleine dingen opsommen waaruit blijkt dat ik een Amerikaan ben – welke van de vijftig staten één wetgevende kamer heeft, wat squeezespel is bij honkbal, wie Captain Kangaroo op de tv speelde. Ik ken zelfs ongeveer twee derde van de woorden van 'The Star-Spangled Banner', wat meer is dan zekere lieden die het volkslied in het open-baar hebben gezongen.

Maar als je me naar een ijzerwinkel stuurt, dan ben ik zelfs nu nog verloren. Maandenlang heb ik met de verkoper in on-ze plaatselijke 'True-Value' gesprekken gevoerd die ongeveer als volgt gingen:

'Hallo. Ik moet van dat spul hebben waarmee je gaten in muren opvult. De familie van mijn vrouw noemt het Polyfil-la.'

'O, u bedoelt plamuur.'

'Dat zou best kunnen. En ik heb een paar van die kleine plastic dingen nodig die je gebruikt om schroeven in de muur te stoppen wanneer je planken aanbrengt. Ik ken ze onder de naam Rawlplugs.'

'O, nou, die noemen wij *anchors*.'

'Dat zal ik in mijn oren knopen.'

Echt, ik had me nauwelijks meer een buitenlander kunnen

voelen als ik daar in die winkel een Lederhose had gedragen. Dat alles schokte me. Hoewel ik in Groot-Brittannië altijd heel gelukkig ben geweest, was ik altijd aan Amerika blijven denken als thuis, in de fundamentele betekenis van dat woord. Dat was waar ik vandaan kwam, wat ik echt goed begreep, de grondslag waaraan al het andere werd afgemeten.

Op een rare manier geeft niets je méér het gevoel een inboorling van je eigen land te zijn dan wonen in een land waar vrijwel iedereen dat niet is. Gedurende twintig jaar was Amerikaan-zijn de kwaliteit die mijn persoon gedefinieerd had. Op die manier werd ik geïdentificeerd, gedifferentieerd. Ik heb zelfs op grond daarvan een keer een baan gekregen toen ik in een aanval van jeugdige stoutmoedigheid tegenover een oudere redacteur van *The Times* beweerde dat ik de enige van zijn staf zou zijn die de naam Cincinnati goed kon spellen. (En dat bleek ook zo te zijn.)

Gelukkig heeft dat alles ook een keerzijde. De vele goede dingen van Amerika kregen ook iets betoverends doordat ze voor mij nieuw waren. Ik was evenzeer geïmponeerd als elke willekeurige buitenlander door het fantastische gemak en gerief van het dagelijks leven, de duizelingwekkende overvloed van werkelijk alles, de wonderbaarlijke, onuitputtelijke ruimte van een Amerikaans souterrain, de verrukking over serveersters die plezier in hun werk leken te hebben, de merkwaardig verbijsterende gedachte dat ijs geen luxeartikel is.

Ook is er de aanhoudende, onverwachte vreugde geweest van de herontmoeting met dingen waarmee ik was opgegroeid, maar die ik grotendeels vergeten had: honkbal op de radio, het door en door bevredigende dreunen van een hordeur in de zomer, plotselinge onweersbuien waarvoor je op de loop moest, echt zware sneeuwval, Thanksgiving en de Vierde Juli, insecten die licht verspreiden, airconditioning op echt warme dagen, Jell-o-gelatine met blokjes fruit erin (die niemand echt opeet, maar het is gewoon leuk om zoiets wiebelig en wel op je bord te krijgen), het aangenaam komische aanzien van jezelf in shorts. Dat is allemaal heel belangrijk, op een merkwaardige manier.

Als ik de balans opmaak heb ik me dus vergist. Je kunt wél naar huis terug. Neem alleen extra geld mee en knoop in je oren dat je om plamuur moet vragen.

Help!

Laatst heb ik de helpdesk van mijn computerfirma opgebeld, omdat ik er behoefte aan had een dom gevoel aangepraat te krijgen door iemand die veel jonger was dan ik, en de jongensachtige stem die de telefoon aannam, zei dat hij het serienummer van mijn computer moest hebben voordat hij me van dienst kon zijn.

'En waar kan ik dat vinden?' vroeg ik voorzichtig.

'Dat staat op de bodem van de CVE-functionele-dysequilibrium-eenheid,' zei hij, of woorden van gelijke verbijsterende strekking.

Jullie begrijpen wel, dat is de reden waarom ik mijn computer-helpdesk niet erg vaak opbel. We hebben nog geen vier seconden gepraat, maar ik voel al een vloedgolf van onwetendheid en schaamte die me meesleurt naar de ijzige diepten van de Baai der Vernedering. Hij zal me nu elk moment, dat weet ik met een gevoel van naderend onheil, vragen hoeveel RAM ik heb.

'Zit dat ergens in de buurt van dat tv-schermachtige ding?' vraag ik hulpeloos.

'Dat hangt ervan af. Is uw model de Z-40LX Multimedia HPii of de ZX46/2Y Chromium B-BOP?'

En zo gaat het verder. Het komt erop neer dat het serienummer van mijn computer gegrift staat in een metalen plaatje op de bodem van de systeemkast – dat ding met die cd-lade die wel leuk is om open en dicht te doen.

Nu mag men mij een idealistische dwaas noemen, maar als ik een serienummer aanbracht op elke computer die ik verkocht en dan de mensen verplichtte dat nummer op te spuiten, elke keer dat ze met mij verbinding zochten, dan geloof ik toch niet dat ik dat zou aanbrengen op een plaats die de computergebruiker noodzaakt meubilair te verplaatsen en de hulp van een buurman te vragen, elke keer dat hij het nodig heeft. Maar goed, daar gaat het nu niet om.

Het nummer van mijn model was iets als CQ124765900-03312-DIP/22/4. En dat is waar het mij om gaat: *Waarom?* Waarom moet mijn computer zo'n adembenemend ingewikkeld nummer hebben? Zelfs als elke neutrino in het universum, elk partikeltje materie tussen hier en het verste wolkje van wegtrekkend Big-Bang-gas, op de een of andere manier een computer van die firma aanschafte, dan zouden er onder een dergelijk systeem nog tal van nummers overblijven.

Ik raakte nieuwsgierig, en begon te kijken naar alle nummers in mijn leven, en die bleken bijna allemaal absurd overdreven. Het nummer van mijn Barclaycard bijvoorbeeld bestaat uit dertien cijfers. Dat is voldoende voor bijna twee *triljoen* potentiële klanten. Wie proberen ze eigenlijk voor de gek te houden? Mijn Budget Rent-a-Car card telt niet minder dan zeventien cijfers. Zelfs mijn plaatselijke videotheek lijkt 1,9 miljard klanten ingeschreven te hebben (wat misschien de verklaring is waarom *L.A. Confidential* altijd uitgeleend is).

Verreweg het indrukwekkendst is mijn Blue Cross/Blue Shield verzekeringskaart – dat is de kaart die elke Amerikaan bij zich moet hebben als hij niet op de plaats van een ongeluk wil worden achtergelaten; daar word ik niet alleen geïdentificeerd als No. YGH475907018 00, maar ook als lid van Group 02368. Vermoedelijk heeft dus elke groep iemand met hetzelfde nummer als ik. Je kunt je haast voorstellen dat we reünies organiseren.

Dit alles is een lange aanloop naar het hoofdpunt van deze uiteenzetting, namelijk dat een van de grote verbeteringen in het Amerikaanse leven van de afgelopen twintig jaar is dat er telefoonnummers zijn gekomen die elke dwaas kan onthouden. Ik zal het uitleggen.

Om ingewikkelde historische redenen zijn bij Amerikaanse telefoons alle drukknoppen, behalve de 1 en de 0, ook voorzien van drie letters van het alfabet. Bij de twee staat ABC, bij de 3 DEF enzovoort.

Lang geleden hebben mensen zich gerealiseerd dat je telefoonnummers gemakkelijker kon onthouden als je afging op letters dan op cijfers. Als je bijvoorbeeld in mijn geboorteplaats Des Moines het tijdsein wilde bellen – of de sprekende klok, zoals ze het in Groot-Brittannië zo charmant noemen – was het officiële nummer 244-5646, wat niemand natuurlijk kon onthouden. Maar als je BIG JOHN tikte, kreeg je hetzelfde nummer (behalve merkwaardigerwijs mijn moeder, die een tikje warrig was wat de voornaam betrof, en dus meestal vroeg hoe laat het was aan wildvreemde mensen die ze net wakker had gemaakt, maar dat is een ander verhaal).

Vervolgens hebben op een gegeven moment in de afgelopen twintig jaar grote bedrijven ontdekt dat ze het leven van alle mensen gemakkelijker konden maken, en dat ze tal van lucratieve telefoontjes konden verwachten, als ze hun nummers baseerden op goed in het gehoor liggende lettercombinaties. En als je tegenwoordig dus een bedrijf opbelt, tik je bijna altijd 1-800-FLY TWA, of 244-GET PIZZA, of wat dan ook. Er zijn niet veel veranderingen in de afgelopen twintig jaar die het leven mateloos veel beter hebben gemaakt voor simpele zielen als de mijne, maar voor deze geldt dat wel degelijk.

Dus terwijl jullie arme zielen in Engeland luisteren naar een frikkerige stem die je meedeelt dat het kengetal van Chippenham nu 01724750 is – behalve bij een telefoonnummer van vier cijfers, want dan is het 9 –, eet ik pizza, ik bestel vliegtickets en voel me heel wat minder stom op het gebied van de moderne telecommunicatie.

En nu mijn fantastische idee. Ik vind dat we allemaal één nummer zouden moeten hebben voor alles. Het mijne zou natuurlijk 1-800-BILL luiden. Dat nummer zou overal voor gebruikt kunnen worden – mijn telefoon zou erdoor overgaan, het zou op mijn cheques staan, het zou mijn paspoort sieren, ik zou er een video mee kunnen huren.

Natuurlijk zou het wel betekenen dat een heleboel computerprogramma's herschreven moeten worden, maar ik ben ervan overtuigd dat het kan. Ik ben van plan het te berde te brengen bij mijn eigen computerfirma, zodra ik weer bij dat serienummer kan komen.

Maar dokter,
ik ging alleen maar liggen...

Hier heb ik nog eens een feit voor u. Volgens het laatste *Statistical Abstract of the United States* lopen elk jaar meer dan 400 000 Amerikanen letsel op waarbij bedden, matrassen of kussens een rol spelen. Denk daar eens even over na. Dat zijn meer mensen dan in Coventry en omstreken wonen. Dat zijn bijna tweeduizend bed-, matras- of kussenkwetsuren per dag. In de tijd die het jullie kost om dit stukje te lezen, zullen vier Amerikanen er op de een of andere manier in slagen verwond te worden door hun ledikant.

Dat ik hierover begin, wil niet zeggen dat ik beweer dat Amerikanen om de een of andere reden onhandiger zijn dan de rest van de wereld als het gaat om in bed stappen (al is het duidelijk dat er duizenden zijn die wel wat bijles zouden kunnen gebruiken), maar eerder dat ik opmerk dat er vrijwel geen statistieken zijn over deze enorme en wijdverbreide natie die niet in zekere zin tot nadenken dwingen.

Dat is me laatst duidelijk geworden toen ik in onze plaatselijke bibliotheek was om iets totaal anders op te zoeken in bovengenoemd *Abstract*, waar ik stuitte op 'Tabel No. 206: Letsel dat te maken heeft met consumptieproducten'. Zelden heb ik een amusanter halfuur beleefd.

Bedenk eens het volgende: bijna 50 000 Amerikanen raken elk jaar gewond door potloden, pennen en andere schrijfbenodigdheden. Hoe doen ze dat? Ik heb vele lange uren doorgebracht aan schrijftafels, waarin ik vrijwel elke vorm van verwonding als welkome afleiding zou hebben toegejuicht, maar nooit ofte nimmer ben ik in de buurt gekomen van echt lichamelijk letsel.

Dus vraag ik me nogmaals af: Hoe doen ze dat? Het zijn, let wel, verwondingen die ernstig genoeg zijn voor een bezoek aan de afdeling Spoedeisende Hulp. Een nietje in de top van je wijsvinger (wat ik wél vaak heb gedaan, soms slechts half bij ongeluk) telt niet mee. Ik kijk op dit moment mijn bureau rond, en tenzij ik mijn hoofd in de laserprinter stop of mezelf steek met de schaar, kan ik binnen een afstand van drie meter niet één bron van potentieel letsel onderscheiden.

Maar dat is nou juist het kenmerk van ongelukken binnenshuis, als je Tabel No. 206 mag geloven – ze kunnen je bijna overal overkomen. In 1992 (het laatste jaar waarover gegevens beschikbaar zijn) zijn in de Verenigde Staten meer dan 400 000 mensen gewond geraakt door stoelen, banken en divans. Wat moeten we daaruit afleiden? Vertelt het ons iets interessants over de vorm van modern meubilair, of blijkt hieruit alleen dat Amerikanen uitzonderlijk onvoorzichtige zitters zijn? Vast staat dat het probleem verergert. Het aantal verwondingen door stoelen, banken en divans ligt 30 000 hoger dan het jaar daarvoor, en dat is een heel zorgwekkende trend, zelfs voor degenen onder ons die ronduit onbevreesd zijn ten aanzien van bekleed meubilair. (Dat kan natuurlijk het kernpunt van het probleem zijn – een teveel aan zelfvertrouwen.)

Zoals te verwachten viel was 'trappen, drempels en trapportalen' de levendigste categorie, met bijna twee miljoen geschrokken slachtoffers, maar in andere opzichten gevaarlijke zaken waren veel goedaardiger dan je op grond van hun reputatie zou denken. Meer mensen zijn gekwetst geraakt door geluidsopnameapparatuur (46 022) dan door skateboards (44 068), trampolines (43 655) of zelfs scheerapparaten en scheermesjes (43 365). Slechts 16 670 al te enthousiaste hakkers raakten gewond door hakmessen en bijlen, en zelfs zagen en kettingzagen hebben slechts het relatief bescheiden aantal van 38 692 slachtoffers geëist.

Papiergeld en munten (30 274) hebben bijna evenveel slachtoffers gemaakt als scharen (34 062). Ik kan me nog net voorstellen dat je een stuiver inslikt en dan wenst dat je dat niet had gedaan ('Jongens, willen jullie eens een kunstje zien?'), maar ik kan met geen mogelijkheid hypothetische omstandigheden verzinnen waarin opvouwbaar geld een tocht naar de afdeling EHBO noodzakelijk zou maken.

Ik zou ook graag eens een praatje maken met het geeft niet wie van de 263 000 personen die letsel hebben opgelopen van plafonds, wanden en binnenshuis aangebrachte panelen. Ik kan me niet voorstellen dat je gewond raakt door een plafond en geen verhaal hebt dat de moeite waard is. Ook zou ik tijd maken voor willekeurig wie van de 31 000 mensen die door hun 'verzorgingsapparatuur' gewond zijn geraakt.

Maar de mensen die ik echt dolgraag zou ontmoeten zijn de 142 000 ongelukkige zielen die op de afdeling Eerste Hulp zijn behandeld wegens letsel door hun kleding. Waaraan kunnen ze in vredesnaam hebben geleden? Gecompliceerde pyjamafractuur? Trainingsbroekhematoom? Ik kan hierover onmogelijk speculeren.

Ik heb een vriend die orthopedisch chirurg is, en die heeft me laatst verteld dat een van de beroepsrisico's van zijn vak is dat je bijna niets meer durft te doen, aangezien je voortdurend mensen moet repareren die op onwaarschijnlijke en onvoorspelbare manieren een smak hebben gemaakt. (Diezelfde dag nog had hij een man behandeld bij wie een eland door de voorruit van zijn auto was gekomen, tot consternatie van beide partijen.) Plotseling, dankzij Tabel 206, begon ik te begrijpen wat hij bedoeld had.

Het interessante is dat ik bij het *Statistical Abstract* terecht was gekomen door mijn wens te zien wat de cijfers waren voor de criminaliteit in New Hampshire. Ik had gehoord dat het een van de veiligste staten van Amerika is – en dat werd inderdaad bevestigd door het *Abstract*. Er waren in het laatste jaar waarvan verslag werd gedaan, slechts vier moorden in deze staat gepleegd – tegenover 23 000 in het gehele land – en er waren heel weinig zware misdrijven.

Dat betekent natuurlijk niet méér dan dat ik, statistisch gesproken, in New Hampshire veel eerder letsel zal oplopen door mijn plafond of onderbroek – om slechts twee potentieel dodelijke voorbeelden te noemen – dan door toedoen van een vreemde, en eerlijk gezegd vind ik dat helemaal geen geruststelling.

Neem me mee naar het honkbalveld

Mensen vragen me weleens: 'Wat is het verschil tussen honkbal en cricket?'

Het antwoord is simpel. Het zijn allebei sporten waarbij je heel handig moet zijn met ballen en bats, maar met het volgende uiterst belangrijke verschil: honkbal is opwindend en als je aan het eind van de dag naar huis gaat, weet je wie er gewonnen heeft.

Ik maak natuurlijk maar een grapje. Cricket is een prachtig spel, vol verrukkelijk verspreide micro-momenten van echte actie. Als een arts me ooit volstrekte rust voorschrijft en zegt dat ik me niet te veel mag opwinden, zal ik onmiddellijk een cricketfan worden. Maar voordat het zo ver is, hoop ik dat jullie me zullen begrijpen als ik zeg dat ik mijn hart verpand heb aan honkbal.

Dat is de sport waarmee ik ben opgegroeid, die ik als jongen gespeeld heb, en dat is natuurlijk van wezenlijke betekenis voor elke zinvolle waardering van een sport. Dat is me vele jaren geleden duidelijk geworden in Engeland, toen ik met een paar mannen naar een voetbalveld ging om een balletje te trappen.

Ik had voetbal op de televisie gezien en dacht dat ik een redelijk idee had van wat je daarbij moest doen, dus toen een van hen een boogbal mijn kant uit speelde, besloot ik hem nonchalant in het net te sturen met mijn hoofd, zoals ik het

Kevin Keegan had zien doen. Ik dacht dat het zoiets zou zijn als koppen met een strandbal – er zou een zacht 'ponk' weerklinken en de bal zou luchtig mijn voorhoofd verlaten en aangenaam het doel in zweven. Maar het was natuurlijk alsof ik een kegelbal kopte. Ik heb nooit iets gevoeld dat zo verrassend anders was dan ik verwacht had. Ik heb uren rondgelopen met knikkende knieën, en met een grote rode cirkel en het woord MITRE afgedrukt op mijn voorhoofd, en toen heb ik gezworen zoiets idioots en pijnlijks nooit meer te doen.

Ik begin daarover omdat in Amerika zojuist de World Series is begonnen, en ik wil dat mijn lezers weten waarom dat me zo opwindt. De World Series, zo moet ik misschien uitleggen, is de jaarlijkse honkbalwedstrijd tussen de kampioen van de *American League* en de kampioen van de *National League*.

Eigenlijk klopt dat niet helemaal, want een paar jaar geleden hebben ze het systeem gewijzigd. Het probleem met de oude regeling was dat er maar twee teams bij betrokken waren. En je hoeft geen hersenchirurg te zijn om te bedenken dat er, als je op de een of andere manier meer teams zou laten meedoen, veel meer geld aan te verdienen zou zijn.

Elk van beide leagues heeft zich dus verdeeld in drie divisies met vier of vijf teams. En nu is de World Series geen wedstrijd meer tussen de twee beste honkbalteams – althans niet noodzakelijkerwijs – maar eerder tussen de winnaars van een reeks play-offs tussen de kampioenen van de Westelijke, Oostelijke en Centrale Divisie van elke league, plus (een bijzonder goed idee, vind ik) een paar 'joker'-teams die helemaal niets gewonnen hebben.

Het is allemaal mateloos ingewikkeld, maar het komt erop neer dat praktisch elk honkbalteam behalve de 'Chicago Cubs' de kans krijgt deel te nemen aan de World Series.

De 'Chicago Cubs' doen niet mee omdat ze er nooit in slagen zich te kwalificeren, zelfs niet onder dit buitengewoon inschikkelijke systeem. Vaak kwalificeren ze zich *bijna*, en soms nemen ze zo'n indrukwekkende positie in dat je niet kunt geloven dat ze zich niet zullen kwalificeren, maar uiteindelijk slagen ze er hardnekkig in te falen. Wat daarvoor ook nodig is – zeventien wedstrijden achter elkaar verliezen, gemakkelijke ballen tussen hun benen door laten rollen, op lachwekkende wijze tegen elkaar botsen in het buitenveld – je kunt er zeker van zijn dat de Cubs het voor elkaar krijgen.

Dat doen ze, hoogst betrouwbaar en efficiënt, al meer dan een halve eeuw. Ze hebben niet meer aan een World Series meegedaan sinds 1938, geloof ik. Zelfs Mussolini heeft meer recentelijk goede jaren gehad. Die hartverwarmende jaarlijkse mislukking van de Cubs is zo ongeveer het enige in honkbal dat tijdens mijn leven niet veranderd is, en daar ben ik heel dankbaar voor.

Het is niet gemakkelijk honkbalfan te zijn, want honkbalfans zijn een hopeloos sentimenteel stelletje mensen, en er is geen ruimte voor sentimentaliteit in iets wat zo buitengewoon lucratief is als Amerikaanse sport. Ik beschik hier niet over de ruimte om alle ondoordachte dingen toe te lichten die men de afgelopen veertig jaar met mijn geliefde sport heeft gedaan, dus zal ik alleen het allerergste vertellen: ze hebben vrijwel alle fraaie oude stadions afgebroken en vervangen door grote, zielloze, voor meer doeleinden bruikbare arena's.

Vroeger was het zo dat elke grote Amerikaanse stad een eerbiedwaardig honkbalstadion had. Meestal waren ze bedompt en kraakten ze in hun voegen, maar ze hadden karakter. Je liep splinters op van de banken, de zolen van je schoenen plakten vast aan de vloer van al die jaren dat men daar kleverig spul had gedeponeerd tijdens opwindende momenten, en het zicht werd je consequent ontnomen door een gietijzeren pilaar die het dak ondersteunde, maar dat hoorde er allemaal bij.

Er zijn nog maar vier van die oude stadions over. Een daarvan is Fenway Park in Boston, waar de 'Red Sox' spelen. Ik zal niet zeggen dat het feit dat Fenway in de buurt ligt de absolute, beslissende factor is geweest voor onze vestiging in New England, maar het wás een factor. Nu willen de eigenaars het afbreken en een nieuw stadion bouwen. Ik zeg aldoor dat ik, als ze Fenway met de grond gelijk maken, niet naar het nieuwe stadion zal gaan, maar ik weet dat ik lieg, want ik ben hopeloos verslaafd aan het spel.

En dat alles vergroot mijn respect en bewondering voor de ongelukkige 'Chicago Cubs'. Het valt eeuwig in de Cubs te prijzen dat ze nooit gedreigd hebben Chicago te verlaten, en dat ze nog steeds op Wrigley Field spelen. Ze spelen zelfs nog steeds voornamelijk wedstrijden bij daglicht – zoals God gewild heeft dat honkbal gespeeld wordt. Een wedstrijd bij daglicht op Wrigley Field is, dat mogen jullie geloven, een van de grootse belevenissen die men in Amerika kan ondergaan.

En daar ligt het probleem. Niemand verdient het méér om deel te nemen aan de World Series dan de 'Chicago Cubs'. Maar ze kunnen daar niet aan beginnen omdat dan hun traditie dat ze er nooit aan deelnemen, verbroken zou worden. Dat is een onverzoenlijk conflict. En nu begrijpen jullie wat ik bedoel als ik zeg dat het niet gemakkelijk is honkbalfan te zijn.

Dom en dommer

Een paar jaar geleden heeft een organisatie die de National Endowment for the Humanities heet, achtduizend Amerikaanse leerlingen uit de hoogste klassen van de middelbare school getest en geconstateerd dat heel veel van hen, tja, eigenlijk niets wisten.

Twee van de drie hadden geen idee wanneer de Amerikaanse Burgeroorlog was geweest of welke president het *Gettysburg Address* had geschreven. Ongeveer evenveel wisten niet wie Josef Stalin, Winston Churchill of Charles de Gaulle was. Een op de drie dacht dat Franklin Roosevelt president was geweest tijdens de oorlog in Vietnam en dat Columbus na 1750 naar Amerika was gevaren. Tweeënveertig procent – en dat vind ikzelf het mooiste – kon niet één land in Azië noemen.

Ik sta altijd een beetje weifelachtig tegenover dergelijke onderzoeken omdat ik weet hoe gemakkelijk ik erin zou kunnen lopen. ('Het onderzoek constateerde dat Bryson niet in staat was eenvoudige aanwijzingen te begrijpen voor het in elkaar zetten van een gewone barbecue, en hij wiste bijna altijd onopzettelijk zowel voor- als achterruit wanneer hij een hoek omging.') Toch is er tegenwoordig sprake van een zekere leeghoofdigheid, die niet over het hoofd te zien is. Het verschijnsel staat nu algemeen bekend als de 'Verdomming van Amerika'.

Mijzelf is het een paar maanden geleden opgevallen toen ik op de tv keek naar iets wat het Weather Channel heet; de meteoroloog zei: 'En in Albany hebben ze vandaag twaalf inches sneeuw gekregen', en daaraan voegde hij opgewekt toe: 'Dat is dus ongeveer een voet.'

Nee, dat ís een voet, arme stomme imbeciel.

Diezelfde avond keek ik naar een documentaire op Discovery Channel (zonder te weten dat ik diezelfde documentaire op Discovery Channel gedurende de rest van de eeuwigheid zo'n zes keer per maand zou kunnen zien), toen de commentator op hoogdravende toon zei: 'Als gevolg van wind en regen is de Sfinx drie voet afgesleten in driehonderd jaar tijd', en toen zweeg hij even en voegde daar plechtig aan toe: 'Dat is dus ongeveer een voet per eeuw.'

Begrijpen jullie wat ik bedoel? Je krijgt weleens het gevoel dat de gehele natie een slaappil heeft geslikt, en dat het effect daarvan niet geheel verdwenen is. Het is niet slechts een merkwaardige, toevallige vergissing. Het komt aanhoudend voor.

Laatst zat ik in een vliegtuig naar de andere kant van het land, in een toestel van Continental Airlines (voorstel voor een slogan: 'Niet *helemaal* de slechtste') en ik las, de hemel mag weten waarom, de 'Brief van de president-directeur' die voorin elk tijdschrift van een luchtvaartmaatschappij staat – waarin uitgelegd wordt dat ze er voortdurend naar streven de service te verbeteren, kennelijk door iedereen te dwingen over te stappen in Newark. De brief die ik las, ging over een onderzoek onder de passagiers om na te gaan waaraan ze behoefte hadden.

Wat de passagiers wensten, volgens het vlijmscherpe proza van Gordon Bethune, president-directeur en *Chief Executive Officer*, was 'een schone, veilige en betrouwbare vlucht die hen bracht naar de plaats waarheen ze wilden, op tijd, en mét hun bagage'.

Tjonge! Laat me een pen en een aantekenboekje pakken! Zei u 'mét hun bagage'? Wow!

Nu moet men me niet verkeerd begrijpen. Ik denk geen moment dat Amerikanen consequent dommer of meer hersendood zijn dan alle andere mensen. Het is alleen dat ze als vanzelfsprekend voorzien worden van omstandigheden die hun de noodzaak van nadenken besparen, en dus zijn ze die gewoonte ontwend geraakt.

Voor een deel is dat toe te schrijven aan het 'Londen, Engeland'-syndroom, een eigenschap van Amerikaanse kranten om bovenaan een artikel niet alleen de stad, maar ook het land te specificeren. Wanneer bijvoorbeeld de *New York Times* iets zou publiceren over Britse parlementsverkiezingen, dan zou boven dat artikel staan 'Londen, Engeland', zodat geen lezer, waar dan ook, zou hoeven denken: 'Londen? Es even denken, ligt dat niet in Nebraska?'

Het Amerikaanse leven zit vol met zulke kleine geheugensteuntjes, soms in verbijsterende mate. Een paar maanden geleden schreef een columnist in de *Boston Globe* een stukje over onopzettelijk lachwekkende advertenties en mededelingen – dingen als een bordje bij een brillenwinkel waarop stond 'Ogentest terwijl u wacht' – waarbij hij zorgvuldig uitlegde wat er fout was aan die dingen. ('Het zou natuurlijk moeilijk zijn je ogen te laten testen *zonder* dat je daar in de winkel was.')

Het was verschrikkelijk, maar eigenlijk niet ongewoon. Nog maar een paar weken geleden heeft iemand die in de *New York Times* schreef, bijna precies hetzelfde gedaan, in een artikel over amusante linguïstische misverstanden, die hij vervolgens stuk voor stuk uitlegde. Hij vertelde bijvoorbeeld dat een vriend van hem altijd had gedacht dat de tekst van een song van The Beatles ging over 'the girl with colitis goes by', en daaraan voegde hij grinnikend toe dat de tekst in werkelijkheid luidde – maar dat hoef ik jullie toch zeker niet te vertellen?

Het gaat erom dat de aangesprokenen niet hoeven na te denken. Geen seconde. Nooit. Laatst is me door een Amerikaans blad verzocht een verwijzing naar David Niven te schrappen 'want hij is dood en we denken niet dat hij bekend is bij een aantal van onze jongere lezers'.

Ach ja, natuurlijk.

Een andere keer, toen ik verwezen had naar iemand in Groot-Brittannië die een 'staatsschool' bezocht, zei een Amerikaanse persklaarmaker tegen me: 'Maar ik dacht dat ze in Groot-Brittannië geen staten hadden.'

'Ik bedoelde "staat" in de ruimere betekenis van nationale staat.'

'Dus je bedoelde "public schools"?'

'Nou nee, want "public schools" in Groot-Brittannië zijn particuliere scholen.'

Lange stilte. 'Dat meen je niet.'

'Dat is algemeen bekend.'

'Laat ik het nog een keer herhalen. Dus in Groot-Brittannië noemen ze particuliere scholen "public schools"?'

'Klopt.'

'En hoe noemen ze dan "public schools"?'

'Staatsscholen.'

Opnieuw een lange stilte. 'Maar ik dacht dat ze in Groot-Brittannië geen staten hadden.'

Maar laten we besluiten met mijn favoriete onnozelheid van het moment. Dat is het antwoord dat Bob Dylan gaf toen hem gevraagd werd het wezen van zijn campagne te definiëren.

'Het gaat om de toekomst,' antwoordde hij doodserieus, 'want daar gaan we naartoe.'

Het griezelige van dat antwoord is: hij heeft gelijk.

Medicijnencultuur

Weten jullie wat ik echt mis nu ik in Amerika woon? Ik mis thuiskomen uit de pub, omtrent middernacht, in een wazige gemoedstoestand, en dan gaan zitten kijken naar Open University op de tv. Echt waar.

Als ik nu omtrent middernacht zou thuiskomen, zou ik op de tv niets anders vinden dan een reeks bekoorlijke actrices die zich in hun nakie vermaken, plus het Weather Channel, dat – ik geef het toe – op zijn eigen manier amusant is, maar in de verste verte niet te vergelijken is met de hypnotische fascinatie van de Open University na zes glazen bier. Dat meen ik heel serieus.

Ik weet helemaal niet waarom, maar ik heb het altijd merkwaardig boeiend gevonden de tv 's avonds laat aan te zetten en daar een kerel aan te treffen die eruitzag alsof hij alle kleren die hij ooit nodig zou hebben had gekocht tijdens een bezoek aan C&A in 1977 (zodat hij vrij zou zijn om de rest van zijn wakend bestaan door te brengen in de buurt van oscilloscopen), en die dan met een eigenaardig karakterloze stem zei: 'En zo zien we dus: als we die twee verzadigde oplossingen bij elkaar optellen, krijgen we opnieuw een verzadigde oplossing.'

Meestal had ik geen idee waarover hij het had – dat was voor een groot deel de reden waarom het zo boeiend was – maar een heel enkele keer (nou ja, één keer) ging het over iets wat ik echt kon volgen, en waarvan ik genoot. Ik denk hier aan een onverwacht amusante documentaire die ik drie, vier jaar geleden toevallig te zien kreeg, en waarin de marketing van gedeponeerde gezondheidsproducten in Groot-Brittannië en de Verenigde Staten werd vergeleken.

Volgens deze film kwam het erop neer dat hetzelfde product op beide markten op volstrekt verschillende manieren verkocht moest worden. Een advertentie in Groot-Brittannië voor een capsule die verkoudheid verlicht bijvoorbeeld, zou niet méér beloven dan dat je je er misschien een beetje beter door zou voelen. Je zou nog steeds een rode neus hebben en in je kamerjas rondlopen, maar je zou weer glimlachen, al was het nog zo flets.

Een commercial voor hetzelfde product in Amerika zou totale en ogenblikkelijke verlichting garanderen. Een Amerikaan die dit wondermiddel slikte, zou niet alleen zijn kamerjas afwerpen en onmiddellijk weer aan het werk gaan, maar hij zou zich ook nog in geen jaren zo goed hebben gevoeld en zijn dag besluiten met groot plezier op een bowlingbaan.

De strekking van dat alles was dat de Britten niet verwachten dat receptvrije middelen hun leven zullen veranderen, terwijl Amerikanen niets minder dan dat wensen. Het verstrijken van de tijd heeft, zo kan ik jullie verzekeren, geen verandering gebracht in het roerende geloof van de natie in dat idee.

Je hoeft maar een minuut of tien te kijken naar een willekeurige tv-uitzending, een tijdschrift door te bladeren of eens langs de zwaarbeladen schappen van een drogisterij te wandelen om je te realiseren dat Amerikanen verwachten dat ze zich voortdurend vrijwel volmaakt voelen. Zelfs onze gewone shampoo, zo zie ik, belooft 'u een beter gevoel te geven'.

Dat is heel eigenaardig van die Amerikanen. Ze geven enorm veel uit om zichzelf op te roepen om 'Nee tegen drugs' te zeggen, en dan gaan ze naar de drogist en kopen er armenvol van. De Amerikanen geven bijna 75 miljard dollar per jaar uit aan medicijnen van allerlei aard, en farmaceutische producten worden op de markt gebracht met een heftigheid en openhartigheid waaraan je wel even moet wennen.

In een reclamespot die momenteel op de tv wordt vertoond, wendt een aangenaam uitziende dame van middelbare leeftijd zich naar de camera, en dan zegt ze heel spontaan: 'Weet u, als ik diarree krijg, wil ik wel een beetje comfort hebben.' (Waarop ik altijd antwoord: 'Waarom zou je daarmee wachten tot je diarree krijgt?')

In een andere spot trekt een man op een bowlingbaan (mannen bevinden zich vrijwel altijd op bowlingbanen in dergelijke gevallen) een scheef gezicht na een slechte worp, en dan mompelt hij tegen zijn partner: 'Ik heb weer last van mijn aambeien.' En dan komt het. Zijn makker heeft wat aambeienzalf op zak! Niet in zijn sporttas, wel te verstaan, niet in het handschoenenkastje van zijn auto, maar in de borstzak van zijn overhemd, zodat hij de tube meteen te voorschijn kan toveren en aan de anderen laten zien. Heel bijzonder.

Maar de echt verbijsterende verandering in de afgelopen twintig jaar is dat inmiddels zelfs reclame wordt gemaakt voor geneesmiddelen die alleen op recept verkrijgbaar zijn. Voor me ligt een populair tijdschrift dat *Health* heet, en dat tjokvol advertenties staat met indrukwekkende uitspraken als: 'Waarom zou je twee tabletten slikken als je er één kunt nemen? Prempro is het enige tablet op recept dat Premarin en een progestine in één tablet combineert', of 'Nieuw: Allegra, het nieuwe middel op recept tegen hooikoorts dat u de kans biedt de deur uit te gaan.'

Een andere advertentie stelt de zwierige vraag: 'Hebt u ooit een vaginale infectie behandeld in een uithoek van de wereld?' (Niet dat ik weet!) Een vierde dringt door tot de economische kern van de zaak en deelt mee: 'De dokter heeft me verteld dat ik waarschijnlijk de rest van mijn leven pillen tegen hoge bloeddruk moet slikken. Het goede nieuws is dat ik heel wat kan sparen sinds hij me in plaats van Procardia XL (nifedipine) Adalat CC (nifedipine) voorschrijft.'

De bedoeling is dat je de advertentie leest, en dan je dokter (of 'gezondheidsspecialist') net zo lang aan zijn kop zeurt tot hij je dat middel voorschrijft. Ik vind het een eigenaardig idee, dat lezers van tijdschriften bepalen wat voor medicijnen het best voor hen zijn, maar ja, Amerikanen lijken heel wat van medicijnen af te weten. Bijna alle advertenties gaan ervan uit dat men behoorlijk op de hoogte is van de biochemie. De advertentie over vaginale schimmelinfecties verzekert de lezer ervan dat Diflucan 'te vergelijken is met zeven dagen Monistat 7, Gyne-Lotrimin of Mycelex-7', terwijl de reclame voor Prempro belooft dat het middel 'even effectief is als afzonderlijk slikken van Premarin en een progestine'.

Als het tot je doordringt dat dit zinvolle mededelingen zijn voor duizenden en duizenden Amerikanen, wordt de gedachte dat je bowlingvriend een tube aambeienzalf in zijn borstzak heeft niet meer zo lachwekkend.

Ik weet niet of die nationale bezetenheid van gezondheid echt nuttig is. Wat ik wél weet, dat is dat er een veel aangenamer manier is om tot volmaakte innerlijke harmonie te geraken. Drink zes glazen bier en kijk negentig minuten naar Open University voordat je gaat slapen. Voor mij heeft dat altijd perfect gewerkt.

Posterijen

Een van de vreugden van wonen in een klein, ouderwets stadje in New England is dat er meestal ook een klein, ouderwets postkantoor is. Dat van ons is bijzonder aangenaam. Het is gevestigd in een aantrekkelijk bakstenen overheidsgebouw, indrukwekkend, maar niet opzichtig, en het ziet eruit zoals een postkantoor eruit moet zien. Het ruikt er zelfs aangenaam – een combinatie van lijm en oude centrale verwarming die iets te hoog staat.

De mensen achter de loketten zijn altijd energiek en efficiënt en geven je graag een extra stukje plakband als je envelop eruitziet alsof hij elk moment open kan gaan. Bovendien doen Amerikaanse postkantoren uitsluitend aan postale zaken – ze houden zich niet bezig met pensioenen, wegenbelasting, bijstandsuitkeringen, kijk- en luistergeld, paspoorten, staatsloten of een van die honderd andere dingen waardoor een bezoek aan een Brits postkantoor zo'n populair uitstapje van een volle dag wordt, en voorziet in bevredigende en betrouwbare afleiding voor babbelgrage lieden die niets zo heerlijk vinden als lekker lang zoeken naar gepast geld in hun portemonnee en handtas. Hier zie je nooit een rij, en je staat binnen een paar minuten weer op straat.

En het mooiste is: elk jaar heeft elk Amerikaans postkantoor een Beoordelingsdag voor Klanten. De onze viel gisteren. Ik had nooit van die schitterende gewoonte gehoord, maar ik vond het meteen prachtig. De employés hadden span-doeken opgehangen, een lange tafel met een mooi, geruit kleed neergezet, en daarop stonden donuts, koekjes en hete koffie – allemaal gratis.

Het leek een heerlijk onwaarschijnlijk idee, dat de over-heidsbureaucratie-zonder-gezicht mij en mijn plaatsgenoten bedankte voor de klandizie, maar ik was onder de indruk en dankbaar – en ik moet zeggen, het was goed om eraan her-innerd te worden dat werknemers van het postkantoor niet alleen maar geestloze robots zijn die hun dagen besteden aan het havenen van brieven en het verzenden van mijn royalty-cheques naar een vent in Vermont die Bill Bubba heet, maar dat ze daarentegen toegewijde, hoogopgeleide individuele personen zijn die hun dagen besteden aan het havenen van brieven en het verzenden van mijn royalty-cheques aan een vent in Vermont die Bill Bubba heet.

Maar goed, ik was totaal verkocht. Overigens zou ik het akelig vinden als jullie dachten dat mijn aanhankelijkheid je-gens de posterijen gemakkelijk te koop is voor een donut met chocoladeglazuur en een schuimplastic bekertje koffie. Hoe-zeer ik de Royal Mail ook bewonder – men heeft me daar nooit een hapje voor halverwege de ochtend aangeboden, dus moet ik jullie vertellen dat ik, toen ik na mijn boodschap naar huis wandelde en de kruimels van mijn kin veegde, nogal uit-zonderlijk gunstige gedachten koesterde over het Ameri-kaanse leven in het algemeen en de US Postal Service in het bijzonder.

Maar zoals dat bijna altijd gaat met overheidsdiensten – het kon niet van blijvende aard zijn. Toen ik thuiskwam, lag de post van die dag op de mat. Tussen de gebruikelijke vele uitnodigingen om nieuwe creditcards aan te schaffen, een re-genwoud te redden, levenslang lid te worden van de National Incontinence Foundation, mijn naam (in ruil voor een klein bedrag) te laten opnemen in de *Who's Who of People Named Bill in New England*, zonder verdere verplichtingen deel een van *Great Explosions* in te zien, de National Rifle Association te helpen met zijn Arm-a-Toddler-campagne en die tientallen andere ongevraagde poststukken, speciale aanbiedingen en bedelbrieven, voorzien van talloze kleine plaketiketten met mijn naam erop gedrukt, zoals ze elke dag elk Amerikaans huis bereiken – en het is werkelijk ongelooflijk zoveel rotzooi als je in dit land tegenwoordig thuisbezorgd krijgt – maar goed, tussen al die rommel en rataplan bevond zich een zielige, gehavende brief die ik eenenveertig dagen eerder had gestuurd aan een vriend in Californië, p/a zijn werkadres, en die me nu werd teruggestuurd met een stempel 'Onvoldoende adressering – Beter je leven en probeer het nog eens' of woorden van gelijke strekking.

Toen ik dat zag, slaakte ik een kleine wanhoopszucht, en niet alleen omdat ik zojuist mijn ziel aan de US Postal Service had verkocht in ruil voor een donut. Toevallig had ik kort tevoren een artikel over woordspelletjes gelezen in het tijdschrift *Smithsonian*, waarin de auteur verzekerde dat een grappenmaker een keer een brief had verstuurd die speels en dubbelzinnig geadresseerd was aan

HILL
JOHN
MASS

en die ook was aangekomen nadat de Amerikaanse posterijen hadden begrepen dat men dat moest lezen als 'John Underhill, Andover, Massachusetts'. (Snappen jullie 'm?)

Het is een aardig verhaal, en ik zou het echt graag willen geloven, maar het lot van mijn brief naar Californië, zojuist teruggestuurd na een avonturenreis van eenenveertig dagen naar het verre Westen, leek erop te wijzen dat voorzichtigheid geboden is ten aanzien van de posterijen en hun kwaliteiten als speurders.

Het probleem met mijn brief was dat ik hem slechts geadresseerd had aan mijn vriend, 'p/a Black Oak Books, Berkeley, California', zonder straatnaam of huisnummer, omdat ik die geen van beide wist. Ik geef toe dat dit geen volledig adres is, maar het is heel wat uitvoeriger dan 'Hill John Mass', en trouwens, Black Oak Books is een bekende uitgeverij in Berkeley. Iedereen die deze stad kent – en ik had, curieus naïef als ik ben, verondersteld dat daartoe ook het plaatselijke postkantoor behoorde – kent ook Black Oak Books. Maar nee. (De hemel mag trouwens weten wat mijn brief bijna zes weken lang had uitgevoerd, daar in Californië, al was hij dan teruggekomen met een mooi bruin kleurtje en een neiging om contact te zoeken met zijn diepste gevoelens.)

Om dit klaagverhaal te voorzien van een hartverwarmend perspectief wil ik jullie vertellen dat de Royal Mail, niet lang voordat ik uit Engeland vertrokken was, me binnen achtenveertig uur nadat hij in Londen gepost was, een brief bezorgd heeft die geadresseerd was aan 'Bill Bryson, Schrijver, Yorkshire Dales', wat een behoorlijk indrukwekkend staaltje speurwerk is.

Dus nu zit ik hier, en ik word verscheurd tussen een postkantoor dat me nooit wat te eten geeft, maar een uitdaging aankan, en een postkantoor dat me gratis plakband geeft, en vlotte bediening, maar weigert me te helpen als ik een straatnaam ben vergeten. De les die hieruit getrokken moet worden is natuurlijk dat je, als je van het ene land naar het andere verhuist, moet accepteren dat sommige dingen beter zijn en andere dingen slechter, en dat je daar niets aan kunt veranderen. Dat is misschien niet zo'n bijzonder diepgaand inzicht, maar ik heb wél een gratis donut gekregen, dus eigenlijk ben ik wel tevreden.

En als jullie me nu willen excuseren – ik moet naar Vermont rijden en wat post ophalen bij een zekere meneer Bubba.

Hoe amuseer je je thuis?

Mijn vrouw vindt bijna alles van het leven in Amerika schitterend. Ze vindt het heerlijk als haar inkopen in de supermarkt voor haar in een zak worden gestopt. Ze is gek op gratis ijswater en lucifersboekjes. Ze denkt dat thuisbezorgde pizza's een hoofdkenmerk van beschaving is. Ik krijg het niet over mijn hart haar te vertellen dat diensters overal in de Verenigde Staten iedereen op het hart drukken een fijne dag te hebben.

Hoewel ik zelf op Amerika gesteld ben, en dankbaar ben voor de vele gemakken van het leven daar, ben ik niet zo slaafs kritiekloos. Neem bijvoorbeeld die kruidenierswaren die ze voor je in een zak verpakken. Ik stel het gebaar op prijs, maar als je goed nagaat: wat doet het eigenlijk voor je, behalve dat je de gelegenheid krijgt erbij te staan en toe te kijken hoe je kruidenierswaren in een zak worden verpakt? Het is niet zo dat je op die manier wat kwaliteitstijd overhoudt. Ik wil niet al te zwaar op de hand zijn, maar als ik de keus kreeg tussen gratis ijswater in restaurants en, laten we zeggen, een nationale gezondheidsdienst, dan moet ik zeggen dat ik instinctief voor dat laatste ga.

Er zijn echter bepaalde dingen in het leven in Amerika die zo geweldig zijn dat ik ze nauwelijks kan uitstaan. Het belangrijkste daarvan is zonder enige twijfel de afvalvernietiger. Een afvalvernietiger is alles wat een arbeidsbesparend apparaat zou moeten zijn en zo zelden is – lawaaiig, leuk, buitengewoon gevaarlijk en zo oogverblindend goed in wat hij doet dat je je niet kunt voorstellen hoe je ooit zonder zo'n ding geleefd hebt. Als iemand me anderhalf jaar geleden gevraagd had of het waarschijnlijk was dat binnenkort mijn belangrijkste hobby zou bestaan uit het verwijderen van allerlei zaken via een gat in de gootsteen, dan zou ik hem, denk ik, in zijn gezicht hebben uitgelachen, maar het is wél zo.

Ik heb nooit eerder een afvalvernietiger gehad, dus heb ik de grenzen van zijn vermogens moeten leren via een proefondervindelijk proces. Op eetstokjes reageert het apparaat misschien wel het levendigst (dit wordt natuurlijk niet aanbevolen, maar er komt een tijd met elk apparaat dat je gewoon móét nagaan wat het allemaal kan), maar de schillen van een kanteloep leveren een heerlijk diep, kelig geluid op en resulteren in minder 'productieonderbreking'. Koffiedik in flinke hoeveelheden zullen waarschijnlijk een bevredigend 'Vesuvius-effect' hebben, al is het om voor de hand liggende redenen beter deze lastige toer niet uit te halen voordat je vrouw voor de rest van de dag het huis heeft verlaten; ook kun je beter een dweil en een keukentrapje bij de hand houden.

Het spannendste aan een afvalvernietiger is natuurlijk als het ding stokt en je je hand erin moet steken om de verstopping ongedaan te maken, terwijl je weet dat het elk moment weer tot leven kan komen om op slag je arm van een nuttig grijpinstrument in een pootstokje te veranderen. Niemand hoeft me iets te vertellen over gevaarlijk leven.

Al even bevredigend op zijn eigen manier, en bepaald niet minder ingenieus, is de weinig bekende askuil in de open haard. Dat is heel eenvoudig een metalen plaat – een soort valluik – ingebouwd in de vloer van de haard in de woonkamer boven een diepe, bakstenen kuil. Als je de haard schoonmaakt, hoef je de as niet in een emmer te scheppen en die dan morsend en wel door het huis te sjouwen – nee, je schuift het allemaal door dat gat en het verdwijnt voorgoed. Prachtig.

In theorie moet de askuil uiteindelijk vol raken, maar de onze lijkt bodemloos te zijn. Beneden in het souterrain zit een metalen deurtje in de muur waardoorheen je kunt zien hoe het met de kuil staat, en af en toe ga ik naar beneden om een kijkje te nemen. Dat is niet echt nodig, maar dan heb ik een excuus om naar het souterrain te gaan, en dat vind ik altijd fijn, want souterrains zijn het derde mooie ding van het leven in Amerika. Ze zijn heerlijk omdat ze zo verbijsterend, zo overvloedig nutteloos zijn.

Souterrains – dat zijn dingen die ik ken, want ik ben met zoiets opgegroeid. Alle Amerikaanse souterrains zijn hetzelfde. Ze hebben allemaal een waslijn die zelden gebruikt wordt, er drupt wat water uit een onvindbare bron diagonaal over de vloer, en er hangt een vreemde geur – een combinatie van oude tijdschriften, kampeerspullen die gelucht hadden moeten worden, wat niet gebeurd is, en het heeft ook iets te maken met meneer Fluffy, een hamster die een halfjaar geleden is ontsnapt via een rooster van de centrale verwarming en sindsdien niet meer gezien is (en die we intussen waarschijnlijk beter meneer Bones kunnen noemen).

Souterrains zijn zelfs zo volstrekt nutteloos dat je er zelden naartoe gaat, dus is het altijd weer een verrassing wanneer je je herinnert dat je er een hébt. Elke huisvader die ooit daarheen afdaalt, blijft op een gegeven moment staan en denkt: 'Jeetje, eigenlijk zouden we toch iets moeten doen met al die ruimte. We zouden hier een drankjeskast kunnen neerzetten, en een biljart en misschien een jukebox en een jacuzzi en een paar flipperautomaten...' Maar dat is natuurlijk een van die vele dingen die je ooit eens wilt doen, zoals Spaans leren of leren hoe je zelf de haren van je familie kunt knippen, en die je nooit doet.

Ja, een enkele keer, vooral in eerste woningen, zie je weleens dat een of andere jonge, enthousiaste pa het souterrain heeft verbouwd tot speelkamer voor de kinderen, maar dat is altijd fout, want geen kind wil spelen in een souterrain. En de reden is: hoe liefdevol je ouders ook zijn, en hoe graag je ze ook zou willen vertrouwen – altijd is er de gedachte dat ze stilletjes de deur boven aan de trap op slot kunnen doen en naar Florida verhuizen. Nee, souterrains zijn buitengewoon en onontkoombaar eng – daarom komen ze altijd voor in spookfilms, meestal met tegen de achtermuur de schaduw van Joan Crawford met een bijl in de hand. Misschien is dat de reden dat zelfs vaders niet zo vaak naar beneden gaan.

Ik zou eindeloos door kunnen gaan met mijn opsomming van andere kleine, onbezongen heerlijkheden van het Amerikaanse huiselijke leven – koelkasten waar je ijswater kunt tappen, en die zelf ijsblokjes maken, kasten waarin je kunt staan, stopcontacten in badkamers – maar dat doe ik niet. Mijn ruimte is op, en trouwens, mevrouw B. gaat net de deur uit om boodschappen te doen, en ik bedenk me dat ik nog niet heb gezien wat de afvalvernietiger kan doen met een sapverpakking. Ik kom hier nog op terug.

Zwakke plekken in het ontwerp

Ik heb een tienerzoon die aan hardlopen doet. Hij heeft, volgens een voorzichtige schatting, 6100 paar sportschoenen, en elk daarvan vertegenwoordigt een grotere investering van gezamenlijke ontwerpersdrift dan bijvoorbeeld Milton Keynes.

Die schoenen zijn verbijsterend. Ik heb net een artikel gelezen in een van zijn hardlooptijdschriften, over de nieuwste 'sportgebruiksgympen', zoals ze hier heten, en dat stuk stond vol met passages als de volgende: 'Een dubbeldikke EVA-middenzool met airpockets voor en achter zorgt voor stabiliteit, terwijl een hielstuk met gel als schokbreker fungeert, hoewel de schoen een smalle afdruk maakt, een kenmerk dat meestal alleen past bij de biomechanisch efficiënte hardloper.' Alan Shepard is de ruimte ingegaan met minder wetenschap tot zijn beschikking.

Dus hier volgt mijn vraag. Als mijn zoon kan kiezen uit een zo te zien eindeloze variatie aan zorgvuldig geconstrueerd, biomechanisch efficiënt schoeisel, waarom deugt het toetsenbord van mijn computer dan niet? Die vraag bedoel ik serieus.

Het toetsenbord van mijn computer heeft honderdtwee toetsen – bijna tweemaal zoveel als mijn oude handschrijfmachine – en op het eerste gezicht lijkt dat reuze royaal. Naast andere typografische luxe kan ik kiezen uit drie soorten haakjes en twee soorten dubbele punt. Ik kan mijn tekst opsieren met carets (^) en tildes (~). Ik krijg slashes toebedeeld die naar links of naar rechts vallen, en de hemel weet wat nog meer.

Ik heb zelfs zoveel toetsen dat er aan de rechterkant van het toetsenbord hele groepen knoppen zitten waarvan de functie me totaal onbekend is. Af en toe sla ik er per ongeluk eentje aan, en dan ontdek ik dat verscheidene alinea's van mijn w9rk er n+ zo u*tzi?n, of dat ik de laatste anderhalve pagina heb geschreven in een interessante, maar helaas non-alfabetische lettersoort die Wingdings heet, maar voor het overige heb ik geen flauw idee waar die toetsen voor zijn.

Laten we het nu maar niet hebben over het feit dat veel van die toetsen dezelfde functie hebben als andere, terwijl andere ogenschijnlijk helemaal niets doen (wat dat betreft is mijn favoriet de toets die 'Pause' heet, en die wanneer hij ingedrukt wordt, absoluut niets doet, waardoor de interessante metafysische vraag rijst of hij dus doet waarvoor hij bedoeld is), of dat verscheidene toetsen op nogal stomme plaatsen zijn gegroepeerd. De toets 'delete' bijvoorbeeld zit vlak naast de 'insert'-toets, zodat ik vaak, met een vrolijk schaterlachje, ontdek dat mijn meest recente gedachten, gelijk Pacman, alles verslonden hebben wat ik daarvoor had geschreven. Heel vaak sla ik op de een of andere manier een combinatie van toetsen aan die een venster oproepen dat iets zegt van 'Dit is een zinloos venster. Wenst u het?', en dat wordt gevolgd door een ander dat zegt 'Weet u *zeker* dat u het zinloos venster niet wenst?' Nee, laten we het daar niet over hebben. Ik weet al heel lang dat de computer niet mijn vriend is.

Maar wat me werkelijk ergert is het volgende. Bij alle honderdtwee toetsen die ik tot mijn beschikking heb, is er niet één voor de breuk ½. De toetsenborden van typemachines hadden altijd een toets voor ½. Wanneer ik nu ½ wil typen, moet ik het lettersoortmenu oproepen en een directory intikken die 'WP Characters' heet, vervolgens moet ik een heel stel subdirectory's doorzoeken tot ik me die ene herinner of, wat vaker voorkomt, toevallig terecht kom bij 'Typografische symbolen', waarin het stiekeme teken ½ zich verscholen heeft. Dat is ergerlijk en zinloos en het lijkt me onjuist.

Maar ja, de meeste dingen op de wereld lijken me onjuist. Op het dashboard van onze auto zit een ondiepe uitholling, ongeveer ter grootte van een paperback. Als je een plek zoekt om je zonnebril of kleingeld neer te leggen, dan is dat de aangewezen plaats, en dat werkt bijzonder goed, moet ik zeggen, zolang de auto tenminste niet in beweging is. Maar zodra je de auto start, en vooral wanneer je remt, een hoek omgaat of tegen een lichte helling oprijdt, glijdt alles ervan af. Er is namelijk geen rand rond dat plateautje. Het is gewoon een vlak stuk plastic, met kuiltjes erin. Het kan niets bevatten dat er niet aan vastgespijkerd is.

Dus vraag ik u: waar is het dan voor? Iemand heeft het toch moeten ontwerpen. Het is niet zomaar spontaan opgetreden. Een of ander persoon – of misschien, weet ik veel, een hele commissie van de afdeling Bergruimte Dashboard – heeft tijd en denkwerk moeten investeren om in het ontwerp van deze automobiel (het is een Dodge Excreta, als het jullie interesseert) een opbergplateau op te nemen waar niets op blijft liggen. Dat is werkelijk een hele prestatie.

Maar het is natuurlijk niets, vergeleken met de vele ontwerpprestaties van de lieden die verantwoordelijk zijn voor de moderne videorecorder. Ik zal heus niet uitweiden over de onmogelijkheid de gemiddelde videorecorder te programmeren, want daarvan zijn jullie al op de hoogte. Ook zal ik niet opmerken hoe irritant het is dat je naar de andere kant van de kamer moet lopen om op je buik te gaan liggen teneinde zeker te weten dat het ding opneemt. Ik maak maar één vluchtige opmerking. Ik heb onlangs een videorecorder gekocht, en een van de pluspunten – een van de dingen waarop de fabrikant zich beroemde – was dat het apparaat in staat was programma's twaalf maanden tevoren in te tikken. Denken jullie daar nu eens even over na, en vertellen jullie me dan onder welke omstandigheden – en ik bedoel onder welke denkbare omstandigheden – jullie je zouden kunnen voorstellen dat je op een videorecorder vandaag over een jaar een programma wilt intikken.

Ik wil hier niet klinken als een ouwe kerel die altijd zit te zeuren. Ik geef volmondig toe dat er tal van uitstekende, zorgvuldig vervaardigde producten zijn die nog niet bestonden toen ik een jongen was – het zakrekenmachientje, en ketels die zichzelf automatisch uitschakelen, dat zijn er twee die me nog steeds met dankbaarheid en verwondering vervullen –, maar ik heb niettemin de indruk dat erg veel dingen zijn ontworpen door mensen die kennelijk geen seconde hebben nagedacht over de manier waarop ze gebruikt zullen worden.

Denken jullie maar eens even aan al die alledaagse dingen waarmee jullie moeite hebben – faxapparaten, kopieerapparaten, thermostaten van de centrale verwarming, vliegtickets, afstandsbedieningen van de tv, douches en wekkers in hotels, magnetrons, vrijwel elk elektrisch product dat eigendom is van iemand anders dan jullie zelf – omdat er niet goed over nagedacht is.

En waarom is er niet over nagedacht? Omdat de beste ontwerpers zich bezighouden met atletiekschoenen. Dat moet het zijn, en anders zijn het gewoon idioten. In beide gevallen is het eigenlijk niet eerlijk.

Weidse ruimte

Ik noem een paar dingen die jullie moeten onthouden tijdens je leven: Daniel Boone was een idioot, en het is niet de moeite waard te proberen voor één dag naar Maine te reizen vanuit Hanover, New Hampshire. Laat ik het uitleggen.

Ik was laatst op een avond aan het rommelen met een wereldbol (een van de voordelen van de verschrikkelijke Amerikaanse televisie is dat je merkt dat je zit te rommelen met een heleboel nieuwe dingen) en ik was lichtelijk verbaasd dat ik hier in Hanover veel dichter bij ons oude huis in Yorkshire ben dan bij veel andere delen van de Verenigde Staten. Van de plaats waar ik nu zit naar Attu, het meest westelijke eiland van de Aleoeten bij Alaska, is het bijna zesduizend kilometer. Anders gezegd, jullie zitten dichter bij Johannesburg dan ik bij het uiterste puntje van mijn eigen land.

Natuurlijk zouden jullie kunnen tegenwerpen dat Alaska geen eerlijke vergelijking is, omdat er zoveel niet-Amerikaans grondgebied ligt tussen hier en daar, maar zelfs als men zich tot het vasteland van de Verenigde Staten beperkt, zijn de afstanden indrukwekkend. Van mijn huis naar Los Angeles is ongeveer even ver als van jullie huis naar Lagos. Kortom, we hebben het hier over grootschaligheid.

En ik noem nog een verbazingwekkend feit dat te maken heeft met schaal. In de afgelopen twintig jaar (een periode waarin ik, zoals bekend, mijn kinderen elders heb verwekt) is de bevolking van de Verenigde Staten toegenomen met bijna precies het equivalent van Groot-Brittannië. Dat vind ik ook heel verbazingwekkend, niet in de laatste plaats omdat ik niet weet waar al die nieuwe mensen zich bevinden.

Een opmerkelijk gegeven van Amerika, als je lange tijd in een knus landje als het Verenigd Koninkrijk hebt gewoond, is hoe verschrikkelijk groot en verschrikkelijk leeg een groot deel van dit land is. Bedenk eens het volgende: Montana, Wyoming en Noord- en Zuid-Dakota beslaan een grondgebied dat tweemaal zo groot is als Frankrijk, maar er wonen minder mensen dan in Zuid-Londen. Alaska is nog groter en heeft nog minder inwoners. Zelfs mijn eigen nieuwe staat New Hampshire, in het relatief dichtbevolkte noordoosten van het land, is voor 85 procent bosgebied, en het grootste deel van de rest bestaat uit meren. Je kunt in New Hampshire heel lang rijden zonder ooit iets anders te zien dan bomen en bergen – geen huis, geen gehucht en zelfs, heel vaak, geen andere auto.

Ik loop er telkens weer in. Niet zo lang geleden had ik een paar vrienden uit Engeland op bezoek, en we besloten een rit te maken naar de meren van westelijk Maine. Het leek een aardig dagje uit te worden. We hoefden alleen New Hampshire over te steken – en dat is per slot van rekening de op drie na kleinste staat van Amerika – en dan een eindje over de staatsgrens onze prachtige buurstaat vol elanden in. Ik schatte dat de rit ons twee tot tweeënhalf uur zou kosten.

Tja, jullie hebben de clou natuurlijk al geraden. Zeven uur later stopten we uitgeput aan de oever van Rangeley Lake, we maakten twee foto's, keken elkaar aan en stapten zonder een woord weer in de auto en reden naar huis. Dergelijke dingen doen zich voortdurend voor.

Het merkwaardige is dat vrijwel alle Amerikanen, voor zover ik kan nagaan, het niet zo zien. Zij vinden het land veel te vol. Er komen steeds weer initiatieven om de toegang tot nationale parken en beschermde natuurgebieden te beperken, omdat er veel te veel mensen komen. Voor een deel zijn ze ontegenzeglijk druk, maar dat komt alleen doordat 98 procent van de bezoekers per auto komt, en doordat 98 procent van die mensen zich niet verder dan vierhonderd meter van hun metalen moederschoot vandaan waagt. In andere streken heb je echter hele bergen voor jezelf, zelfs in de drukste parken op de volste dagen. Toch zou het kunnen gebeuren dat ik binnenkort niet meer mag wandelen in allerlei natuurgebieden, tenzij ik met vooruitziende blik mijn bezoek weken voordien heb geboekt, en dat komt dan door zogenaamde al te grote drukte.

En wat nog onheilspellender is: er is sprake van een toenemende overtuiging dat de beste manier om die denkbeeldige crisis aan te pakken, is de meeste mensen die niet hier zijn geboren, de toegang te ontzeggen. Er is een organisatie waarvan de naam me is ontschoten (het zou 'Gevaarlijk kleingeestige reactionairen voor een beter Amerika' kunnen zijn), die van tijd tot tijd serieuze, zorgvuldig beredeneerde advertenties in de *New York Times* en andere kwaliteitskranten plaatst, waarin opgeroepen wordt tot beëindiging van de immigratie aangezien deze, zoals in een van de advertenties staat te lezen, 'ons milieu vernielt, evenals de kwaliteit van ons leven'. Toe nou. Elders wordt daaraan nog toegevoegd: 'Hoofdzakelijk door immigratie stormen we halsoverkop af op een ecologische en economische ramp.'

Men zou, neem ik aan, kunnen pleiten voor vermindering van immigratie, maar niet op grond van het feit dat er geen ruimte meer is in het land. Argumenten tegen immigratie zien voor het gemak over het hoofd dat Amerika elk jaar al een miljoen immigranten over de grens zet, en dat degenen die hier wonen, voor het merendeel werk verrichten dat Amerikanen te vuil, te gevaarlijk of te slecht betaald vinden. De verwijdering van immigranten zal niet plotseling arbeidsmogelijkheden scheppen voor de inwoners; het enige dat dan zal gebeuren is dat veel borden niet meer afgewassen worden en veel fruit ongeplukt blijft. En nog onwaarschijnlijker is dat daardoor als door een wonder meer ruimte voor de overigen gecreëerd zal worden.

Amerika heeft al een van de laagste percentages aan immigranten binnen de ontwikkelde wereld. Slechts zes procent van de mensen in de Verenigde Staten is in het buitenland geboren, tegenover bijvoorbeeld acht procent in Groot-Brittannië en elf procent in Frankrijk. Amerika kan al dan niet afstormen op een ecologische en economische ramp, maar zo ja, dan zeer zeker niet doordat zes van elke honderd inwoners ergens anders zijn geboren. Maar probeer dat maar eens duidelijk te maken aan de meeste Amerikanen.

Het is een feit dat Amerika al een van de minst volle landen ter wereld is, met gemiddeld slechts 68 mensen per vierkante mijl, tegenover 256 in Frankrijk en meer dan 600 in Groot-Brittannië. In totaal wordt slechts twee procent van de Verenigde Staten geclassificeerd als 'bebouwde kom'.

Natuurlijk zijn Amerikanen altijd geneigd geweest dit soort dingen anders te zien. Volgens de verhalen zou Daniel Boone op een dag uit het raam van zijn blokhut hebben gekeken; hij zag een rookwolkje oprijzen uit de woning van een kolonist op een afgelegen berg, en kondigde aan dat hij van plan was te verhuizen – hij beklaagde zich bitter dat de omgeving te vol werd.

En daarom zeg ik dat Daniel Boone een idioot was. Ik vind het alleen akelig te zien hoe de rest van mijn land diezelfde kant uitgaat.

Regel nummer 1: Volg alle regels op

Laatst op een avond heb ik iets doms gedaan. Ik was een van onze plaatselijke bars binnengegaan en was gaan zitten zonder toestemming te vragen. Dat is iets wat je gewoon niet dóét in Amerika, maar ik had een belangrijke, steeds terugkerende gedachte die ik wilde noteren voordat ik hem vergat (namelijk: 'Er zit *altijd* een beetje meer tandpasta in de tube. Denk daar eens over na'), en trouwens, het was er praktisch leeg, dus was ik gewoon aan een tafeltje bij de deur gaan zitten.

Na een paar minuten kwam de gastvrouw – de Zitplaatsen-Manager – naar me toe, en zei op vlakke toon: 'Ik zie dat u zelf een plaats hebt gezocht.'

'Ja,' antwoordde ik trots. 'En ik heb me ook zelf aangekleed.'

'Hebt u het bordje niet gezien?' Ze wees met haar hoofd schuin op een groot bord waarop stond: WACHTEN SVP TOT U EEN PLAATS WORDT AANGEWEZEN.

Ik ben ongeveer honderdvijftig keer in die bar geweest. Ik heb dat bordje gezien vanuit elke houding, afgezien van liggend.

'Is er een bordje?' vroeg ik onschuldig. 'Goh, dat had ik niet gezien.'

Ze zuchtte. 'Tja, de dienster voor dit gedeelte heeft het héél druk, dus het kan wel even duren voordat ze komt.'

Er was binnen een afstand van vijftien meter geen andere klant te zien, maar daar ging het niet om. Het ging erom dat ik een bordje aan een muur had genegeerd, en dat ik daarom een korte straf in het vagevuur zou moeten uitzitten.

Het zou volkomen fout zijn te beweren dat Amerikanen gek zijn op regels, maar ze hebben er wél een zeker respect voor. Ten aanzien van regels gedragen ze zich ongeveer op dezelfde manier als Britten ten aanzien van in de rij staan – iets wat van fundamentele betekenis is voor de handhaving van een beschaafde en ordelijke maatschappij. Wat ik had gedaan door dat bordje te negeren, kwam neer op negeren van de rij.

Ik neem aan dat het iets te maken heeft met onze Germaanse afkomst. Over het geheel genomen heb ik daar niets op tegen. Er zijn keren, moet ik zeggen, wanneer een beetje Teutoonse orde niet overbodig zou zijn in Engeland – bijvoorbeeld wanneer mensen twee plaatsen op een parkeerplaats bezet houden (de enige overtreding waarvoor ik, als ik me eerlijk mag uitspreken, de terugkeer van de doodstraf zou toejuichen).

Soms echter gaat de Amerikaanse verknochtheid aan orde te ver. Ons plaatselijk openbaar zwembad bijvoorbeeld heeft zevenentwintig bordjes aan de muren hangen – zevenentwintig! – en het mooiste daarvan vind ik 'Slechts één keer opspringen per duik op de duikplank'. En die regels worden nageleefd.

Wat frustrerend – nee, ergerlijk – is, dat is dat het er bijna nooit toe doet of die regels enige zin hebben. Ongeveer een jaar geleden zijn de Amerikaanse luchtvaartmaatschappijen, in verband met het toenemend gevaar van terrorisme, van hun passagiers fotografische identificatie gaan eisen wanneer ze inchecken voor een vlucht. Daar heb ik pas van gehoord toen ik verscheen om in een vliegtuig te stappen op een luchthaven 180 kilometer van mijn huis vandaan.

'Ik moet fotografische identificatie hebben,' zei de man achter het loket, die de charme en grenzeloze motivatie bezat die je zou verwachten van iemand wiens belangrijkste emolument van zijn werk een nylon das is.

'O ja? Ik geloof niet dat ik die heb,' zei ik, en ik begon mijn zakken af te kloppen, alsof dat enig verschil zou maken, en vervolgens allerlei kaartjes uit mijn portefeuille te halen. Ik had allerlei identificatiepapieren bij me – lidmaatschap van de bibliotheek, creditcards, Social Security, ziekteverzekering, vliegticket – en op allemaal stond mijn naam, alleen zat er nergens een foto bij. Ten slotte vond ik achter in mijn portefeuille een oud rijbewijs uit Iowa, waarvan ik niet eens meer wist dat ik het had.

'Dat is verlopen,' zei hij minachtend.

'Dan zal ik niet vragen of ik het vliegtuig mag besturen,' antwoordde ik.

'En trouwens, het is vijftien jaar oud. Ik moet iets actuelers hebben.'

Ik zuchtte en doorzocht mijn bezittingen. Ten slotte bedacht ik dat ik een exemplaar van een van mijn eigen boeken bij me had, met mijn foto op het omslag. Ik overhandigde het hem met trots en enige opluchting.

Hij keek naar het boek en toen strak naar mij, en vervolgens naar een gedrukt lijstje. 'Dit staat niet op onze lijst van Toelaatbare visueel herkenbare afbeeldingen,' zei hij, of woorden die even wezenloos klonken.

'Dat wil ik best geloven, maar ik ben het toch heus. Het kan niet méér mij zijn.' Ik sprak nu zachter en boog me naar hem over. 'Denkt u werkelijk dat ik dit boek speciaal heb laten drukken zodat ik stiekem aan boord van een vliegtuig naar Buffalo kon sluipen?'

Hij keek me nogmaals een minuut strak aan, en riep er toen een andere man bij om te overleggen. Ze praatten en haalden er een derde bij. Ten slotte werd het een massascène met drie mensen van de incheckbalie, hun meerdere, de meerdere van de meerdere, twee bagagecontroleurs, verscheidene nieuwsgierige omstanders die zich verdrongen om beter te kunnen kijken en een man die sieraden verkocht uit een aluminiumkoffer.

Mijn vliegtuig zou binnen een paar minuten vertrekken, en er begon schuim in mijn mondhoeken te verschijnen. 'Wat heeft dit allemaal voor zin?' zei ik tegen de hoogste meerdere. 'Waarom moet u een fotografische identificatie zien?'

'Voorschrift van de FAA [Federal Aviation Agency],' zei hij, bezorgd starend naar mijn boek, mijn ongeldige rijbewijs en de lijst van toelaatbare foto's.

'Maar waaróm bestaat dat voorschrift? Gelooft u nou echt dat u een terrorist zult tegenhouden door hem te verplichten een foto van zichzelf te tonen? Denkt u dat iemand die een slimme kaping kan plannen en uitvoeren, van zijn plannen wordt afgebracht doordat hem gevraagd wordt zijn rijbewijs te tonen? Is het al bij u opgekomen dat het productiever zou zijn, ten aanzien van het terrorisme, als u iemand in dienst nam die klaarwakker was en misschien over wat meer IQ beschikte dan dat van een klein weekdier, teneinde de tv-schermen van uw röntgenapparatuur te controleren?' Misschien heb ik dat alles niet precies in deze bewoordingen gezegd, maar ze geven mijn gevoelens goed weer.

Maar jullie moeten begrijpen: het gaat er niet alleen om dat je je identificeert, maar dat je je identificeert op een wijze die *precies overeenkomt met een schriftelijke instructie*.

Maar goed, ik veranderde van tactiek en begon te smeken. Ik beloofde nooit meer op een luchthaven te verschijnen zonder passende identificatie. Ik deed alsof ik ontzaglijk veel berouw had. Ik denk dat niemand ooit zo ernstig, zo berouwvol verlangd heeft naar toestemming om door te reizen naar Buffalo.

Ten slotte knikte de meerdere bezorgd naar de man achter het loket, en zei dat hij me kon inchecken, maar hij waarschuwde me nooit meer zoiets gemeens te proberen, en toen vertrok hij met zijn collega's.

De man gaf me een instapkaart, en ik liep naar de ingang, en toen keerde ik op mijn schreden terug en gaf hem op zachte, vertrouwelijke toon iets nuttigs ter overweging.

'Er zit altijd wat meer tandpasta in de tube,' zei ik. 'Denk daar eens over na.'

De mysteriën van Kerstmis

Een van de vele kleine mysteriën die ik hoopte op te lossen toen ik naar Engeland verhuisde, was het volgende: Wanneer Britse mensen zongen 'Awassailing We'll Go', waar gingen ze dan heen en wat deden ze precies wanneer ze daar kwamen?

In de tijd dat ik in Amerika opgroeide, had ik dat lied elk jaar met Kerstmis gehoord, zonder ooit iemand te kunnen vinden die ook maar het flauwste idee had hoe die onduidelijke en raadselachtige bezigheid van 'wassailing' in zijn werk ging. Gezien het levendige wijsje van het kerstliedje en de feestelijke sfeer waarin het altijd werd gezongen, zag ik in mijn jeugdige verbeelding altijd roodwangige meisjes die met flessen bier rondliepen in een tafereel van algemene vrolijkheid en losbandigheid, met een brandend joelblok in de haard in een zaal die met hulst versierd was, en met dat beeld in mijn achterhoofd keek ik met een zekere vrijmoedige verwachting uit naar mijn eerste Engelse kerst. Bij mij thuis bestond het opwindendste dat je kon verwachten aan seizoengebonden vermetelheid uit het aanbod van een koekje in de vorm van een kerstboom.

Jullie kunnen je dus mijn teleurstelling voorstellen toen mijn eerste kerst in Engeland kwam en ging zonder dat er enig 'wassailing' te zien was, en dat niemand die ik ondervroeg iets méér wist van de verborgen, eerbiedwaardige geheimen van die gewoonte. In bijna twintig jaar in Engeland heb ik zelfs nooit iemand kunnen vinden die ooit was gaan 'wassailen', althans niet voor zover hij wist. Ook heb ik, nu we het toch daarover hebben, nooit 'mumming' gezien, en nog minder 'hodening' (een soort georganiseerd groepsbedelen om munten, teneinde drankjes te betalen in de dichtstbijzijnde pub, wat mij een voortreffelijk idee lijkt), of een van de andere tradities van een Engelse kerst die me met zoveel woorden waren toegezegd in de teksten van kerstliedjes en de romans van schrijvers als Jane Austen en Charles Dickens.

Pas toen ik een exemplaar te pakken kreeg van het geleerde en klassieke werk van T.G. Crippen, *Christmas and Christmas Lore*, in 1923 in Londen verschenen, ontdekte ik eindelijk dat *wassail* oorspronkelijk een begroetingswoord was. Het komt van het Oudnoorse *ves heil* en betekent 'in goede gezondheid'. In de Angelsaksische tijd, aldus Crippen, was het de gewoonte dat iemand die een drankje aanbood, 'Wassail!' zei, en dat de ontvanger dan antwoordde: 'Drinkhail!', en dat deze personen daarmee doorgingen tot ze aangenaam horizontaal waren.

Uit Crippens boekdeel blijkt dat deze en tal van andere oeroude en aangename kerstgewoonten in 1923 nog algemeen voorkwamen in Groot-Brittannië. Helaas lijken ze inmiddels voorgoed verdwenen te zijn.

Niettemin is Kerstmis in Groot-Brittannië verrukkelijk, veel fijner dan Kerstmis in Amerika, om allerlei redenen. Om te beginnen worden in Groot-Brittannië – of op zijn minst in Engeland – nog vrijwel alle feestelijke uitspattingen (eten, drinken, cadeautjes, nog meer eten en drinken) samengebundeld in Kerstmis, terwijl wij in Amerika de onze spreiden over drie afzonderlijke feestdagen.

In Amerika is de grote eetfeestdag Thanksgiving, eind november. Thanksgiving is een geweldige feestdag – waarschijnlijk de allerbeste van Amerika, als je het mij vraagt. (Voor het geval jullie je dat altijd hebben afgevraagd: het feest

herdenkt de eerste oogstmaaltijd waarbij de Pilgrims aan tafel waren gegaan met de indianen om hen te bedanken voor
al hun hulp en tegen hen te zeggen: 'O ja, tussen twee haakjes, we hebben besloten dat we het héle land willen hebben.')
Het is een prachtige feestdag omdat je geen cadeaus hoeft te
geven en geen kaarten te versturen of ook maar iets anders
te doen dan eten, totdat je begint te lijken op een ballon die
te lang aan de heliumcilinder heeft gezeten.

Het vervelende is dat deze feestdag minder dan een maand
verwijderd is van Kerstmis. Dus wanneer moeder op 25 december weer met een kalkoen verschijnt, roep je niet: 'Kalkoen! Hoera!', maar eerder: 'O, alweer kalkoen, ma?' Door
deze regeling moet het kerstdiner wel een anticlimax worden.

Ook drinken Amerikanen niet zoveel met Kerstmis, in de
regel. Ik denk zelfs dat de meeste mensen in Amerika het
enigszins ongepast zouden vinden op eerste kerstdag meer te
drinken dan, laten we zeggen, een kleine sherry voor de lunch.
Amerikanen reserveren hun grootschalig zuipen voor oude-
jaarsavond.

Ook ontbreekt het in Amerika aan veel van de vaste kenmerken van Kerstmis die jullie als vanzelfsprekend beschouwen. Er zijn geen kerstpantomimes in Amerika. Geen *mince
pies* en nauwelijks kerstpudding. Er is geen klokgelui op
kerstavond. Er zijn geen knalbonbons. Geen dik dubbel-
nummer van de *Radio Times*. Geen cognacsaus voor bij de
kerstpudding. Geen schaaltjes met noten. Je hoort geen 'Merry Xmas Everybody' van Slade, minstens eens per twintig minuten. En bovenal: er is geen tweede kerstdag.

Op 26 december gaat iedereen in de Verenigde Staten weer
aan het werk. Kerstmis als merkbaar verschijnsel eindigt eigenlijk al zo ongeveer op het middaguur van 25 december.
Er is niets speciaals op de televisie, en de meeste warenhuizen en winkelcentra zijn 's middags open (zodat de mensen
alle dingen die ze hebben gekregen, maar niet willen houden,
kunnen ruilen). Je kunt in Amerika op eerste kerstdag naar

de bioscoop. Je kunt gaan *bowlen*. Om de een of andere reden lijkt me dat verkeerd.

Wat tweede kerstdag betreft: de meeste mensen in Amerika hebben daar nooit van gehoord, of ze hebben er op zijn hoogst een heel vaag idee van. Het zal jullie misschien verrassen, tussen twee haakjes, dat tweede kerstdag (*Boxing Day*) eigenlijk een heel modern bedenksel is. De *Oxford English Dictionary* kan de term niet eerder vinden dan in 1849. De oorsprong gaat op zijn minst terug tot de Middeleeuwen, toen het de gewoonte was offerblokken in de kerk met Kerstmis open te breken en de inhoud onder de armen te verdelen, maar als feestdag dateert tweede kerstdag pas uit de vorige eeuw, en dat verklaart waarom jullie die feestdag wél hebben, en wij niet.

Persoonlijk houd ik veel meer van tweede kerstdag dan van de eerste, voornamelijk omdat deze dag alle goede kanten van Kerstmis heeft (veel te eten en te drinken, algemene welwillendheid, een kans om overdag een dutje te doen in een leunstoel), zonder een van de nadelen, zoals urenlang op de grond zitten om poppenhuizen en fietsen in elkaar te zetten volgens aanwijzingen die in Taiwan zijn opgesteld, of het uitspreken van onoprechte dankwoorden aan tante Gladys voor een handgebreide trui die zelfs Gyles Brandreth niet zou willen aantrekken. ('Nee, heus, Glad, ik heb al overal gezocht naar een trui met een ingebreid eenhoornmotief.')

Nee, als er één ding in Engeland is dat ik mis, dan is het tweede kerstdag. Dat, en natuurlijk luisteren naar Slade die telkens weer 'Merry Xmas Everybody' laat horen. Nog afgezien van alle andere dingen: daardoor krijg je zoveel meer waardering voor de rest van het jaar.

Getallenloterij

Het Congress van de Verenigde Staten, dat altijd weer ver-bijsterend is, heeft onlangs goedgekeurd dat het Pentagon 11 miljard dollar meer krijgt dan waar het om gevraagd had.

Hebben jullie er enig idee van hoeveel 11 miljard dollar is? Natuurlijk niet. Niemand trouwens. Men kan zich een der-gelijke som onmogelijk voorstellen.

Waarheen je je ook wendt ten aanzien van Amerika en de economie van dat land, je zult stuiten op cijfers die zo groot zijn dat ze in wezen onbegrijpelijk worden. Bekijken jullie eens een paar cijfers die ik uit de zondagskranten van het af-gelopen weekend heb gehaald. Het jaarlijkse BNP van de Ver-enigde Staten bedraagt 6,8 biljoen dollar. Het federale bud-get bedraagt 1,6 biljoen dollar. Het federaal tekort bedraagt bijna 200 miljard dollar. Alleen al de staat Californië heeft een economie die 850 miljard dollar waard is.

Men verliest gemakkelijk uit het oog hoe enorm die cijfers in werkelijkheid zijn. De cumulatieve schuld van Amerika was de laatste keer dat het bedrag is berekend, volgens het tijdschrift *Time*, 'een haar' beneden de 4,7 biljoen dollar. Het eigenlijke cijfer was 4,692 biljoen dollar, dus valt er niet veel aan te merken op die mededeling, en toch vertegenwoordigt die een verschil van 8 miljard dollar – nogal een grote haar volgens ieders berekening.

Ik heb lang genoeg gewerkt bij de afdeling economie van

een nationaal dagblad om te weten dat zelfs de meest ervaren financiële journalisten vaak in de war raken wanneer ze termen als *miljard* en *biljoen* moeten hanteren, en wel om twee redenen. In de eerste plaats hebben ze nogal wat gedronken bij de lunch, en in de tweede plaats: dergelijke cijfers zijn echt verwarrend.

En dat is dan ook eigenlijk het probleem. Grote getallen kunnen we domweg niet bevatten. Op Sixth Avenue in New York zie je een elektronisch scherm, geplaatst en betaald door een of andere anonieme bron, dat zichzelf 'De Staatsschuldklok' noemt. Toen ik er de laatste keer was, in november, stond de staatsschuld op 4 533 603 804 000 dollar – dat is 4,5 biljoen dollar –, en het bedrag groeide elke seconde met 10 000 dollar, of zo snel dat de laatste drie cijfers op het scherm bijna onleesbaar waren. Maar wat *betekent* 4,5 biljoen dollar eigenlijk?

Goed, laten we het eens met één biljoen proberen. Stel dat je in een kluis was met de complete Amerikaanse staatsschuld, en dat je te horen kreeg dat je elk dollarbiljet waarop je je paraaf zet, mocht houden. Stel bovendien, voor deze ene keer, dat je je paraaf op één dollarbiljet per seconde kon zetten, en dat je bleef doorwerken zonder onderbreking. Hoe lang denk je dan dat het zou kosten om een biljoen dollars te tellen? Toe dan, doe me een plezier en raad eens. Twaalf weken? Vijf jaar?

Als je op één dollarbiljet per seconde je paraaf zette, zou je elke 17 minuten 1000 dollar hebben. Na twaalf dagen ononderbroken arbeid zou je je eerste miljoen dollars bij elkaar hebben. Het zou je dus 120 dagen kosten om 10 miljoen dollar bij elkaar te krijgen, en 1200 dagen – iets meer dan drie jaar – om op 100 miljoen dollar te komen. Na 31,7 jaar zou je een miljardair zijn, en na ongeveer duizend jaar zou je even rijk zijn als Bill Gates, de grondlegger van Microsoft. Maar pas na 31 709,8 jaar zou je je biljoenste dollar tellen (en dan zou je minder dan een kwart gevorderd zijn door de stapel geld die de nationale schuld van Amerika vormt).

Daarop komt 1 biljoen dollar dus neer.

Het interessante is dat het steeds duidelijker wordt dat de meeste van die onvoorstelbaar grote sommen geld waarmee economen en beleidsmakers gooien, er vrijwel zeker ver naast zitten. Neem bijvoorbeeld het bruto nationaal product, de grondslag van het moderne economische beleid. BNP is een denkbeeld dat in de jaren dertig is geformuleerd door de econoom Simon Kuznets. Het kan heel goed fysieke zaken meten – tonnen staal, kubieke duimen hout, aardappels, autobanden enzovoort. Dat was allemaal goed en wel in een traditionele industriële economie. Tegenwoordig echter bestaat het grootste deel van de productie uit denkbeelden en diensten – dingen als computersoftware, telecommunicatie, financiële diensten – die rijkdom voortbrengen, maar niet noodzakelijkerwijs, en zelfs niet in het algemeen, resulteren in een product dat je op een pallet kunt zetten en naar de markt vervoeren.

Omdat zulk soort activiteiten zo moeilijk te meten en te kwantificeren zijn, weet niemand eigenlijk hoeveel ze waard zijn. Veel economen geloven inmiddels dat Amerika weleens het groeitempo van het BNP met twee tot drie procent onderschat zou kunnen hebben, gedurende een aantal jaren. Dat lijkt misschien niet veel, maar als het klopt, dan kan de Amerikaanse economie – die zichtbaar toch al verbijsterend groot is – weleens een derde groter zijn dan iemand had gedacht. Met andere woorden: er kunnen enkele honderden *miljarden* dollars rondzweven in de Amerikaanse economie waarvan niemand ooit vermoed heeft dat ze bestonden. Ongelooflijk.

Hier volgt nog zo'n verbijsterende gedachte. Niets van dit alles doet er eigenlijk toe, omdat BNP immers een totaal nutteloos meetmiddel is. Het is letterlijk slechts een primitieve meting van het nationaal inkomen – 'de dollarwaarde van afgewerkte goederen en diensten', zoals het in de leerboeken staat – gedurende een bepaalde periode.

Elke vorm van economische activiteit voegt iets toe aan het bruto nationaal product. Het doet er niet toe of dat een goede activiteit is of een slechte. Men heeft bijvoorbeeld wel geschat dat het proces-O.J. Simpson 200 miljoen dollar heeft toegevoegd aan het Amerikaanse BNP via de kosten van advocaten, rechtbankkosten, hotelrekeningen voor de pers enzovoort, maar ik denk niet dat veel mensen zouden beweren dat dit complete, kostbare schouwspel Amerika tot een opvallend groter en edeler land heeft gemaakt.

Het is zelfs zo dat slechte activiteiten vaak meer BNP opleveren dan goede activiteiten. Ik ben onlangs in Pennsylvania geweest, op de plaats van een zinkfabriek waarvan de rook zo verzadigd was van verontreinigende stoffen dat een hele berghelling erdoor ontbost is. Van het fabriekshek tot aan de top van de berg was geen enkele vegetatie meer te zien. Uit BNP-perspectief echter was het schitterend. In de eerste plaats was er de winst voor de economie van al dat zink dat al die jaren in deze fabriek was geraffineerd en verkocht. Dan was er de winst van de tientallen miljoenen dollars die de overheid moet uitgeven aan het reinigen van het terrein en het herstel van de berg. Ten slotte zal er een blijvende winst zijn uit de medische behandeling voor de arbeiders en de plaatselijke bevolking, mensen die chronisch ziek zijn geworden doordat ze tussen al die vervuilende stoffen hebben gewoond.

In termen van conventionele economische meting is dat allemaal winst, en geen verlies. Dat geldt ook voor overbevissing van meren en zeeën. En voor ontbossing. Kortom: hoe roekelozer we de natuurlijke hulpbronnen opgebruiken, des te meer BNP.

Zoals de econoom Herman Daly het eens heeft geformuleerd: 'Het gangbare nationale boekhoudsysteem behandelt de aarde als een failliet bedrijf.' Of zoals drie andere vooraanstaande economen droogjes opmerkten in een artikel in de *Atlantic Monthly* van vorig jaar: 'Volgens de merkwaardige norm van het BNP is de nationale economische held een terminale kankerpatiënt die in een kostbare echtscheidingszaak is verwikkeld.'

Waarom handhaven we dan deze belachelijke meting van de economische prestatie? Omdat dit het beste is wat de economen tot dusver hebben kunnen bedenken. Nu begrijpen jullie waarom ze dat de troosteloze wetenschap noemen.

Roomservice

Iets wat ik al heel lang heb willen doen – en als deze column mijn onkosten vergoedde, zou ik het op dit moment doen –, is een bezoek brengen aan de Motel Inn in San Luis Obispo in Californië.

Oppervlakkig bezien kan dat een vreemd streven lijken, aangezien de Motel Inn volgens de verhalen niet zo'n indrukwekkend etablissement is. Het is in 1925 gebouwd in de Spaanse koloniale stijl waarop Californiërs, Zorro en verder vrijwel niemand zo dol zijn, en het ligt in de schaduw van een drukke, verhoogde autoweg temidden van een groepje tankstations, fastfoodtenten en andere, meer moderne hotelletjes voor automobilisten.

Ooit echter was het een beroemde halteplaats aan de kustweg tussen Los Angeles en San Francisco. Een architect uit Pasadena, een zekere Arthur Heineman, heeft het gebouw van zijn uitbundige stijl voorzien, maar zijn grootste inspiratie moet men zoeken in de naam die hij ervoor heeft gekozen. Hij speelde met de woorden *motor* en *hotel*, en noemde het een *mo-tel*, met een streepje ertussen om te benadrukken dat het een nieuwe vondst was.

Amerika had al heel veel motels in die tijd, maar die droegen allemaal andersoortige namen – *auto court, cottage court, hotel court, tour-o-tel, auto hotel, bungalow court, tourist camp, cabin court, trav-o-tel*. Lange tijd leek het erop dat *tourist court* de standaardnaam zou worden. Pas omstreeks 1950 is *motel* een soortnaam geworden.

Dat weet ik allemaal omdat ik zojuist een boek over de geschiedenis van het motel in Amerika heb gelezen, met de oogverblindend originele titel *The Motel in America*. Het is geschreven door drie academici, en het is een verschrikkelijk saai boek, vol zinnen als 'De behoeften van zowel consumenten als leveranciers van onderdak hebben grote invloed uitgeoefend op de ontwikkeling van georganiseerde distributiesystemen', maar ik heb het toch maar gekocht en verslonden omdat ik gek ben op alles wat over motels gaat.

Ik kan er niets aan doen. Ik raak nog steeds opgewonden, elke keer dat ik een sleutel in een moteldeur steek en die openzwaai. Het is gewoon een van die dingen – het eten in vliegtuigen hoort er ook bij – waarvan ik opgewonden word, al zou ik beter moeten weten.

De gouden tijd van de motels is toevallig ook mijn gouden tijd geweest – de jaren vijftig – en ik neem aan dat ze me daarom zo fascineren. Wie in de jaren vijftig niet per auto door Amerika is gereisd, kan zich bijna niet voorstellen hoe spannend ze waren. In die tijd bestonden nationale motelketens als Holiday Inn en Ramada nog maar nauwelijks. Nog in 1962 was 98 procent van de motels in handen van individuele personen, dus hadden ze elk een eigen karakter.

In wezen waren er twee typen. Het eerste omvatte de goede motels. Die hadden bijna altijd een huiselijk, landelijk karakter. In de meeste gevallen waren ze gebouwd rond een royaal gazon met schaduwrijke bomen en een bloemperk dat versierd was met een witgeverfd wagenwiel. (Om de een of andere reden verfden de eigenaars over het algemeen ook al hun rotsblokken wit, en die plaatsten ze dan langs de randen van de oprit.) Vaak hadden ze een zwembad en een souvenirwinkel of café.

Binnen boden ze een weelde aan comfort en elegantie die de hele familie in verrukking zou brengen – dikke tapijten, een

66

zoemende airconditioner, een nachtkastje met een eigen telefoon en een ingebouwde radio, een tv aan het voeteneind van het bed, een eigen bad, soms een kleedkamer, Vibromaticbedden die je voor een kwartje op een massage trakteerden.

Het tweede soort motels was heel verschrikkelijk. Daar logeerden wij altijd. Mijn vader, een van de grootste vrekken uit de geschiedenis, was van mening dat het zinloos was geld uit te geven aan... tja, aan alles, eigenlijk, en zeker niet aan iets waar je hoofdzakelijk slapend zou verblijven.

Daarom kampeerden we gewoonlijk in motelkamers waar de bedden doorgezakt waren en de meubels blutsen vertoonden, en waar je er meestal op kon rekenen dat je 's nachts gewekt werd door een doordringende gil, de geluiden van versplinterend meubilair en een vrouwenstem die smeekte: 'Doe dat pistool weg, Vinnie. Ik doe alles wat je zegt.' Ik wil niet de indruk wekken dat die ervaringen me getekend en verbitterd hebben, maar ik kan me wel herinneren dat ik zag hoe Janet Leigh aan stukjes gehakt werd in Bates Motel in *Psycho*, en dat ik toen dacht: Zij heeft tenminste nog een douchegordijn.

Door dat alles, zelfs door de akeligste dingen, kreeg het reizen over de grote wegen een zekere opwindende onvoorspelbaarheid. Je wist nooit wat voor soort comfort je zou aantreffen aan het eind van zo'n dag, wat voor soort kleine vreugden er geboden zouden worden. Daardoor kregen autoreizen iets pikants waartegen de gehomogeniseerde verfijningen van de moderne tijd het niet kunnen opnemen.

Dat is heel snel veranderd door de opkomst van motelketens. Holiday Inn bijvoorbeeld is in nog geen twintig jaar van negenenzeventig vestigingen in 1958 gegroeid tot bijna vijftienhonderd. Tegenwoordig voorzien slechts vijf ketens in een derde van alle motelkamers in Amerika. Reizigers van nu wensen geen onzekerheid in hun leven. Ze willen in dezelfde ruimte slapen, hetzelfde eten tot zich nemen, naar dezelfde tv kijken, waar ze ook heen gaan.

Laatst, toen ik van Washington, DC, naar New England reed met mijn eigen gezin, probeerde ik dat uit te leggen aan mijn kinderen, en ik kwam op het idee voor die nacht te stoppen bij een ouderwets motel dat door een gezin gedreven werd. Iedereen vond dat een krankzinnig stomme inval, maar ik hield vol dat het een fantastische ervaring zou zijn.

Nou, we hebben overal gezocht. We passeerden tientallen motels, maar die hoorden allemaal bij nationale ketens. Ten slotte, na misschien anderhalf uur zinloos speuren, sloeg ik voor de zevende of achtste keer van de grote weg af en – ziedaar! – fraai verlicht in de duisternis lag daar het Sleepy Hollow Motel, een perfect type motel uit de jaren vijftig.

'Er is een Comfort Inn aan de overkant,' merkte een van mijn kinderen op.

'Wij willen geen Comfort Inn, Jimmy,' legde ik uit, in de opwinding even vergetend dat ik geen kind heb dat Jimmy heet. 'Wij zoeken een écht motel.'

Mijn vrouw is Engelse, en stond er dus op de kamer te bekijken. Die was natuurlijk vreselijk. De meubels vertoonden blutsen en schrammen en de vloerbedekking was versleten. De kamer was zo koud dat je je eigen adem kon zien. Er was een douchegordijn, maar dat hing aan nog slechts drie ringen.

'Het heeft karakter,' hield ik vol.

'Het heeft neten,' zei mijn vrouw. 'Wij slapen wel aan de overkant in de Comfort Inn.'

Ongelovig zag ik ze wegwandelen. 'Jij blijft toch wel, Jimmy?' zei ik, maar zelfs hij vertrok zonder nog een keer om te kijken.

Ik bleef daar nog een seconde of vijftien staan, toen deed ik het licht uit, ik gaf de sleutel terug en liep naar de Comfort Inn. Het was daar heel nietszeggend en het zag eruit als elke Comfort Inn waar ik ooit had gelogeerd. Maar het was er schoon, de tv deed het en, het moet gezegd worden: het douchegordijn was heel mooi.

Onze vriend de eland

Mijn vrouw heeft net geroepen dat het eten op tafel staat (ik zou liever hebben dat het op borden lag, maar goed), dus zou de column van deze week weleens iets korter kunnen uitvallen dan gewoonlijk.

Het is namelijk zo in ons huis: als je niet binnen vijf minuten aan tafel verschijnt, is er niets anders over dan kraakbeen en dat grijzige stukje touw dat ze gebruiken om het gebraad in vorm te houden. Wel kunnen we hier – en dat is nu eens iets aardigs over wonen in Amerika in deze tijd, en zelfs overal elders dan in Groot-Brittannië – rundvlees eten zonder ons af te vragen of we, wanneer we van tafel opstaan, zijwaarts tegen de muur op zullen lopen.

Ik ben niet zo lang geleden teruggeweest in het Verenigd Koninkrijk, en het viel me op dat veel van jullie weer rundvlees eten, wat me tot de conclusie bracht dat jullie niet naar de recente, uitstekende, tweedelige *Horizon*-documentaire over BSE hebben gekeken, en ook niet het al even voortreffelijke stuk van John Lanchester daarover in de *New Yorker* hebben gelezen. Als jullie dat hadden gedaan, geloof me maar, dan zouden jullie nooit meer rundvlees willen eten. (Maar nog meer zouden jullie wensen het nooit gegeten te hebben tussen 1986 en 1988. Ik heb het destijds ook gegeten, en o jé, daar staat ons wat te wachten.)

Maar goed, het is vandaag niet mijn bedoeling jullie een

akelig voorgevoel te geven (hoewel ik jullie toch aanraad al jullie zaakjes op orde te brengen zolang jullie nog een pen kunnen vasthouden) – integendeel, ik wil juist een alternatief gebruik voorstellen voor al die arme koeien die naar het slachthuis worden gestuurd.

Ik stel voor al die koeien hierheen te sturen en ze los te laten in de Great North Woods die zich uitstrekken over noordelijk New England, van Vermont tot Maine, en de Amerikaanse jagers erop los te laten. Ik dacht zo dat men jagers op die manier zou kunnen afhouden van het schieten van elanden.

De hemel mag weten waarom ook maar iemand zo'n argeloos en bedeesd dier als de eland zou willen schieten, maar duizenden doen het – zoveel zelfs dat staten nu loterijen organiseren om te bepalen wie een vergunning krijgt. Maine heeft vorig jaar 82 000 aanvragen gekregen voor 1 500 vergunningen. Meer dan 12 000 personen van buiten de staat betaalden rustig een niet terugbetaalbaar bedrag van twintig dollar, enkel en alleen om aan de loting deel te mogen nemen.

Jagers zullen je vertellen dat een eland een sluw en wild wouddier is. In werkelijkheid is een eland een koe, getekend door een kind van drie. Meer is het niet. Zonder enige twijfel is de eland het onwaarschijnlijkste, schattig hopeloze wezen dat ooit in het wild heeft geleefd. Het dier is enorm groot – zo groot als een paard – maar op een schitterende manier onhandig. Een eland rent alsof zijn poten nooit aan elkaar zijn voorgesteld. Zelfs zijn gewei is hopeloos. Andere dieren krijgen geweien met scherpe punten die er en profil prachtig uitzien en indruk maken op tegenstanders. Elanden krijgen geweien die eruitzien als ovenhandschoenen.

Wat de eland vooral onderscheidt is zijn bijna grenzeloos gebrek aan intelligentie. Als je over een autoweg rijdt en er stapt een eland uit de bossen, een eindje voor je uit, dan blijft hij een tijdje naar je kijken, en dan haast hij zich weg over de weg, voor je uit, waarbij zijn poten tegelijkertijd in acht richtingen gaan. Hij vergeet dat er misschien wel tienduizenden vierkante mijl veilig, dicht woud aan weerszijden van de weg liggen. Hij heeft er geen idee van waar hij is en wat er precies gebeurt, en hij volgt hardnekkig de autoweg, halverwege tot aan New Brunswick, voordat hij door zijn eigenaardige manier van lopen opeens weer in de bossen terechtkomt, waar hij onmiddellijk blijft staan en een verbaasde uitdrukking aanneemt die zegt: Hé, bossen. Hoe ben ik hier in vredesnaam terechtgekomen?

Elanden zijn zelfs zo ontzaglijk warhoofdig dat ze, wanneer ze een auto of een vrachtwagen horen naderen, vaak *uit* de bossen vluchten en naar de weg rennen, in de merkwaardige verwachting dat ze zich zo in veiligheid kunnen brengen. Elk jaar worden in New England ongeveer duizend elanden doodgereden door auto's of trucks. (Aangezien een eland duizend kilo weegt en zo gebouwd is dat de motorkap onder zijn poten schuift, waardoor zijn volle gewicht door de voorruit schiet, zijn botsingen vaak even dodelijk voor de chauffeur.) Als je ziet hoe rustig en leeg de wegen zijn die door de noordelijke wouden leiden, en je realiseert hoe volstrekt onwaarschijnlijk het is dat enig dier uit de bossen verschijnt, de weg op, net als er een voertuig passeert, zullen jullie begrijpen hoe verbijsterend die cijfers zijn.

Nog meer verbijsterend is, gezien het gebrek aan sluwheid bij de eland en zijn merkwaardig slechte overlevingsinstincten, dat de eland een van de langst overlevende dieren van Noord-Amerika is. Toen mastodonten op aarde rondliepen, liepen de elanden naast hen. Mammoeten, sabeltijgers, bergleeuwen, wolven, kariboes, wilde paarden en zelfs kamelen hebben ooit in het oosten van de Verenigde Staten geleefd, maar zijn geleidelijk uitgestorven, terwijl de elanden gewoon maar doorgeleefd hebben, zonder zich te storen aan ijstijden, inslaande meteoren, vulkaanuitbarstingen en continentverschuivingen.

Zo is het niet altijd geweest. Omstreeks het begin van de twintigste eeuw schatte men dat er niet meer dan een dozijn elanden in heel New Hampshire waren, en waarschijnlijk in het geheel geen in Vermont. Tegenwoordig heeft New Hampshire naar schatting vijfduizend elanden, Vermont een duizendtal meer en Maine iets van dertigduizend.

Vanwege deze grote en nog toenemende aantallen is de elandenjacht geleidelijk heringevoerd om te voorkomen dat het er te veel worden. Dat brengt echter twee problemen met zich mee. In de eerste plaats: de cijfers voor de elandenpopulatie berusten eigenlijk slechts op schattingen. Kennelijk gaan elanden niet netjes in de rij staan om zich te laten tellen. Minstens één vooraanstaande natuurkenner denkt dat de cijfers met wel twintig procent overdreven kunnen zijn, en dat zou betekenen dat elanden niet zozeer selectief uitgedund worden, als wel achteloos afgeslacht.

Nog belangrijker is volgens mij de gedachte dat er iets fundamenteel verkeerds is aan het jagen en doden van een dier dat zo wezenloos bescheiden is als een eland. Het schieten van een eland is geen prestatie. Ik ben elanden in het wild tegengekomen en kan jullie vertellen dat je zo ongeveer op ze af kunt lopen om ze dood te slaan met een opgevouwen krant. Het feit dat meer dan negentig procent van de jagers erin slaagt een eland om te leggen in een seizoen dat maar één week duurt, getuigt van het gemak waarmee ze gejaagd kunnen worden.

En dat is de reden waarom ik voorstel dat jullie al die arme warhoofdige runderen naar ons toe sturen. Dan zouden onze jagers eens het soort mannelijke uitdaging krijgen waarnaar ze kennelijk verlangen, en bovendien zou, zoals ik al zei, zodoende deze of gene eland gespaard kunnen blijven.

Stuur ons dus die gekke koeien toe. Adresseer ze maar aan Bob Smith. Dat is een van de senatoren van New Hampshire, en als we mogen vertrouwen op zijn stemgedrag, is hij vertrouwd met geestelijke stoornissen.

En als jullie me nu willen excuseren – ik moet gaan kijken of er nog wat vlees zit aan dat grijzige stukje touw.

Consumentengenoegens

Ik geloof dat ik zojuist het definitieve bewijs heb gekregen dat Amerika het summum van een winkelparadijs is. Het zat verpakt in een videocatalogus die ongevraagd met de ochtendpost kwam. Daar, tussen de gebruikelijke uiteenlopende aanbiedingen – *Fiddler on the Roof*, *T'ai Chi for Health and Fitness*, alle films waarin John Wayne ooit heeft gespeeld – vond ik een doe-het-zelfvideo die heette *Do the Macarena Totally Nude*, die de naakte thuiskijker belooft te onderrichten in 'de vurige bewegingen van deze Latijns beïnvloede dans die het hele land stormenderhand verovert'.

Tot de andere intrigerende aanbiedingen van de catalogus behoorden een documentaire die *Antique Farm Tractors* heette, een doosverpakking met het complete oeuvre van Don Knotts, en een interessante compilatie met als titel *Nude Housewives of America* (Deel I & II), met opnamen van gewone huisvrouwen 'die hun dagelijkse arbeid verrichten in hun nakie'.

En dan te bedenken dat ik voor Kerstmis een dopsleutelset heb gevraagd.

Ik bedoel dus dat er bijna niets is wat niet te koop is in dit opmerkelijke land. Winkelen is natuurlijk al tientallen jaren de nationale sport van Amerika, maar drie belangrijke verkoopontwikkelingen in de laatste paar jaar hebben de ervaring van het 'shoppen' op een hoger, duizelingwekkender plan getild. Dat zijn:

• Telemarketing. Dat is een volstrekt nieuwe business waarbij troepen verkopers volstrekte vreemden opbellen, min of meer willekeurig, en hun hardnekkig een vaste tekst voorlezen waarin een gratis set steakmessen wordt beloofd, of een AM/FM-radio, als ze een bepaald product of dienstverlening kopen. Dergelijke mensen zijn ronduit genadeloos geworden.

De kans dat ik een time-sharing appartement in Florida zou kopen van een vreemde, via de telefoon, is ongeveer even groot als de kans dat ik van godsdienst zou veranderen op grond van een bezoek van een troepje mormonen, maar kennelijk denkt niet iedereen er zo over. Volgens de *New York Times* vertegenwoordigt telemarketing in Amerika nu 35 miljard dollar per jaar. Dat is zo'n verbijsterend cijfer dat ik er niet over kan nadenken zonder hoofdpijn te krijgen, dus laten we overstappen op verkoopontwikkeling nummer twee:

• Verkooppunten. Dat zijn winkelcentra waar bedrijven als Ralph Lauren en Calvin Klein hun eigen mode met korting verkopen. Het zijn dus groepjes winkels waar alles permanent in de uitverkoop is, en ze zijn enorm groot geworden.

In veel gevallen zijn verkooppunten helemaal geen winkelcentra, maar complete gemeenschappen die zijn overgenomen door zulke verkooppunten. Verreweg het opmerkelijkste daarvan is Freeport, Maine, het thuis van L.L. Bean, een populair bedrijf dat voorziet in sportieve kleding en apparatuur voor yuppies.

Wij zijn daar vorige zomer een keer gestopt toen we door Maine kwamen, en ik tril nog na van die ervaring. De procedure voor een bezoek aan Freeport is steeds dezelfde. Je kruipt het stadje binnen in een lange file, je besteedt veertig minuten aan het zoeken naar een parkeerplaats, vervolgens sluit je je aan bij een massa van duizenden mensen die over

Main Street schuifelen langs een opeenvolging van winkels waar elk bekend merk dat ooit bestaan heeft of bestaan zal, verkocht wordt.

In het centrum van dat alles bevindt zich de L.L. Bean-winkel, die enorm is. Hij is vierentwintig uur per dag open, driehonderdvijfenzestig dagen per jaar. Je kunt daar desgewenst om drie uur 's ochtends een kajak kopen. Dat doen mensen kennelijk. Ik begin weer hoofdpijn te krijgen.

• Tot slot: de catalogi. Winkelen per post bestaat al heel lang, maar is inmiddels zo sterk gegroeid dat het alle verbazing overstijgt. Bijna vanaf het moment dat we in Amerika aankwamen, begonnen ongevraagd catalogi op de deurmat te vallen, samen met de dagelijkse post. Nu krijgen we er misschien een dozijn per week, soms meer – catalogi voor video's, voor tuingereedschappen, lingerie, boeken, kampeer- en hengelspullen, dingen om je badkamer modieuzer en gezelliger te maken, noem maar op.

Lange tijd heb ik die dingen weggegooid, samen met de rest van de ongevraagde post. Hoe dom van me. Inmiddels is het tot me doorgedrongen dat ze niet alleen uren leesplezier bieden, maar ook een wereld openleggen van mogelijkheden waarvan ik nauwelijks wist dat ze bestonden.

Vandaag nog, samen met de reeds genoemde brochure over de naakte macarena, ontvingen we een catalogus die *Tools for Serious Readers* heet. Deze stond vol met het gebruikelijke assortiment aan vloeibladen en pennendozen, maar wat me vooral opviel was iets wat de 'Briefcase Valet' heette – een karretje op wieltjes dat ongeveer tien centimeter hoog is.

Het is te koop in donker of naturel kersenhout en moet de aantrekkelijke prijs van 139 dollar opbrengen; het is bedoeld ter verlichting van een van de lastigste kantooropbergproblemen van onze tijd. Zoals de catalogus uitlegt: 'De meesten van ons staan voor hetzelfde hinderlijke probleem: wat doen we met onze aktetas wanneer we hem thuis of op kantoor neerzetten. Daarom hebben wij onze "Briefcase Valet" ontworpen. Daarop kunt u uw aktetas plaatsen, hoger dan de vloer, zodat het gemakkelijker is er in de loop van de dag dingen in te doen en uit te halen.' Vooral dat 'in de loop van de dag' vind ik fraai. Hoe vaak ben ik zelf al niet aan het eind van een werkdag gekomen met de gedachte: 'O, ik zou álles overhebben voor een karretje op wieltjes in houtkleur naar keuze, waarbij ik me niet die laatste tien centimeter zou hoeven bukken.'

Het griezelige is dat die beschrijvingen vaak zo ingenieus zijn geschreven dat je je er bijna door in de luren laat leggen. Ik las daarnet in een andere catalogus over een bijzonder keukenaccessoire uit Italië, een *porto rotolo di carta*, die zich beroemt op 'een verende arm', 'roestvrij stalen mesjes', 'ambachtelijk koperen pinakel' en 'rubber pakking voor extra stevigheid' – en dat alles voor slechts 49,95 dollar –, toen het tot me doordrong dat het om een keukenrolhouder ging.

Natuurlijk had de catalogus niet kunnen zeggen: 'Hoe je het ook bekijkt, dit is niet meer dan een keukenrolhouder, en je zou een sukkel zijn als je hem kocht,' dus probeert men je te verblinden met een exotische afkomst en technische verwikkelingen.

Dat is de reden waarom zelfs de gewoonste artikelen in een catalogus pronken met meer speciale kenmerken dan een Buick uit 1954. Voor me ligt een glimmend boekdeel van een ander bedrijf dat met onverhulde trots aankondigt dat hun flanellen overhemden, ondermeer, voorzien zijn van extra knopen in het mouwsplit, extra lange mouwsplitten, tweestrengs 40S-garen ('voor een voortreffelijke vleug'), plooi op de rug, dubbel gestikt op slijtplaatsen, handige lus om op te hangen en los aangezette boord, wat dat alles ook moge zijn. Zelfs sokken worden voorzien van uitvoerige, wetenschappelijk klinkende beschrijvingen die hun naadloze structuur, een-op-een vezellussen en handgekoppelde garens aanprijzen.

Ik moet bekennen dat die verleidelijke vleitaal me weleens kortstondig verleid heeft om iets te bestellen, maar uiteindelijk besef ik dat ik, als ik de keus krijg tussen het betalen van 37,50 dollar voor een overhemd met een voortreffelijke vleug en gewoon naar de winkel gaan, altijd voor het laatste zal kiezen.

Ik wil echter wél zeggen: mocht iemand me een Geheel naakte macarena dopsleutelset thuisvideo met handige lus om op te hangen in diverse kleuren aanbieden, dan sla ik onmiddellijk toe.

Junkfoodhemel

Laatst besloot ik de koelkast schoon te maken. Meestal maken we onze koelkast niet schoon – we bergen hem elke vier, vijf jaar op in een kist en sturen hem op naar de Centers for Disease Control in Atlanta, met een briefje dat ze alles mogen gebruiken wat iets belooft voor de wetenschap – maar we hadden al een paar dagen een van de katten niet meer gezien, en ik had een vage herinnering aan iets harigs op de onderste plank, achterin. (Dat bleek een groot stuk gorgonzola te zijn.)

Daar zat ik dus, op mijn knieën, en ik vouwde stukjes aluminiumfolie open en gluurde voorzichtig in tupperware-bakjes, tot ik een interessant product tegenkwam dat een ontbijtpizza heette, en dat bekeek ik met een soort spijtige tederheid, zoals je kunt kijken naar een oude foto van jezelf, gekleed in spullen waarvan je niet kunt geloven dat je ze ooit modieus hebt gevonden. De ontbijtpizza vertegenwoordigde namelijk het allerlaatste restant van een aanval van zeer ernstige inkoopdwaasheid mijnerzijds.

Een paar weken eerder had ik tegen mijn vrouw gezegd dat ik de volgende keer als ze naar de supermarkt ging met haar mee zou gaan, omdat de dingen die ze mee naar huis bracht – hoe zal ik het vriendelijk formuleren? – niet geheel binnen de geest van Amerikaans eten vielen. We woonden nu in een paradijs van junkfood – het land dat de wereld kaas in een spuitbus heeft geschonken – en zij kwam nog steeds thuis met gezonde spullen als verse broccoli en pakjes Ryvita.

Het kwam natuurlijk doordat ze een Engelse was. Ze begreep niet echt de rijke, ongeëvenaarde mogelijkheden van vettigheid en drab waaruit het Amerikaanse dieet bestaat. Ik snakte naar kunstmatige baconhapjes, gesmolten kaas in een tint geel die de natuur niet kent en romig gevulde chocolade, soms alle verenigd in één product. Ik wilde eten waaruit iets naar buiten spuit wanneer je erin bijt, of over je overhemd valt in zulke ordinaire hoeveelheden dat je voorzichtig van tafel moet opstaan en naar de gootsteen draven om jezelf te reinigen. Dus was ik met haar meegegaan naar de supermarkt, en terwijl zij ging knijpen in meloenen en shii-takes ging afwegen, zocht ik mijn weg naar de afdeling junkfood – waaruit eigenlijk de hele rest van de winkel bestond. Nou, dat was de hemel.

Alleen al de cereals voor het ontbijt zouden me het grootste deel van de middag kunnen bezighouden. Er moeten wel tweehonderd soorten zijn geweest, en dan overdrijf ik niet. Elke mogelijke substantie die gedroogd, gepoft en met een suikerlaagje overdekt kon worden, was daar aanwezig. Wat me het allereerst trof was een cereal die 'Cookie Crisp' heette, en die probeerde te doen alsof het een voedzaam ontbijt was, maar in werkelijkheid slechts bestond uit chocoladekoekjes die je in een kom deed en met melk at. Wat een vondst.

Interessant waren ook cereals als 'Peanut Butter Crunch', 'Cinnamon Mini Buns', 'Count Chocula' ('met Monster Marshmallows') en een bijzonder strenge aanbieding die 'Cookie Blast Oat Meal' heette, en waarin *vier* soorten koekjes zaten. Ik graaide een van elk van die cereals en twee van de havermout – hoe vaak heb ik niet gezegd dat je niet aan je dag moet beginnen zonder een grote, dampende kom koekjes – en draafde daarmee terug naar het boodschappenwagentje.

'Wat is dat?' vroeg mijn vrouw op dat speciale toontje waarmee ze me vaak aanspreekt in winkels.

Ik had geen tijd om het uit te leggen. 'Ontbijt voor de volgende zes maanden,' hijgde ik in het voorbijgaan, 'en *pieker* er niet over iets daarvan terug te zetten en müsli te kopen.'

Ik had er geen idee van hoezeer de markt voor junkfood zich had uitgebreid. Waar ik me ook keerde of wendde, overal stond ik tegenover etenswaren die je gegarandeerd zouden doen waggelen, en waarvan de meeste splinternieuw voor me waren – taarten met jam en room, maantaarten, pecan-spinnewielen, perzikmello's, limonadesnoepjes, chocoladefudgehondjes en een opgeklopte marshmallowspread die Fluff heette en verpakt was in een kuip die groot genoeg was om er een baby in te baden.

Men kan het zich werkelijk niet voorstellen, die overvloedige variatie aan niet-voedzame etenswaren waarover de Amerikaanse supermarktbezoeker tegenwoordig kan beschikken, evenmin als de hoeveelheden waarin ze geconsumeerd worden. Ik las laatst ergens dat de gemiddelde Amerikaan 17,8 *pond* zoute krakelingen per jaar eet.

Straatje Zeven ('Voedingsmiddelen voor personen met ernstig overgewicht') was bijzonder productief. Daar was een heel schap gewijd aan een product dat Toaster Pastries heette, waartoe onder meer acht verschillende soorten 'toasterstrudel' behoorden. En wat is 'toaster-strudel' precies? Wie kan dat wat schelen? Het was overdekt met een laagje suiker en zag er nogal vochtig uit. Ik pakte een armvol.

Ik geef toe dat ik een beetje overdreef – maar er was zo veel en ik was zo lang weggeweest.

De ontbijtpizza – daarbij ging mijn vrouw ten slotte in staking. Ze keek naar de verpakking en zei: 'Nee.'

'Pardon, lieve?'

'Jij neemt niet iets mee naar huis dat ontbijtpizza heet. Ik ben bereid' – ze graaide in het wagentje voor een paar voorbeelden – 'limonadesnoepjes en toaster-strudel voor je mee te nemen, en...' Ze greep een pak dat haar eerder nog niet was opgevallen. 'Wat is dit?'

Ik keek over haar schouder. 'Magnetronpannenkoeken,' zei ik.

'Magnetronpannenkoeken,' herhaalde ze, maar dan minder enthousiast.

'Is de wetenschap niet geweldig?'

'Jij zult het allemaal moeten opeten,' zei ze. 'Elke hap van alles wat je nu niet op de schappen terugzet. Heb je me begrepen?'

'Natuurlijk,' zei ik op mijn meest oprechte toon.

En zal ik jullie eens wat vertellen: ze heeft me het echt allemaal laten opeten. Weken heb ik doorgebracht om me door een symfonie van Amerikaans junkfood heen te vreten, en het was allemaal even vreselijk. Elke hap. Ik weet niet of Amerikaans junkfood slechter is geworden of dat mijn papillen volwassen zijn geworden, maar zelfs de extra lekkere dingen waarmee ik was opgegroeid, leken nu ontmoedigend flauw of weerzinwekkend zoet.

Het ergst van alles was de ontbijtpizza. Ik heb het daarmee drie of vier keer geprobeerd, ik heb hem geroosterd in de oven, ik heb hem in de magnetron gestopt, en één keer heb ik hem in mijn wanhoop met een schep marshmallow-Fluff gegeten, maar het is nooit boven een soort slappe, taaie lusteloosheid uitgerezen. Ten slotte heb ik het echt opgegeven, en het doosje verborgen in de Tupperware-begraafplaats op de onderste plank van de koelkast.

En dat is de reden dat ik, toen ik de ontbijtpizza laatst weer tegenkwam, hem met gemengde gevoelens bekeek. Ik stond op het punt hem weg te gooien, toen aarzelde ik en deed het deksel open. Hij rook niet bedorven – ik neem aan dat hij zo vol chemicaliën zat dat er gewoon geen ruimte voor bacteriën was – en ik dacht erover hem nog even te bewaren als herinnering aan mijn dwaasheid, maar ten slotte heb ik hem toch weggegooid. En toen, omdat ik trek had in het een of ander, ging ik naar de provisiekast om te kijken of ik niet een lekker neutrale Ryvita kon vinden, met misschien een stengel bleekselderij.

Verhalen uit de wouden in het noorden

Ongeveer een jaar geleden, midden in de winter, vertrok een jonge student van een feestje in een dorp in de buurt van het stadje in New Hampshire waar ik woon, om naar zijn ouderlijk huis te lopen, een paar kilometer verderop. Hij was zo dom – aangezien het donker was en hij gedronken had – om een kortere route door de wouden te kiezen. Hij is nooit thuis gekomen.

De volgende dag, toen zijn verdwijning bekend werd, trokken honderden vrijwilligers naar de bossen om hem te zoeken. Ze hebben dagen gezocht, maar zonder succes. Pas in het voorjaar heeft iemand die in de bossen wandelde, toevallig zijn lijk gevonden.

Vijf weken geleden is er iets gebeurd dat hier in de verte op lijkt. Een particulier straalvliegtuigje met twee mensen aan boord moest de landingspoging op ons plaatselijk vliegveld afbreken wegens slecht weer. Toen de piloot naar het noordoosten zwenkte om opnieuw het vliegveld te naderen, gaf hij zijn bedoelingen door aan de controletoren.

Even later verdween het kleine groene stipje, dat zijn vliegtuig was, van het radarscherm van het vliegveld. Ergens daar in de buurt, plotseling en om onbekende redenen, is het vliegtuigje neergestort in de wouden.

Opnieuw werd een groots opgezette speurtocht georganiseerd, ditmaal met een dozijn vliegtuigen en elf helikopters, plus meer dan tweehonderd vrijwilligers op de grond. Opnieuw zochten ze dagenlang, en opnieuw zonder iets te vinden. Het vermiste vliegtuig had achttien zitplaatsen, dus het moet echt een flinke dreun zijn geweest, maar nergens waren verspreide wrakstukken te vinden, nergens kon je zien waar het tussen de bomen was neergekomen. Het vliegtuig was domweg spoorloos verdwenen.

Ik wil hiermee niet suggereren dat we wonen aan de rand van een soort Bermudadriehoek van de bomenwereld, ik wil alleen zeggen dat de wouden van New Hampshire nogal een vreemd, sinister oord vormen.

Om te beginnen zitten ze vol bomen – en dat zeg ik niet bij wijze van grap. De vorige zomer heb ik een paar weken in die wouden gewandeld, en ik kan jullie vertellen dat het enige wat je daar in onvoorstelbare aantallen ziet, uit bomen bestaat. Soms is het zelfs verontrustend, want in wezen is het steeds één eindeloos herhaalde omgeving. Elke bocht in het pad brengt je bij een uitzicht dat niet te onderscheiden is van al die andere, en zo gaat het maar door, hoe ver je ook doorloopt. Als je om de een of andere reden van het pad af raakt, zou je heel gemakkelijk en heel waarschijnlijk al je oriëntatie kwijtraken. Je zou kunnen lopen tot je niet meer kunt, voordat het tot je doordringt dat je route een grote en helaas zinloze cirkel heeft beschreven.

Nu ik dat weet, is het veel minder verrassend te vernemen dat de wouden soms hele vliegtuigen opslokken of mensen vasthouden die de pech hebben in hun eentonige omhelzing terecht te komen. New Hampshire is even groot als Wales en bestaat voor 85 procent uit bossen. Er is dus heel veel bos om in te verdwalen. Elk jaar raken er minstens een of twee wandelaars vermist, en soms worden ze nooit meer teruggevonden.

Toch moet ik iets merkwaardigs vertellen. Ongeveer een eeuw geleden, en in sommige streken nog minder lang geleden, bestonden deze wouden niet. Bijna het hele platteland van New England – inclusief het hele gebied rond ons deel van New

Hampshire – bestond uit open boerenland, vol weilanden.

Dat is me nogal krachtig duidelijk gemaakt toen ik vorige week van onze plaatselijke gemeenteraad, als een soort nieuwjaarsgeschenk, een kalender ontving met oude foto's van de stad, uit de plaatselijke archieven. Een van die foto's, het uitzicht vanaf een heuvel, genomen in 1874, vertoonde een landschap dat me vaag bekend voorkwam, al kon ik niet zeggen waarom. Je zag daarop een hoek van de campus van Dartmouth College en een zandweg die naar een paar verre heuvels leidde. De rest bestond uit weidse graslanden.

Het duurde een paar minuten voordat ik begreep dat ik keek naar de streek waar ik later zou komen wonen. Dat was vreemd, want onze straat ziet eruit als een traditionele straat in New England, met huizen waarvan de muren met planken zijn betimmerd, in de schaduw van hoge, fraai gevormde bomen, maar in werkelijkheid dateert dat alles zo ongeveer uit het begin van de jaren twintig van de twintigste eeuw, een halve eeuw nadat die foto was gemaakt. De heuvel vanwaar men gefotografeerd had, is nu een woud van tachtig hectare groot, en bijna al het landschap van achter onze huizen tot aan de verre heuvels, is overdekt met dichte, volwassen bossen, maar in 1874 bestond daarvan nog nauwelijks een takje.

De boerderijen zijn verdwenen doordat de boeren naar het westen zijn getrokken, naar vruchtbaarder gronden in streken als Illinois en Ohio, of naar de groeiende industriesteden, waar je met meer zekerheid je geld kon verdienen, en bovendien méér. De boerderijen die ze achterlieten – en soms ook de dorpen waar ze bij hoorden – zijn weggezonken in de grond en geleidelijk opgenomen door de wildernis. Overal in New England kom je, als je een eindje in de bossen gaat wandelen, de resten van oude natuurstenen muren tegen, de fundamenten van verlaten schuren en boerderijen, verborgen tussen de varens op de bosbodem.

In de buurt van ons huis is een bospad dat de route van een achttiende-eeuwse postweg volgt. Gedurende zevenentwintig kilometer kronkelt dat pad door donker, dicht, op het oog oeroud bosgebied, en toch leven er nog mensen die zich de tijd herinneren dat al dat land uit boerenland bestond. Terzijde van die oude postweg, ongeveer zes kilometer hiervandaan, lag vroeger een dorp dat Quinntown heette, met een molen en een school en een aantal huizen. Je kunt het nog zien op oude Geological Survey-kaarten.

Ik heb een paar keer uitgekeken naar Quinntown als ik erlangs kwam, maar zelfs met een goede kaart is de ligging verdraaid moeilijk te vinden, omdat de bossen zo weinig oriëntatiepunten bieden. Ik ken een man die al jaren met tussenpozen op zoek geweest is naar Quinntown, en het nog steeds niet heeft gevonden.

Vorig weekend besloot ik het nog eens te proberen. Er was net sneeuw gevallen, wat de bossen altijd aangenaam maakt. Natuurlijk schoot de gedachte door me heen dat ik misschien iets van dat vermiste straalvliegtuig zou vinden. Ik verwachtte niet écht iets te vinden – ik was tien tot twaalf kilometer verwijderd van de vermoedelijke plaats waar het was neergestort –, maar aan de andere kant moet dat vliegtuig toch érgens zijn, en het was best mogelijk dat niemand in deze streek had gezocht.

Dus trok ik de wouden in en dwaalde daar behoorlijk rond. Ik kreeg een heleboel gezonde frisse lucht binnen, en had heel wat lichaamsbeweging, en de wouden waren verbijsterend, zacht en besneeuwd als ze waren. Het was vreemd te bedenken dat in al die uitgestrekte stilte de resten lagen van een voorheen welvarend dorp, en nog vreemder dat ergens daar, bij mij in de buurt, een verwrongen, nooit gevonden vliegtuig met twee lijken aan boord lag.

Ik zou het heerlijk vinden als ik jullie kon vertellen dat ik Quinntown heb gevonden, of het vermiste vliegtuig, of allebei, maar helaas is dat niet gebeurd. Soms heeft het leven geen sluitend einde.

Wat ook voor columns geldt.

Gegroet, meneer de president

Morgen is het Presidents Day in Amerika. Ik weet het. Ik ben zó opgewonden.

Presidents Day is voor mij een nieuwe feestdag. Toen ik opgroeide, hadden we twee presidentsfeesten in februari – de verjaardag van Lincoln op 12 februari, en de verjaardag van Washington op 22 februari. Misschien heb ik die data niet helemaal goed, misschien kom ik niet eens in de buurt, maar eerlijk gezegd is het lang geleden dat ik opgroeide, en trouwens, erg interessante feestdagen waren het niet. Je kreeg geen cadeautjes en je ging ook niet picknicken of wat dan ook.

Het probleem met verjaardagen, dat hebben jullie vast zelf ook al gemerkt, is dat ze op elke dag van de week kunnen vallen, terwijl de meeste mensen hun officiële feestdagen het liefst op een maandag hebben, zodat ze een lang weekend vrij zijn.

Een tijdlang heeft Amerika dus de verjaardag van Washington en de verjaardag van Lincoln gevierd op de maandagen die het dichtst bij de eigenlijke data vielen. Dit ergerde echter enkele mensen van bepaalde aard, dus heeft men besloten één feestdag te vieren op de derde maandag van februari, en die Presidents Day te noemen.

Het is de bedoeling dat alle presidenten dan geëerd worden, of ze nu goed waren of slecht, wat ik geweldig vind, want dit geeft ons de gelegenheid de meer obscure of eigenaardige presidenten te herdenken – mensen als Grover Cleveland die, volgens de legende, de interessante gewoonte had uit het raam van zijn kantoor te plassen, of Zachary Taylor, die nooit bij verkiezingen is gaan stemmen en zelfs niet op zichzelf gestemd heeft.

Als je goed nagaat heeft Amerika heel wat grote presidenten voortgebracht – Washington, Lincoln, Jefferson, Franklin en Teddy Roosevelt, Woodrow Wilson, John F. Kennedy. Ook heeft het land verscheidene grote mannen voortgebracht die ook nog president zijn geworden, onder wie James Madison, Ulysses S. Grant en – misschien zijn jullie verbaasd me dit te horen zeggen – Herbert Hoover.

Ik voel een zekere affectie voor Hoover – tederheid zou een veel te sterk woord zijn – omdat hij uit Iowa afkomstig was, net als ik. Bovendien moet je wel een beetje medelijden met de arme man hebben. Hij was de enige man in de Amerikaanse geschiedenis voor wie het bereiken van het Witte Huis slecht is geweest voor zijn loopbaan. Wanneer mensen tegenwoordig aan Hoover denken – áls dat al gebeurt –, dan zien ze hem als de man die de wereld de Grote Depressie heeft geschonken. Er is nauwelijks iemand die zich de halve eeuw van opmerkelijke en zelfs heldhaftige prestaties herinnert die daaraan voorafging.

Bekijk zijn cv maar eens: op zijn achtste wees geworden, werkstudent (hij behoorde bij de eerste groep die afstudeerde aan Stanford University), succesvol mijningenieur in het westen van de Verenigde Staten. Vervolgens vertrok hij naar Australië, waar hij min of meer de grondlegger werd van de mijnindustrie in Western Australia – nog steeds een van de meest productieve streken ter wereld – en kwam ten slotte terecht in Londen, waar hij een buitengewoon welgestelde en invloedrijke steunpilaar van de zakengemeenschap was.

Hij was een man van zodanig gewicht dat hem bij het uitbreken van de Eerste Wereldoorlog verzocht werd deel uit te maken van het Britse kabinet, maar dat wees hij van de hand, en in plaats daarvan nam hij de leiding op zich van de voedselvoorziening voor alle oorlogsgebieden in Europa, en dat heeft hij zo uitstekend gedaan dat hij naar schatting tien miljoen levens heeft gered. Aan het eind van die oorlog was hij een van de meest bewonderde en gerespecteerde mensen ter wereld, en hij stond alom bekend als de grote filantroop.

Hij keerde terug naar Amerika en werd een vertrouweling en adviseur van Woodrow Wilson; vervolgens werd hij minister van Handel onder Harding en Coolidge, waarbij hij de Amerikaanse export met 58 procent zag stijgen in een periode van acht jaar. Toen hij zich in 1928 kandidaat stelde voor het presidentschap, won hij de verkiezingen op verpletterende wijze.

In maart 1929 werd hij ingehuldigd. Zeven maanden later kwam de grote crash van Wall Street en stortte de economie in. In strijd met wat men algemeen denkt, heeft Hoover onmiddellijk gereageerd. Hij reserveerde meer geld voor openbare werken en werkloosheidsuitkeringen dan al zijn voorgangers bij elkaar, voorzag in 500 miljoen dollar voor banken die in de problemen kwamen en schonk zelfs zijn eigen salaris aan de liefdadigheid. Maar hij kon niet goed met gewone mensen omgaan, en vervreemde zijn kiezers door herhaaldelijk te zeggen dat herstel voor de deur stond. In 1932 werd hij verslagen, even verpletterend als hij vier jaar eerder gekozen was, en sindsdien wordt hij gezien als een hopeloze mislukkeling.

Maar men herinnert zich hem tenminste nog, en dat is meer dan gezegd kan worden van veel van onze hoogste leiders. Van de eenenveertig mannen die het ambt van president hebben bekleed, is minstens de helft zo weinig opvallend geweest dat ze inmiddels vrijwel geheel vergeten zijn, wat volgens mij zeer te loven valt. President van de Verenigde Staten worden en niets presteren is per slot van rekening op zichzelf een prestatie.

Men is het er vrijwel algemeen over eens dat de vaagste en

incapabelste van al onze leiders Millard Fillmore is geweest, de man die het ambt in 1850 overnam na de dood van Zachary Taylor, en die in de drie jaar daarna heeft aangetoond hoe het land bestuurd had kunnen worden als ze Taylor gewoon met kussens in een stoel hadden neergezet. Fillmore is echter zo beroemd geworden wegens zijn onopvallendheid dat hij inmiddels niet meer onopvallend is, en daardoor diskwalificeert hij zich min of meer voor serieuze overwegingen.

Veel opmerkelijker is volgens mij de grote Chester A. Arthur, die in 1881 als president beëdigd is, die poseerde voor een officiële foto en van wie, voor zover ik kan nagaan, verder nooit iets is vernomen. Als het Arthurs levensdoel was om een nogal indrukwekkende gelaatsbeharing te kweken en veel ruimte in de geschiedenisboeken over te laten voor de prestaties van andere mensen, dan kan men zijn presidentschap als een onvervalst succes aanmerken.

Op hun eigen manier bewonderenswaardig waren ook Rutherford B. Hayes, die van 1876 tot 1880 president was en die zijn leven voornamelijk gewijd heeft aan het pleiten voor 'hard geld' en het afwijzen van de Bland-Allison Act, twee dingen die zo zinloos en duister waren dat niemand zich nog kan herinneren waar ze op neerkwamen, en Franklin Pierce, wiens ambtstermijn van 1852 tot 1856 een tussenspel van onduidelijkheid was tussen twee langere perioden van anonimiteit. Hij heeft praktisch zijn hele ambtsperiode in hopeloze dronkenschap doorgebracht, wat aanleiding was tot de vriendelijke slogan 'Franklin Pierce, the Hero of Many a Well-Fought Bottle'.

Mijn favorieten echter zijn de beide presidenten die Harrison heten. De eerste was William Henry Harrison, die heldhaftig weigerde een overjas te dragen bij zijn inauguratie in 1841, longontsteking opliep en innemend snel overleed. Hij is slechts dertig dagen president geweest, en bijna al die tijd was hij bewusteloos. Veertig jaar later werd zijn kleinzoon, Benjamin Harrison, tot president gekozen, en hij is geslaagd in zijn ambitie om in vier jaar even weinig te doen als zijn grootvader in een maand.

Wat mij betreft verdienen al deze mannen een eigen nationale feestdag. Jullie kunnen je dus voorstellen dat ik schrok van het nieuws dat het Congress een voorstel wil indienen om Presidents Day af te schaffen en terug te keren tot de afzonderlijke verjaardagen van Lincoln en Washington, aangezien Lincoln en Washington echt grote mannen zijn geweest, die bovendien niet uit het raam pisten. Dat is toch niet te geloven? Sommige mensen hebben geen gevoel voor geschiedenis.

Leven in een koud klimaat

Iets stoutmoedigs dat ik graag doe in deze tijd van het jaar, is naar buiten gaan zonder mijn jas of handschoenen aan te trekken, of wat dan ook ter bescherming tegen de elementen, en zo'n dertig meter te lopen naar het begin van onze oprit om de ochtendkrant te halen uit een kastje op een paal.

Nu zouden jullie kunnen zeggen dat dat helemaal niet zo stoutmoedig klinkt, en in zekere zin hebben jullie gelijk, want heen en terug duurt maar zo'n twintig seconden, maar ik zal erbij vertellen waardoor het iets bijzonders wordt: soms blijf ik daar even staan, enkel en alleen om te zien hoe lang ik de kou kan verdragen.

Ik wil niet opschepperig klinken, maar ik heb een groot deel van mijn leven besteed aan de beproeving van het menselijk lichaam ten aanzien van extreme situaties, vaak zonder veel na te denken over de potentiële gevaren op lange termijn voor mezelf – bijvoorbeeld een been totaal te laten inslapen in een bioscoop en dan te zien wat er gebeurt als ik probeer popcorn te halen, of een elastiekje om mijn wijsvinger winden om te zien of ik een explosie teweeg kan brengen. Door dergelijke arbeid heb ik een paar belangrijke doorbraken bewerkstelligd, met name de ontdekking dat heel hete oppervlakken er niet noodzakelijkerwijs heet hoeven uit te zien, en dat tijdelijk geheugenverlies zonder mankeren geproduceerd kan worden door het hoofd vlak onder een open lade te houden.

Ik neem aan dat jullie dergelijk gedrag instinctief als roekeloos beschouwen, maar laat ik jullie herinneren aan al die keren dat jullie zelf een vinger in een vlammetje hebben gehouden, alleen om te zien wat er zou gebeuren (en wat gebeurde er toen, vertel eens op?) of eerst op één been hebben gestaan, en vervolgens op het andere, in een gloeiend heet bad, wachtend tot de temperatuur door instromend koud water zou dalen, of aan een keukentafel hebben gezeten, stilletjes verdiept in het druppen van gesmolten kaarsvet op je vingers, of een heleboel andere dingen die ik zou kunnen opsommen.

Wanneer ík dergelijke dingen doe, is het tenminste ter wille van serieus wetenschappelijk onderzoek. En dat is de reden dat ik, zoals gezegd, graag de ochtendkrant ga halen in de minst hinderlijke kleding die het fatsoen en mevrouw Bryson toestaan.

Toen ik vanochtend vertrok, was het min 28 graden – koud genoeg om de anatomie van een aapje te wijzigen, als ik me die uitdrukking goed herinner. Tenzij jullie over een bijzonder levendige verbeelding beschikken of dit lezen in de vrieskist, zullen jullie je een dergelijke extreme kilte moeilijk kunnen voorstellen. Laat ik jullie dus vertellen hoe koud dat is: *heel erg.*

Als je bij dergelijk weer de deur uit gaat, is het gedurende het eerste moment verrassend verkwikkend – het lijkt een beetje op een duik in koud water, een soort reveille voor elk bloedlichaampje. Maar die fase duurt maar even. Voordat je een paar meter hebt gelopen, voelt je gezicht aan alsof je net een draai om je oren hebt gekregen, je armen en benen doen pijn en elke ademtocht schrijnt. Tegen de tijd dat je weer naar huis terugloopt, kloppen je vingers en tenen van een zachte, maar aanhoudende pijn, en je merkt geïnteresseerd dat je wangen niets meer voelen. Het restje warmte dat je had meegebracht uit het huis, is allang verdwenen, en je kleren hebben geen isolerend effect meer. Het is beslist onaangenaam.

Achtentwintig graden onder nul is ongewoon koud, zelfs voor het noorden van New England, dus interesseerde het me te zien hoe lang ik het kon uithouden, en het antwoord luidde: negenendertig seconden. Ik bedoel niet dat het zo lang duurde voordat het me ging vervelen, of voordat ik dacht: 'Jeetje, het is nogal frisjes, ik geloof dat ik nu maar naar binnen ga.' Ik bedoel: zo lang duurde het voordat ik het zo koud kreeg dat ik over mijn moeder heen zou zijn geklommen om als eerste binnen te zijn.

New Hampshire is beroemd om zijn strenge winters, maar in werkelijkheid zijn er heel wat plaatsen waar het veel erger is. De laagste temperatuur die hier ooit is waargenomen is min 43 graden; dat was in 1925, maar twintig andere staten – bijna de helft – hebben lagere temperaturen gemeten. De naargeestigste meting in de Verenigde Staten tot nu toe was in Prospect Creek, Alaska, in 1971, toen de temperatuur daalde tot min 70 graden.

Natuurlijk kan overal een kortstondige koudeperiode optreden. Een echte winter wordt afgemeten aan zijn duur. In International Falls, Minnesota, zijn de winters zo lang en fel dat de gemiddelde jaartemperatuur daar slechts 2,5 graden bedraagt, en dat is heel laag. Daar in de buurt ligt een plaatsje dat (heus waar) Frigid heet, en ik neem aan dat de situatie daar nog erger is, alleen zijn ze daar zo depressief dat ze er niets over meedelen.

Het record voor de ellendigste bewoonde plek ooit moet echter gaan naar Langdon, North Dakota, waar het in de winter van 1935-'36 honderdzesenzeventig dagen achtereen heeft gevroren (volgens Fahrenheit, dus waren het temperaturen van minder dan 18 graden Celsius) gedurende minstens een deel van de dag, en eenenveertig dagen achtereen is de temperatuur toen niet boven de 18 graden Celsius uitgekomen.

Ter verduidelijking: honderdzesenzeventig dagen is de tijd tussen nu en augustus. Persoonlijk zou ik het in alle jaargetijden heel moeilijk vinden om honderdzesenzeventig dagen achtereen door te brengen in North Dakota, maar dat is een andere kwestie.

In elk geval kan ik het hier in New Hampshire wel uithouden. Ik was bang geweest voor de lange, wrede winters van New England, maar tot mijn verrassing vind ik het heerlijk. Voor een deel komt dat doordat ze je zo'n schok geven. Die doordringende kou en die schone lucht hebben echt iets opwindends. En de winters hier zijn verbijsterend mooi. Elk dak, iedere brievenbus, draagt een zwierige muts van sneeuw, maanden achtereen. Bijna elke dag schijnt de zon, dus is er geen sprake van die drukkende, grauwe somberheid die in zoveel andere streken typerend is voor de winter. En wanneer de sneeuw aangestampt of vuil wordt, komt er meestal een flinke nieuwe sneeuwbui waardoor alles weer wit wordt.

De mensen hier worden echt opgewonden in de winter. Er wordt geskied en geschaatst en gesleed op de plaatselijke golfbaan. Een van onze buren zet zijn achtertuin onder water en verandert die in een schaatsvijver voor de kinderen in onze straat. Het plaatselijke *college* organiseert een winterfeest, met ijssculpturen op het grasveld. Het is allemaal heel vrolijk.

En het mooiste is: je weet dat de winter slechts een van een eindeloze cyclus van betrouwbare, duidelijk afgebakende seizoenen is. Wanneer de kou je zorgen begint te baren, word je altijd weer gerustgesteld door het feit dat een lekker warme zomer helemaal niet zo lang op zich zal laten wachten. Afgezien van al het andere houdt die weer een hele reeks interessante experimenten in, zoals zonnebrand, gifsumak, gevaarlijke hertenteken, elektrische heggenscharen en – dat spreekt vanzelf – vloeibare brandstof om de barbecue aan te steken. Ik kan haast niet wachten.

Verdrinken in ambtenarij

Ik begin niet eens aan een verhaal over de frustraties van de poging om een in het buitenland geboren echtgenote of andere dierbare geregistreerd te krijgen als legaal ingezetene van de Verenigde Staten, want daarvoor heb ik niet voldoende ruimte, en trouwens, het is veel te saai. Bovendien kan ik er niet over praten zonder vele tranen te vergieten. En dan zouden jullie ook nog denken dat ik het meeste uit mijn duim zoog.

Jullie zouden me uitlachen, dat weet ik zeker, als ik jullie vertelde dat een kennis van ons – een hooggewaardeerd academicus – er met open mond bij zat toen zijn dochter vragen werden gesteld als: 'Hebt u ooit aan enige onwettige ondeugd deelgenomen, waaronder, maar niet uitsluitend, illegaal gokken?' en 'Bent u ooit lid geweest van, of op enige wijze verbonden geweest met, de communistische partij of enige andere totalitaire partij?' en – mijn speciale favoriet – 'Bent u van plan polygamie te praktiseren in de Verenigde Staten?' Zijn dochter, dat moet ik erbij vertellen, was vijf jaar oud.

Jullie zien het, ik huil nu al.

Er is iets heel erg mis met een land dat dergelijke vragen stelt, aan wie dan ook, niet alleen omdat die vragen opdringerig en zinloos zijn, en ook niet omdat vragen naar iemands politieke eigenschappen strijdig is met de grondwet van de Verenigde Staten, maar omdat ze zo'n monumentale tijdverspilling zijn. Wie zou immers, als hem gevraagd wordt of hij van plan is te doen aan genocide, spionage, kapingen, meervoudige huwelijken of enig ander vergrijp van een buitengewoon lange en interessant paranoïde lijst van ongewenste bezigheden, daarop antwoorden: 'Jazeker! Maar lijden mijn kansen daaronder?'

Als het alleen maar ging om het onder ede beantwoorden van een reeks zinloze vragen, dan zou ik alleen een zucht slaken en het er verder bij laten. Maar het is eindeloos veel meer dan dat. Voor een verblijfsvergunning in de Verenigde Staten zijn vingerafdrukken nodig, medische onderzoeken, bloedproeven, beëdigde verklaringen, geboortebewijzen, trouwboekjes, verklaringen van werkgevers, bewijs van financiële status en nog veel meer – en dat moet allemaal verzameld, gewaarmerkt, gepresenteerd en betaald worden op heel specifieke manieren. Mijn vrouw heeft onlangs een reis van heen en terug 325 kilometer moeten maken om een bloedproef te ondergaan in een ziekenhuis dat is goedgekeurd door de US Immigration and Naturalization Service, hoewel we in het stadje waar we wonen een van de beste academische ziekenhuizen van het land hebben.

Er moeten eindeloze formulieren worden ingevuld, elk met paginalange instructies, die vaak strijdig zijn met andere instructies en vrijwel altijd leiden tot gebruik van nog meer formulieren. Hier volgt een typerend fragment van de instructies aangaande de inlevering van vingerafdrukken:

'Leg een compleet stel vingerafdrukken over op Formulier FD-258 [...] Vul de informatie boven aan het papier in en schrijf uw A# (indien aanwezig) in het hokje waarboven staat "Uw no. OCA" of "Miscellaneous no. MNU".'

Als je formulier FD-258 niet hebt (en dat is het geval) of niet zeker weet wat je MNU-nummer is (en dat is eveneens het geval), kun je dagen doorbrengen met het almaar draaien van een telefoonnummer dat eeuwig in gesprek is, en als je er eindelijk doorheen komt, krijg je te horen dat je een ander nummer moet draaien, en de persoon in kwestie noemt dat nummer één keer, mompelend, zodat je het niet helemaal verstaat. Zo gaat het bij elk contact dat je opneemt met elke tak van de Amerikaanse overheid. Na een tijdje begin je te begrijpen waarom keiharde cowboys in streken als Montana hun ranches in vestingen veranderen en dreigen te schieten op elke overheidsdienaar die zo dwaas is in hun dradenkruis door te dringen.

En het is ook niet voldoende de formulieren zo goed als je kunt in te vullen, want als iets maar een klein beetje fout is, dan krijg je het allemaal weer terug. Mijn vrouw heeft haar formulieren een keer teruggestuurd gekregen omdat de afstand tussen kin en haarlijn op een pasfoto een achtste inch te kort was.

Dit is bij ons nu al twee jaar aan de gang. Wel te verstaan: mijn vrouw wil geen hersenchirurgie toepassen, ze wil niet aan spionage doen, meedoen aan of samenspannen voor de handel in drugs, deelnemen aan de omverwerping van de Amerikaanse regering (al zou ik haar eerlijk gezegd niet tegenhouden) of deelnemen aan enige andere verboden bezigheid. Ze wil alleen wat boodschappen doen en legaal samen wonen met haar gezin. Dat lijkt toch niet zo veel gevraagd.

De hemel mag weten waaraan het oponthoud ligt. Van tijd tot tijd krijgen we een verzoek om een aanvullend document. Om de paar maanden schrijf ik een brief om te vragen hoe het nu zit, maar antwoord krijg ik nooit. Drie weken geleden kregen we een brief van het INS-kantoor in Londen, en we dachten dat dit de officiële goedkeuring was. Haha! Het was een door een computer uitgespuwde brief die meedeelde dat haar aanvraag, omdat er twaalf maanden niets aan gedaan was, nu ongeldig werd verklaard.

Dat alles is een heel omslachtige manier om een verhaal te vertellen over een paar Britse vrienden van ons hier in Hanover. De man is professor aan de plaatselijke universiteit, sinds enkele jaren. Achttien maanden geleden zijn hij en zijn gezin voor een jaar naar Engeland teruggegaan, zijn sabbatical

97

year. Toen ze op Heathrow aankwamen, vroeg de douane-ambtenaar hoelang ze zouden blijven.

'Een jaar,' antwoordde mijn vriend opgewekt.

'En dat Amerikaanse kind?' vroeg de ambtenaar met een opgetrokken wenkbrauw.

Hun jongste zoon, zo moeten jullie weten, was in Amerika geboren, en ze hadden nooit de moeite genomen hem als Brits te laten registreren. Hij was pas vier, dus het was niet zo dat hij werk zocht of wat dan ook.

Ze legden de situatie uit. De man van de douane luisterde met een ernstig gezicht, en liep toen weg om een meerdere te raadplegen.

Het was acht jaar geleden dat mijn vrienden uit Groot-Brittannië waren vertrokken, en ze wisten niet precies hoe veramerikaniseerd het land in die tussentijd was geraakt. Dus bleven ze ongerust afwachten. Na een minuut kwam de douaneman terug, gevolgd door zijn meerdere, en hij zei tegen hen, op zachte toon: 'Mijn meerdere zal u vragen hoelang u van plan bent in Groot-Brittannië te blijven. Antwoordt u dan: "Twee weken."'

De meerdere vroeg hoelang ze van plan waren te blijven, en zij zeiden: 'Twee weken.'

'Mooi,' zei de meerdere, en voegde daar toen aan toe, alsof hij dat nu pas bedacht: 'Het zou een goed idee zijn uw kind de komende paar dagen als Brits te laten registreren, voor het geval u langer wilt blijven.'

'Natuurlijk,' zei mijn vriend.

En toen waren ze het land binnen. Dat is de reden waarom ik zo dol ben op Groot-Brittannië. Dat en de pubs en Branston-pickles en dorpskerkhoven en een heleboel andere dingen, maar vooral omdat jullie nog ambtenaren hebben die oprecht menselijk kunnen zijn en niet doen alsof ze van je walgen.

En dit gezegd hebbende, ga ik de deur uit om mijn voorraad munitie aan te vullen.

De woestenij

Ik heb een film gezien die *Magnificent Obsession* heet. Gemaakt in 1954, met Rock Hudson en Jane Wyman als hoofdrolspelers. Het is een van die verbijsterend middelmatige films die zo overvloedig zijn gemaakt in het begin van de jaren vijftig, toen de mensen nog bereid waren naar bijna alles te kijken (in tegenstelling tot tegenwoordig, nu je er ladingen vlammende explosies en minstens één scène waarin de held aan een touw afdaalt in een liftschacht in moet stoppen).

Maar goed, als ik het goed begrepen heb gaat *Magnificent Obsession* over een knappe jonge coureur, gespeeld door Rock, die er door achteloosheid voor zorgt dat Miss Wyman blind wordt bij een auto-ongeluk. Rock wordt zozeer verteerd door schuldgevoel dat hij vertrekt om oogheelkunde te studeren aan de 'Universiteit van Oxford, Engeland' of iets dergelijks, en dan komt hij onder een andere naam terug naar Perfectville en wijdt zijn leven aan het herstel van Janes gezichtsvermogen. Alleen weet zij natuurlijk niet dat hij het is, aangezien ze blind is, en kennelijk ook een beetje dom als het gaat om het herkennen van stemmen van de mensen die haar verminkt hebben.

Ik hoef er natuurlijk niet bij te vertellen dat ze verliefd op elkaar worden en dat zij haar gezichtsvermogen weer terugkrijgt. De beste scène is waar Rock de verbanden verwijdert en zij zegt: 'Hé... jíj bent het!' en vervolgens elegant flauwvalt, maar helaas haar hoofd geen stevige klap verkoopt waardoor ze opnieuw het licht in de ogen kwijtraakt, wat het verhaal heel wat beter zou hebben gemaakt, als je het mij vraagt. Ook heeft Jane een tienjarig dochtertje dat gespeeld wordt door een van die suikerzoete, weerzinwekkend vroegrijpe kind-actrices met vlechtjes uit de jaren vijftig, die je maar al te graag ergens op een hoge verdieping uit het raam zou duwen. Ik neem aan dat ook Lloyd Nolan ergens in de film voorkomt, want Lloyd Nolan speelt in films uit de jaren vijftig altijd doktersrollen.

Ik heb alle details misschien niet goed weergegeven, want ik heb die film niet gewoon van begin tot eind gezien, of zelfs opzettelijk. Ik heb hem gezien omdat een van onze kabelzenders hem de afgelopen twee maanden minstens vierenvijftig keer heeft vertoond, en ik kom hem almaar tegen wanneer ik zit te zappen, op zoek naar iets wat ik echt graag wil zien.

Jullie zullen niet geloven – echt niet geloven – hoe verschrikkelijk, hoe kaakverslappend gruwelijk Amerikaanse televisie is. O, ik weet wel dat Britse tv ook behoorlijk erg kan zijn. Ik heb twintig jaar in Engeland gewoond, dus ken ik de wanhoop die oprijst wanneer je de tv-gids inkijkt en ontdekt dat de hoogtepunten voor die avond bestaan uit *Carry On Ogling*, een natuurdocumentaire over de ijsmaden van het Baikalmeer, en een nieuwe serie van Jeremy Beadle, *Ooh, I Think I May Be Sick*. Maar zelfs op zijn vreselijkst – zelfs als je merkt dat je moet kiezen tussen *Prisoner: Cell Block H* en Peter Snow die oprecht geïnteresseerd is in Europese landbouwsubsidies – de Britse tv haalt het niet bij de Amerikaanse in zijn vermogen je te doen wensen de deur uit te gaan en op een autoweg te gaan liggen.

Hier in huis kunnen we een stuk of vijftig zenders ontvangen – via sommige systemen kunnen dat er inmiddels wel tweehonderd worden – dus eerst denk je dat het moeilijk zal worden een keus te maken, maar geleidelijk dringt het tot je door dat tv hier alleen maar betekent dat de ether vervuild wordt met alle mogelijke troep.

Programma's waarvoor zelfs Sky One zich zou generen (ik weet dat men zich dat nauwelijks kan voorstellen, maar het is echt waar) krijgen hier alle kans op de buis. Het is of de programmamakers gewoon een videocassette van de plank pakken en in de gleuf proppen. Ik heb 'actuele' documentaires gezien die tien jaar oud waren. Ik heb Barbara Walters mensen zien interviewen die twaalf jaar geleden zijn doodgegaan, en destijds al niet zo interessant waren. Zeven avonden per week kun je Johnny Carson-shows zien die in 1976 al herseloos waren en die nu herseloos en gedateerd zijn.

Er is bijna geen sprake van dat tv soms, een enkele keer, vernieuwend en goed zou kunnen zijn. Op deze avond noemt mijn tv-gids onder het kopje 'Drama' als beste en meeslepende films *Matlock* en *The Little House on the Prairie*. Voor morgen prijst men *The Waltons* en *Dallas* aan. De dag daarop is het opnieuw *Dallas*, en *Murder, She Wrote*.

Je begint je af te vragen wie daar allemaal naar kijkt. Een van onze zenders vertoont tekenfilms, vierentwintig uur per dag. Dat er mensen op de wereld zijn die de hele nacht door naar tekenfilms willen kijken, is al heel opmerkelijk, maar wat me echt verbijstert is dat deze zender reclame uitzendt. Wat zou je in vredesnaam kunnen verkopen aan lieden die uit vrije wil om halfdrie 's nachts naar *Deputy Dawg* kijken? Slabbetjes?

Maar het meest geestdodende aspect van Amerikaanse televisie is misschien het feit dat dezelfde programma's telkens en telkens weer worden vertoond, elke avond om dezelfde tijd. Vanavond om halftien kunnen we op kanaal 20 de *Munsters* zien. Gisteravond om halftien was het op kanaal 20 de *Munsters*. Morgenavond om halftien op kanaal 20 zullen het – hebben jullie goed geraden? – de *Munsters* zijn. Elke aflevering van de *Munsters* wordt voorafgegaan door een aflevering van *Happy Days* en gevolgd door een episode van de

Mary Tyler Moore Show. Zo is het al jaren geweest, voor zover ik kan nagaan, en zo zal het eeuwig blijven.

En zo gaat het op vrijwel elk kanaal op elke tijd van de dag. Als je op Discovery afstemt en een programma over stunts in Hollywood ziet (en dat staat vast), kun je er zeker van zijn dat je de volgende keer dat je om dezelfde tijd op Discovery afstemt, een programma over stunts in Hollywood zult zien. Waarschijnlijk dezelfde aflevering.

Als je uit zoveel zenders kunt kiezen, en als ze bijna allemaal zo hopeloos onamusant zijn, zie je in werkelijkheid niets. En dat is het enge van dit alles. Hoewel de Amerikaanse televisie volstrekt imbeciel is, hoewel je ervan moet huilen en je haren uitrukken en zachte eetwaren naar het scherm werpen, is het merkwaardigerwijs ook onweerstaanbaar. Zoals een vriend me eens heeft uitgelegd: je kijkt hier geen tv om te zien wat er op de buis is, maar om te zien wat er verder nog is. En van Amerikaanse televisie kan inderdaad gezegd worden dat er altijd verder nog wat is. Je kunt eindeloos zappen. Tegen de tijd dat je kanaal 50 hebt bereikt, weet je niet meer wat er op 1 was, zodat je opnieuw begint, in de zielig optimistische verwachting dat je dit keer misschien iets boeiends zult tegenkomen.

Ik heb dit onderwerp nog maar nauwelijks aangesneden. Televisie is mijn leven, dus zullen we hierop in de komende maanden nog vaak terugkomen. Maar ik moet jullie nu verlaten. Ik zie dat *Magnificent Obsession* op het punt staat te beginnen, en ik zou echt graag willen zien hoe Jane Wyman haar gezichtsvermogen kwijtraakt. Dat zijn de mooiste opnamen. Bovendien denk ik aldoor: als ik maar lang genoeg kijk, zal Lloyd Nolan dat kleine meisje op een hoge verdieping uit het raam gooien.

Reclame, reclame, reclame

Er is op het ogenblik een reclame op de tv die ongeveer als volgt luidt: 'De nieuwe Dodge Backfire. Beter dan de Chrysler Inert op het punt van rijgedrag. Beter dan de Plymouth Repellent op het punt van brandstofverbruik. Beter dan de Ford Eczema op het punt van reparatiekosten.'

Zoals jullie zullen opmerken, omdat jullie zo gelukkig zijn dat je hersens niet gedeukt en verduisterd zijn door jaren van overmatige blootstelling aan Amerikaanse snelvuurreclame, wordt de Dodge in elke categorie vergeleken met slechts één andere rivaal, waardoor vergelijkingen een tikje waardeloos worden, om niet te zeggen regelrecht verdacht. Ik bedoel: als de Dodge als beste te voorschijn was gekomen uit een vergelijking met twaalf of vijftien rivalen in een van die categorieën, dan zou de reclame dat vermoedelijk wel hebben meegedeeld. Omdat dat niet gebeurt, moet je natuurlijk tot de slotsom komen dat de Dodge het slechter heeft gedaan dan al zijn rivalen, behalve in de genoemde categorie. Het komt er dus in wezen op neer dat deze commercial je uitnodigt nog eens goed na te denken voordat je een Dodge aanschaft.

De oppervlakkigheid van beweringen in reclamespots in dit land is iets waar mijn verstand vaak niet bij kan. Vorig jaar pochte een andere fabrikant trots dat zijn automobielen 'er het best waren afgekomen op het punt van betrouwbaarheid onder auto's die in de Verenigde Staten zijn gebouwd of geassembleerd', wat volgens mij een rechtstreekse uitnodiging aan het publiek was om vooral een buitenlandse auto te kopen. Maar kennelijk ziet het publiek het niet zo.

Op een zorgvuldige manier selectief omgaan met de waarheid is een eerbiedwaardige traditie in het Amerikaanse reclamewezen. Ik koester nog steeds tedere herinneringen aan een reeks reclamefilmpjes van een verzekeringsmaatschappij waarin 'echte mensen in echte situaties' hun persoonlijke financiën bespraken. Toen een journalist aan die maatschappij vroeg wie die 'echte mensen' waren, antwoordde een woordvoerder dat het in werkelijkheid acteurs waren, en 'in die zin dus geen echte mensen'. Dat vertelt je wel zo ongeveer alles wat je moet weten over de Amerikaanse aanpak van reclame.

Maar ik moet eerlijk blijven: niet alle Amerikaanse reclamespots zijn dom of misleidend. Een heel stel – nou ja, twee – zijn grappig en origineel. Op het ogenblik geniet ik van een reclame voor pizza per halve meter, waarin een bezorger met een veel te lange pizza alles vernietigt waarmee hij in contact komt. (Voor de goede orde: de reclame die me het meest tegenstaat, is die waarin een jongedame die beeldschoon is en dat maar al te goed weet, zich naar de camera wendt en zegt: 'U mag me niet haten omdat ik mooi ben.' Waarop ik altijd antwoord: 'O, daarom haat ik je niet. Ik haat je omdat je me kotsmisselijk maakt.')

Nee, het probleem met Amerikaanse spotjes is dat je ze zo verschrikkelijk vaak moet zien. De meeste zenders hebben om de vijf of zes minuten een reclame-uitzending. CNN heeft, voor zover ik kan nagaan, niets anders dan reclame-uitzendingen.

Ik bedacht dat dit nogal een apodictische uitspraak is, dus heb ik een halfuur uitgetrokken, zonder extra kosten voor jullie, om een typisch CNN-programma te volgen, en hier volgen mijn bevindingen. In een periode van dertig minuten heeft CNN zijn programma vijf keer onderbroken om twintig reclamespots te vertonen. In totaal hebben ze tien minuten reclame vertoond in een halfuur tijd. Afgezien van zeven minuten aan het begin van het programma was de langste periode zonder reclame vier minuten en 59 seconden. De kortste tijd tussen de reclames bedroeg twee minuten. Ter wille van de mensen die een ernstige hersenaandoening hadden opgelopen tijdens het programma, waren drie van de spotjes herhalingen.

En dit is, zo haast ik me te zeggen, volstrekt typerend. Gisteravond vertoonde een van de zenders de film *The Fugitive*, en toen heb ik een overeenkomstige proef genomen. Om ongeveer honderd minuten film te zien, heb ik bijna vijftig minuten reclame moeten uitzitten, verspreid over ongeveer twintig onderbrekingen. (Gemiddeld om de zeven minuten.)

Volgens Neil Postman in zijn boek *Amusing Ourselves to Death* wordt de gemiddelde Amerikaan blootgesteld aan duizend reclamefilmpjes per week. Tegen de tijd dat hij achttien is, heeft het gemiddelde Amerikaanse kind met puilogen zitten staren naar niet minder dan 350 000 reclamespots.

En tegenwoordig kijk je zelfs wanneer je niet naar reclame kijkt, toch naar reclame, om zo te zeggen. Bijvoorbeeld: de ABC-omroep zond onlangs een special uit over het maken van de Disney-film *The Hunchback of Notre Dame*. Volgens de *New York Times* hebben verscheidene ABC-zenders ook een deel van hun avondjournaals besteed aan 'een galafeest dat Disney in New Orleans voor de film had georganiseerd'. Toevallig is ABC eigenaar van de Disney Corporation.

Intussen had het History Channel plannen onthuld voor een serie die *The Spirit of Enterprise* zou gaan heten en waarin de geschiedenis en de prestaties behandeld zouden worden van bedrijven als Boeing, DuPont en General Motors. En die programma's zouden gemaakt worden door – jawel – die bedrijven zelf. Het History Channel heeft de serie inmiddels geschrapt nadat men hen erop gewezen had dat die hele onderneming toch echt al te stijlloos was.

CNBC, een andere zender, en een die minder last heeft van overwegingen van geloofwaardigheid en onpartijdigheid, kondigde het begin aan van een wekelijks nieuwsmagazine, getiteld *Scan*. Dat programma zou verslag doen van de laatste ontwikkelingen op het gebied van de technologie – of om het iets nauwkeuriger te zeggen, van de laatste ontwikkelingen die goedgekeurd waren door de sponsor, IBM, het bedrijf waaraan men de redactie had overgedragen. 'Het is geen nieuwsprogramma,' legde een woordvoerder van CNBC uit. 'Het is een thema-uitzending.' O, juist, dan is het dus in orde.

Kortom: reclame is in dit land onontkoombaar – en niet alleen thuis. Ik moet tot mijn ontzetting meedelen dat vele duizenden scholen overal in Amerika nu, althans voor een deel, gebruik maken van educatief materiaal dat door bedrijven wordt geleverd, zodat de leerlingen voedingsleer krijgen van McDonald's en milieubehoud van Exxon, onder meer. Sinds 1989 heeft een bedrijf dat Channel One heet, educatieve programma's voor scholen uitgezonden via een gesloten circuit. Die programma's zijn gratis, maar ze zitten vol reclame die speciaal op een jeugdig publiek is gericht. Zelf zou ik dat een voorbeeld van overduidelijke en totaal onaanvaardbare exploitatie noemen, maar dat is kennelijk een minderheidsstandpunt. Channel One is een reuze succes: hun toestellen staan in 350 000 klaslokalen.

Zelfs afleveringen van *Sesam Straat* – en dat breekt echt mijn hart – zijn, om met de *Boston Globe* te spreken, veranderd in 'ononderbroken reclame-uitzendingen van een halfuur'. De *Globe* wijst erop dat *Sesam Straat*-producten in de winkels meer dan 300 miljoen dollar per jaar opbrengen, en dat de hoogste bazen salarissen van wel 200 000 dollar per jaar opstrijken. Desondanks krijgt het programma, omdat het hier over de publieke zenders wordt uitgezonden, een jaarlijkse overheidssubsidie van 7 miljoen dollar.

Ik stond op het punt te zeggen: bedenk eens wat er zou ge-

beuren als die 7 miljoen dollar in plaats daarvan werd uitgegeven aan scholen in de grote steden, maar toen bedacht
ik wat er dan zou gebeuren: ze zouden de deur uit gaan en
nog meer tv's kopen om nog meer klassen aan te sluiten op
Channel One.

Het is onvermijdelijk, mijn hoofd is gaan bonzen. Ik ga
weg om een Tylenol te slikken. Ik heb gehoord dat dat middel bij een onderzoek door twee op de drie ondervraagden
geprefereerd werd boven een ander. Of nee, misschien bedoel
ik Pepsi.

Vriendelijke mensen

Ik was van plan deze week te schrijven over een of andere ergernis van het leven in Amerika, toen mevrouw Bryson (die, ik geef het graag toe, een lieve vrouw is) me een kop koffie bracht, de eerste paar regels op het computerscherm las, 'Zeuren, zaniken, zeuren,' mompelde en de kamer uit ging.

'Pardon, mijn lieflijke Engelse roos?' riep ik.

'Jij zit altijd te klagen in die column.'

'Maar de wereld moet terechtgewezen worden, mijn weelderige, kersenwangige dochter van Boadicea,' antwoordde ik kalm. 'Bovendien: klagen is mijn werk.'

'Klagen is het enige werk dat jij doet.'

Nou ja, neem me niet kwalijk, maar dat is niet helemaal waar. Ik geloof dat ik op deze zelfde plaats weleens een paar lovende woorden heb gesproken over Amerikaanse afvalvernietigers, en ik herinner me duidelijk dat ik een keer ons plaatselijk postkantoor heb geprezen omdat ze me een gratis donut hadden gegeven op de Beoordelingsdag voor Klanten. Maar misschien had ze een beetje gelijk.

Er zijn veel schitterende dingen in de Verenigde Staten van Amerika die lof verdienen – de Bill of Rights, de Wet op de Vrijheid van Informatie en gratis lucifersboekjes zijn drie dingen die me op dit moment te binnen schieten – maar geen van die dingen is zo opvallend als de vriendelijkheid van de mensen.

Toen we naar dit stadje in New Hampshire verhuisden, ontvingen de mensen ons alsof het enige wat hen tot dat moment gescheiden had gehouden van volmaakt geluk onze afwezigheid in hun leven was geweest. Ze brachten ons cakes en vruchtengebak en flessen wijn. Niet één van hen zei: 'Jullie zijn dus de mensen die een kapitaal hebben neergelegd voor dat huis van Smith,' wat de traditionele begroeting in Engeland is, geloof ik. Onze naaste buren zeiden, toen ze hoorden dat we van plan waren buiten de deur te eten, dat het zo naargeestig was om in een vreemd restaurant te gaan eten op je eerste avond in een nieuwe woonplaats, en ze stonden erop dat we meteen met hen meegingen om te eten, alsof zes extra monden aan tafel een fluitje van een cent was.

Toen in de buurt bekend werd dat onze meubels met een containerschip op weg waren van Liverpool naar Boston, kennelijk via Port Said, Mombasa en de Galápagoseilanden, en dat we tijdelijk niets hadden om in te slapen, op te zitten of van te eten, kwam er een stroom van vriendelijke vreemden op gang (mensen van wie ik velen sindsdien nooit meer heb gezien), en ze kwamen het pad op met stoelen, lampen, tafels en zelfs een magnetron.

Het was geweldig, en dat is het gebleven. Met Kerstmis vorig jaar waren we voor tien dagen naar Engeland, en toen we laat op de avond terugkwamen, uitgehongerd, merkten we dat een van de buren de koelkast had volgestopt met zowel dagelijkse behoeften als extraatjes, en vazen met verse bloemen had neergezet. Dat soort dingen gebeurt aan de lopende band.

Laatst ging ik met een van mijn kinderen naar een basketbalwedstrijd op een plaatselijk *college*. We arriveerden vlak voordat het begon en sloten ons aan bij een rij voor een van de loketten. Na een minuut kwam er een man op me af, en hij vroeg: 'Sta je in de rij voor kaartjes?'

Nee, had ik willen antwoorden, ik sta hier om de rij indrukwekkender te maken, maar ik zei natuurlijk alleen maar: 'Ja.'

'Je kunt namelijk deze krijgen,' zei hij, en hij stak me twee kaartjes toe.

Mijn eerste gedachte, voortkomend uit jaren van domme misvattingen, was dat hij een klantenlokker was en dat er een addertje onder het gras zat. 'Wat kosten ze?' vroeg ik argwanend.

'Nee, nee, je krijgt ze zó. Voor niks. Wij kunnen namelijk niet naar de wedstrijd, zie je.' Hij wees op een auto die buiten stond, met draaiende motor en een vrouw op de passagiersstoel.

'Echt?' zei ik. 'Nou, reuze bedankt dan.' En toen bedacht ik iets. 'Ben je speciaal hierheen komen rijden om twee kaartjes weg te geven?'

'Anders zou niemand er wat aan hebben,' zei hij verontschuldigend. 'Veel plezier.'

Ik zou eindeloos kunnen doorgaan over dergelijke dingen – de jongeman die de verloren portemonnee van mijn zoon kwam terugbrengen: bijna al het geld van zijn zomerbaantje zat erin, en de vinder wilde geen beloning aannemen; de werknemers van de bioscoop die naar buiten lopen als het gaat regenen en alle raampjes dichtdraaien van auto's die langs naburige straten geparkeerd staan, in de veronderstelling dat althans enkele daarvan eigendom zijn van bezoekers van de bioscoop die niet weten dat het regent; hoe alle leden van het politiekorps, nadat de vrouw van de plaatselijke commissaris haar haar was kwijtgeraakt tijdens chemotherapie, hun hoofden hadden laten kaalscheren om geld voor een kankerbestrijdingsfonds bijeen te brengen, en om de vrouw van de commissaris het gevoel te geven dat ze niet zo opviel.

Dat mensen hun auto parkeren zonder hem op slot te doen en met de raampjes open, zegt natuurlijk wel het een en ander over dit stadje. Het is nu eenmaal een feit – er is hier geen criminaliteit. Helemaal niets. Mensen zetten rustig een fiets van vijfhonderd dollar tegen een boom en gaan dan boodschappen doen. Als iemand hem toch zou stelen, ben ik ervan overtuigd dat het slachtoffer de dief achterna zou rennen met de kreet: 'Wil je hem na afloop alsjeblieft weer terugbrengen naar 32 Wilson Avenue? En kijk uit voor de derde versnelling, die gaat stroef.'

Niemand doet ooit iets op slot. Ik herinner me dat ik daarvan versteld stond bij mijn eerste bezoek, toen een vrouwelijke makelaar me meenam om huizen te kijken (en dat is ook zo iets – makelaars in Amerika weten hoe ze moeten opstaan en rondrijden) en zij liet aldoor haar auto onafgesloten staan, zelfs toen we in een restaurant gingen lunchen, en hoewel er een mobiele telefoon op de stoel lag, en wat boodschappen achterin.

Bij een van de huizen ontdekte ze dat ze de verkeerde sleutel had meegenomen. 'De achterdeur zal wel open zijn,' zei ze zelfverzekerd, en dat was ook zo. Vervolgens ben ik gaan begrijpen dat dat helemaal niet zo bijzonder was. Wij kennen mensen die met vakantie gaan zonder hun deuren af te sluiten, en die niet weten waar hun huissleutel is, niet eens zeker weten of ze er nog een hébben.

Nu kunnen jullie je inderdaad afvragen waarom het hier dan geen paradijs voor dieven is. Daarvoor zijn twee redenen, geloof ik. In de eerste plaats is hier geen markt voor gestolen goederen. Als je op iemand in New Hampshire zou aflopen en vragen: 'Wil je niet een stereo voor je auto kopen?', zou zo iemand je aankijken alsof je gek was en zeggen: 'Nee, ik heb al een stereo in de auto.' Vervolgens zou hij je aangeven bij de politie en – dit is de tweede reden – de politie zou komen en je neerschieten.

Maar de politie hier schiet natuurlijk geen mensen neer, omdat ze dat niet hoeven, want er is geen criminaliteit. Het is een zeldzaam en hartverwarmend voorbeeld van een vicieuze cirkel. Wij zijn er inmiddels aan gewend, maar toen we pas hier woonden en ik mijn verbazing over dit alles uitsprak tegenover een vrouw die was opgegroeid in New York City, maar al twintig jaar hier woont, legde ze een hand op mijn arm en zei, alsof ze me een groot geheim toevertrouwde: 'Schat, je woont hier niet meer in de echte wereld. Je woont in New Hampshire.'

De hotline

Laatst zag ik in onze badkamer iets waarover ik sindsdien met tussenpozen heb moeten nadenken. Het was een houdertje waar tandfloss in zit.

De floss zelf is voor mij niet zo belangrijk, maar op dat houdertje staat een gratis telefoonnummer afgedrukt. Je kunt vierentwintig uur per dag de Floss Hotline van die fabriek bellen. Maar dan rijst de vraag: Waarom zou je daar behoefte aan hebben? Ik zie almaar voor me hoe een of andere vent opbelt en op bezorgde toon zegt: 'Oké, ik heb de floss. Wat moet ik nu doen?'

Als vuistregel zou ik aanhouden dat je, als je de fabrikant van je tandfloss moet opbellen, om welke reden dan ook, waarschijnlijk nog niet klaar bent voor dit niveau van mondhygiëne.

Toen mijn nieuwsgierigheid eenmaal gewekt was, ben ik in al onze kasten gaan zoeken, en ik ontdekte iets interessants, namelijk dat bijna alle huishoudelijke producten in Amerika voorzien zijn van een hotline-nummer. Je kunt, zo schijnt het, opbellen voor advies hoe je gebruik moet maken van zeep en shampoo, je kunt nuttige tips krijgen over waar je het roomijs moet opbergen opdat het niet in soep verandert en door de bodem van de doos druipt, en professionele raad ontvangen over de delen van je lichaam waarop je het meest geslaagd en modieus nagellak kunt aanbrengen. ('Laat ik nog even herhalen, u zegt dus: níet op mijn voorhoofd?')

Voor degenen die geen telefoon tot hun beschikking hebben, of misschien wel een telefoon hebben, maar nog niet weten hoe ze die moeten gebruiken, zijn de meeste producten ook voorzien van nuttige gedrukte adviezen als 'Verwijder doppen alvorens te eten' (op pinda's) en 'Voorzichtig: Niet hergebruiken voor dranken' (op een fles bleekwater). Wij hebben laatst een elektrisch strijkijzer gekocht dat ons vermaande het niet samen met explosief materiaal te gebruiken. Dat heeft iets weg van wat ik een paar weken geleden heb gelezen, namelijk dat bedrijven voor computersoftware erover denken de instructie 'Willekeurige toets indrukken indien gereed' anders te gaan formuleren, omdat er zoveel mensen hebben opgebeld met de mededeling dat ze de 'Willekeurige toets' niet konden vinden.

Tot voor een paar dagen zou ik instinctief luid gegrinnikt hebben om mensen die dergelijke elementaire hulp nodig hebben, maar toen zijn er drie dingen gebeurd waardoor ik mijn mening heb aangepast.

Eerst las ik in de krant dat John Smoltz, werper bij het honkbalteam Atlanta Braves, op een dag naar de training was gekomen met een pijnlijk uitziende rode streep dwars over zijn borstkas, en toen men hem vroeg hoe dat kwam, bekende hij schaapachtig dat hij geprobeerd had een overhemd te strijken terwijl hij het aanhad.

Ten tweede: ik bedacht dat ik weliswaar nooit zoiets raars had gedaan, maar dat dat alleen kwam doordat zo'n gedachte niet bij me was opgekomen.

Ten derde en misschien het meest afdoend: twee avonden geleden ging ik de deur uit om twee boodschappen te doen – om precies te zijn om een pakje pijptabak te kopen en een paar brieven op de post te doen. Ik kocht de tabak, nam die mee naar de overkant van de straat, naar een brievenbus, en schoof het pakje erin. Ik vertel jullie niet hoe ver ik gelopen had voordat het tot me doordrong dat dit niet een voor honderd procent correcte uitvoering van mijn oorspronkelijke plannen was geweest.

Jullie begrijpen mijn probleem. Mensen die bordjes op brievenbussen hebben met de mededeling 'Niet bestemd voor tabak of andere persoonlijke bezittingen', kunnen niet zo erg grinniken om anderen, zelfs niet om lieden die hun borstkas strijken of wasinstructies moeten vragen bij de hotline van een shampoofabrikant.

Ik praatte over dat alles tijdens het avondeten, en zag ontzet aan hoe enthousiast en vrolijk alle gezinsleden suggesties deden voor bordjes die vooral voor mij van nut zouden zijn, zoals 'Waarschuwing: als op deur staat "trekken", heeft het absoluut geen zin te duwen' en 'Voorzichtig: probeer niet trui over hoofd uit te trekken, lopend tussen stoelen en tafels'. Erg tevreden was men over 'Waarschuwing: controleer of overhemdknoopjes in juiste knoopsgaten zitten alvorens huis te verlaten'. Dat alles heeft enkele uren aangehouden.

Ik geef toe dat ik ietwat onbeholpen ben waar het gaat om geheugen, persoonlijke verzorging, onder lage deuropeningen door lopen en een heleboel andere dingen, maar dat zit nu eenmaal in mijn genen. Laat ik het uitleggen.

Ik heb laatst een artikel uit de krant gescheurd dat ging over een studie van de University of Michigan, of misschien was het de University of Minnesota (in elk geval een koude omgeving met 'University' in de titel), waaruit bleek dat vergeetachtigheid een genetisch overgeërfd trekje is. Ik heb het opgeborgen in een map waarop 'Vergeetachtigheid' staat, en die ik uiteraard onmiddellijk zoek heb gemaakt.

Maar terwijl ik er vanochtend naar zocht, vond ik een andere map met het intrigerende opschrift 'Genen enzovoort', wat even interessant is en – daar bofte ik mee – niet geheel ontoepasselijk. In de map vond ik een artikel uit het tijdschrift *Science* van 29 november 1996, getiteld 'Verband tussen met angst verbonden karaktertrekken en een vorm van polymorfisme in het regelgebied van het transportgen voor serotonine'.

Als ik heel eerlijk moet zijn: ik volg het polymorfisme in het transportgen voor serotonine niet zo aandachtig als ik zou moeten doen, althans niet tijdens het honkbalseizoen, maar toen ik de zin las: 'Doordat magnitude en duur van de serotonergische reacties erdoor worden geregeld, is het 5-HT-transportgen (5-HTT) van wezenlijk belang voor de afstemming van serotonergische neurotransmissie in de hersenen,' dacht ik: *Hela, die kerels zouden daar weleens iets op het spoor kunnen zijn.*

Het onderzoek komt erop neer dat geleerden een gen gelokaliseerd hebben (en wel gen nummer SLC6A4 op chromosoom 17q12, voor het geval jullie thuis willen experimenteren) dat bepaalt of je een geboren tobber bent of niet. Om helemaal precies te zijn: als je een lange versie van het SLC6A4-gen hebt, ben je waarschijnlijk ontspannen en rustig, maar als je de korte versie hebt, kun je het huis niet verlaten zonder op een gegeven moment te zeggen: 'Stop de auto. Ik geloof dat ik de badkraan niet heb dichtgedraaid.'

In de praktijk betekent dit dat je, als je geen geboren tobber bent, je nergens zorgen over hoeft te maken (al maakte je je natuurlijk toch al geen zorgen), terwijl er, als je wél een tobber bent, er absoluut niets aan te doen is, dus dan kun je net zo goed stoppen met die bezorgdheid, alleen kun je dat natuurlijk niet. Combineer dit nu eens met de eerder genoemde ontdekkingen over vergeetachtigheid van de University van Ergens waar het koud is, en dan geloof ik dat jullie wel begrijpen dat genen heel wat op hun geweten hebben.

Ik noem nog een interessant feit uit mijn 'Genen enzovoort'-map. Volgens Richard Dawkins in *The Blind Watchmaker* bevat elk van de tien biljoen cellen van het menselijk lichaam meer genetische informatie dan de complete *Encyclopedia Britannica* (en zonder een verkoper naar je voordeur te sturen), en toch heeft het er de schijn van dat negentig procent van al ons genetisch materiaal helemaal niets doet. Het zít er gewoon, net als oom Fred en tante Muriel als ze op een zondag even langskomen.

Hieruit kunnen we volgens mij vier belangrijke conclusies trekken, namelijk: 1. Zelfs als je genen niet erg veel doen, kunnen ze je op een heleboel gênante manieren in de steek laten, 2. doe altijd eerst je brieven op de post en koop dan pas tabak, en 3. beloof nooit een opsomming van vier dingen als je je de vierde niet meer kunt herinneren, en 4.

Die vervelende buitenlanders

Julian Barnes heeft eens, in een uitspraak die ik van plan ben tot de mijne te maken wanneer de tijd rijp is, opgemerkt dat elke buitenlander die de Verenigde Staten bezoekt, een gemakkelijke goocheltruc kan doen: 'Koop een krant en zie je eigen land verdwijnen.'

In werkelijkheid hoef je daarvoor niet eens een krant te lezen. Je kunt een tijdschrift lezen of tv kijken of gewoon praten met mensen. Mijn zoon vertelde me laatst dat bij een schriftelijke test over actuele zaken op zijn *high school*, slechts één persoon in staat was de naam van de Britse premier te noemen, en die persoon was hijzelf. Ik ben er vast van overtuigd dat niet één Amerikaan op de vijfhonderd er enig idee van heeft dat in het Verenigd Koninkrijk algemene verkiezingen voor de deur staan.

Natuurlijk moeten we eerlijk blijven – de meeste mensen in de meeste landen weten niet veel over de rest van de wereld. Ik bedoel maar: kunnen jullie de namen noemen van de leiders van Denemarken of Nederland, of zelfs van Ierland? Natuurlijk niet – en dat terwijl jullie zo geweldig intelligent en oplettend zijn. Dat kan ik van hieruit zien. Er is geen reden waarom jullie dat zouden moeten weten. Er is erg veel wereld om bij te houden, en jullie hebben je handen al vol aan het bijhouden van *EastEnders*. Ik begrijp het best.

Maar er is een verschil. Jullie zijn je althans vagelijk bewust, door kranten te lezen en te kijken of te luisteren naar de nieuwsberichten, dat er een wereld bestaat voorbij het Kanaal, en dat mensen in die wereld dingen doen (voornamelijk het blokkeren van havens en de levens van brave vrachtautochauffeurs uit beschaafdere landen het behoorlijk moeilijk maken, als ik me goed herinner).

Zo was het hier vroeger ook. Het blad *Time* stond vol met artikelen over wankelende coalitieregeringen in Italië en corruptieschandalen in Zuid-Amerika, en het avondjournaal had minstens een paar verslagen met een serieuze correspondent in Burberry, die met een microfoon voor een bourse of een sampan of het Congres van de Volksrevolutie stond – in elk geval iets wat zich kennelijk niet in Nebraska bevond. Zelfs als je geen aandacht aan die verslagen schonk, realiseerde je je tenminste dat je in een ruimere wereld leefde.

Maar nu niet meer. In de eerste drie maanden van dit jaar bevatte de Amerikaanse editie van *Time* niet één verslag uit Frankrijk, Italië, Spanje of Japan, om maar een paar van de landen te noemen die ze vergeten lijken te zijn. Groot-Brittannië is er alleen in doorgedrongen vanwege Dolly, het gekloonde schaap. Duitsland werd genoemd vanwege de ruzie die de overheid daar heeft met de aanhangers van scientology. Voor het overige is het duister in westelijk Europa. Het 'internationale' deel van *Time* bestaat tegenwoordig meestal uit één artikel, en bijna nooit meer dan twee. Het verbijsterende is dat *Time*, als je naar het colofon kijkt, overal eigen correspondenten heeft – in Parijs, in Londen, in Rome, in Wenen, noem maar op. Mag ik alsjeblieft een van die baantjes?

Het nieuws op de televisie is geen haar beter. Om na te gaan dat ik niet overdrijf, heb ik gisteravond het avondjournaal van NBC bijgehouden. Dat is een van de belangrijkste nationale nieuwsuitzendingen, het equivalent van het *Six O'Clock News* van de BBC, maar wel met enkele minuten reclame voor hechtmiddelen voor kunstgebitten, aambeienzalf en laxeermiddelen. (Mensen die in Amerika naar het avondjournaal kijken, zijn er kennelijk slecht aan toe.)

Het bulletin van NBC bevatte elf onderwerpen, waarvan er tien uitsluitend betrekking hadden op de Verenigde Staten. Slechts één, over een bezoek van vice-president Gore aan China, erkende dat er leven was buiten de grenzen van Amerika, hoewel het eigenlijk ging over de Amerikaanse vooruitzichten op handelsgebied, en trouwens slechts tweeëntwintig seconden duurde. Toch zat er nog een shot van twee seconden bij van troepen mensen op de fiets, voor een gebouw dat iets van een pagode weg had, dus ik neem aan dat het echt over iets buitenlands ging.

Later heb ik het avondbulletin van CNN aan eenzelfde proef onderworpen. Dat duurde een uur, dus zaten er zelfs nog meer reclamespotjes in voor pijnstillers, zalfjes en mentholcrèmes (iemand zou die kijkers toch echt eens naar een ziekenhuis moeten sturen), maar men was er ook in geslaagd tweeëntwintig snippertjes nieuws te verwerken, die alle tweeëntwintig over de Verenigde Staten gingen. En dat in een programma dat zich *The World Today* noemt.

Omdat er zo weinig publiciteit wordt gegeven aan niet-Amerikaanse zaken, reageren de mensen hier vaak heel ongeduldig op alles wat ze niet onmiddellijk herkennen. Ik heb hier voor me een bespreking in de *New York Times*, de recensie van een boek van de Britse journalist Stephen Fay over Nick Leeson en de ineenstorting van Barings' Bank, waarin de recensente klaagt, echt nogal flink geïrriteerd, dat het boek 'vol staat met nodeloos verwarrend Brits taalgebruik'. Tot de verwarrende uitdrukkingen die ze citeert behoren '*cock-up*', '*just not on*' en een verwijzing naar een beursvloer die 'zo groot als een voetbalveld' is. Moet je je toch eens voorstellen – een boek van een Britse schrijver over een Britse werknemer van een Britse bank, waarin een paar Britse uitdrukkingen voorkomen. Dat is toch eigenlijk zó onnadenkend. Straks verwachten ze nog van ons dat we weten hoe de premier heet.

Ik vind dat treurig. Een van de dingen die ik, als opgroeiende jongen, leuk vond aan het lezen van Britse boeken of kijken naar Britse films, was juist dat ik níet precies wist wat er gebeurde – ik vroeg me af wat de personages bedoelden als ze zeiden: '*I say, we jolly well knocked Jerry out of touch for six into a sticky wicket with those bouncing buzz bombs the boffins in G-section came up with at high tea yesterday fortnight, what?*', en probeerde na te gaan wat Marmite in vredesnaam was (zonder ooit ook maar even te vermoeden dat het een eetbare pasta is). Amerikanen hebben daar tegenwoordig geen zin meer in, vrees ik.

Ik heb laatst in onze plaatselijke bioscoop een voorstelling bezocht van *The English Patient*, waarbij een vrouw achter me zat die zich elke keer dat Juliette Binoche iets had gezegd, tot haar partner wendde en op luide, gekwelde, nasale toon zei: 'Wat zégt ze nou?' Het werd zo hinderlijk dat ik de vrouw ten slotte met mijn colbertje heb moeten smoren.

Diezelfde week las ik in een krant een bespreking van een film van Jackie Chan, waarin de recensent klaagde, opnieuw zeer geërgerd, dat hij de dialoog van Chan niet begreep. (Tip voor de recensent: de aantrekkingskracht van films van Jackie Chan zit hem niet in de kwaliteit van de conversatie.) Ik heb overeenkomstige klachten gehoord of gelezen over het geheel of over gedeelten van *Secrets and Lies*, *My Left Foot*, *The Commitments*, *Shine*, *Shallow Grave* – eigenlijk over vrijwel elke film die uit de niet-Amerikaanssprekende wereld afkomstig is.

Ik zou nog eindeloos kunnen doorgaan, maar helaas moet ik afsluiten, en ik voel aan dat jullie staan te popelen om de draadloze aan te zetten om de uitslagen te horen van die Belgische tussentijdse verkiezingen. Intussen zal ik de Britse actualiteiten zo zorgvuldig mogelijk vanhier uit volgen. Maar ik vraag één ding. Als mevrouw Thatcher eruit wordt gezet, laat me dat dan meteen weten. En hou nou eens op het de 'draadloze' te noemen.

De bekerhouderrevolutie

Mij is verzekerd dat dit een waar verhaal is.

Een man belt zijn computer-helpdesk op om te klagen dat de bekerhouder op zijn pc is afgebroken, en hij wil weten hoe hij dat kan laten maken.

'Bekerhouder?' zegt de persoon van de helpdesk, verwonderd. 'Het spijt me meneer, maar ik begrijp u niet goed. Hebt u die bekerhouders bij een computertentoonstelling gekocht, of als promotiegeschenk ontvangen?'

'Nee, het was een onderdeel van de standaarduitrusting.'

'Maar onze computers zijn niet voorzien van bekerhouders.'

'Nou, neem me niet kwalijk, jongeman, maar in mijn geval wél,' zegt de man enigszins verhit. 'Ik zit nu naar de mijne te kijken. Je drukt op een knop onder aan de kast, en dan glijdt hij naar buiten.'

De man, zo bleek, had de cd-rom-lade van zijn computer gebruikt als houder voor zijn koffiebeker.

Ik vertel dit bij wijze van inleiding op ons onderwerp van deze week: bekerhouders. Ik weet niet of er in Groot-Brittannië al bekerhouders bestaan, maar zo niet, dan kunnen jullie me geloven – ze komen eraan. Bekerhouders veroveren de hele wereld.

Mocht je niet weten hoe ze eruitzien: bekerhouders zijn kleine dienblaadjes, deksels of andere voorwerpen met gaten waar bekers en ander vaatwerk voor dranken in passen, en men vindt ze op alle mogelijke plaatsen in elke moderne Amerikaanse auto. Vaak zijn ze op de achterkant van stoelleuningen gemonteerd, of ingebouwd in armsteunen, maar even vaak komt het voor dat ze ingenieus verstopt zijn op plaatsen waar je nooit een bergplaats voor drinkgerei zou zoeken. Mijn ervaring is: als je een onbekende knop indrukt in een Amerikaanse auto, zal deze óf de achterruitenwisser in bedrijf stellen, die dan voor de eeuwigheid met een zwaar gierend geluid om de zes seconden de achterruit zal wissen, ongeacht wat je allemaal onderneemt om hem stop te zetten, óf er schiet een bekerhouder naar buiten, omhoog, naar beneden, of hij komt op een andere magische wijze in je leven.

Het zou vrijwel onmogelijk zijn de betekenis van bekerhouders in Amerikaanse automobielkringen van heden te overdrijven. De *New York Times* heeft laatst een lang artikel afgedrukt waarin twaalf gezinsauto's werden getest. Stuk voor stuk werden ze beoordeeld op tien punten, zoals omvang van de motor, omvang van de kofferruimte, gebruiksgemak, kwaliteit van de ophanging en, ja, aantal bekerhouders. Een autohandelaar die we kennen, heeft ons verteld dat deze dingen tot de eerste behoren waar mensen over praten, naar vragen of mee spelen wanneer ze naar een auto komen kijken. Mensen kopen auto's op grond van bekerhouders. Bijna alle advertenties voor auto's maken er overduidelijk melding van.

Sommige auto's, bijvoorbeeld het nieuwste model van de Dodge Caravan, zijn voorzien van wel zeventien bekerhouders. Zeventien! In de grootste Caravan passen zeven personen. Je hoeft geen kernfysicus te zijn, of zelfs maar klaarwakker, om uit te rekenen dat dat neerkomt op 2,43 bekerhouders per passagier. Waarom, zo mag je je in gemoede afvragen, zou elke passagier in een automobiel 2,43 bekerhouders nodig hebben? Goeie vraag.

Het is waar dat Amerikanen waarlijk verbijsterende hoeveelheden vocht tot zich nemen. Een van onze plaatselijke tankstations, zo heb ik me laten vertellen, verkoopt een vloeistof met een smaakje, 'Slurpee' geheten, in anderhalveliterpakken. Anderhalve liter van een mierzoet drankje waarvan je tong blauw kleurt. Maar zelfs als ieder gezinslid een Slurpee én een persoonlijk flesje magnesia tegen de gevolgen had, zouden er nog drie bekerhouders over zijn.

Er is sprake van een lange traditie om het interieur van Amerikaanse auto's te voorzien van allerlei gadgets en gemakken, en ik neem aan dat een overmaat aan bekerhouders slechts een van de uitwassen daarvan is.

De reden waarom Amerikanen zoveel gemakken in hun auto's willen is dat ze erin wonen. Voor bijna 94 procent van alle Amerikaanse reizen en uitstapjes wordt een auto gebruikt. (In Groot-Brittannië is dat cijfer ongeveer zestig procent, wat al erg genoeg is.) Mensen in Amerika gebruiken hun auto's niet om naar de winkels te gaan, maar om tussen de winkels in te komen. De meeste zaken in Amerika hebben hun eigen parkeerplaats, dus zal iemand die zes boodschappen doet, meestal de auto zes keer verplaatsen tijdens een boodschappenuurtje, zelfs om van de ene parkeerplaats te rijden naar de andere aan de overkant van de straat.

Er zijn tweehonderd miljoen auto's in de Verenigde Staten – veertig procent van het totaal van de gehele wereld, voor ongeveer vijf procent van de wereldbevolking – en elke maand komen er nogmaals twee miljoen nieuwe auto's op de wegen bij (al worden er natuurlijk ook heel wat buiten gebruik gesteld). Desondanks zijn er nu ongeveer tweemaal zoveel auto's in Amerika als twintig jaar geleden, en die rijden op tweemaal zoveel wegen, en leggen ongeveer tweemaal zoveel kilometers af.

En omdat Amerikanen dus veel auto's hebben en veel tijd in die dingen doorbrengen, wensen ze een heleboel gemakken. Er is echter een limiet aan het aantal verschillende dingen dat je binnen het interieur van een auto kunt passen. Wat is dan beter dan het daar vol te stoppen met handige beker-houders, temeer omdat de mensen daar gek op lijken te zijn? Dat is mijn theorie.

Wat in elk geval waar is, dat is dat geen bekerhouders in een auto aanbrengen een ernstige vergissing is. Een paar jaar geleden heb ik gelezen dat Volvo al zijn auto's voor de Amerikaanse markt om deze ene reden had moeten herontwerpen. De technici van Volvo waren zo dom geweest te denken dat kopers op zoek waren naar een betrouwbare motor, kreukelzones en verwarmde stoelzittingen, terwijl ze in werkelijkheid snakten naar kleine dienblaadjes waarin ze hun Slurpees konden plaatsen. Dus zijn een paar kerels die Nils Nilsson en Lars Larsson heetten aan het werk gezet om bekerhouders te ontwerpen die binnen het systeem pasten, en zo is Volvo gered van drankjessmaad, en misschien zelfs van de financiële ondergang.

Uit al het voorafgaande kunnen we een belangrijke conclusie trekken – namelijk dat het, hoe je ook je best doet, niet echt mogelijk is een column geheel te vullen met een verhaal over alleen maar bekerhouders.

Laat me dus vertellen hoe ik weet dat die kerels van Volvo Nils Nilsson en Lars Larsson heetten.

Een paar jaar geleden, toen ik in Stockholm was en niets te doen had op een avond (het was na zeven uur 's avonds, moeten jullie begrijpen, dus was de stad allang naar bed), bracht ik de uren voor bedtijd door met bladeren in het plaatselijke telefoonboek, waarin ik verscheidene namen telde. Ik had me laten vertellen dat Zweden maar een handjevol achternamen kende, en in wezen was dat zo. Ik telde meer dan tweeduizend Erikssons, Svenssons, Nilssons en Larssons. Er waren zo weinig namen (of, dat moet ik zeggen, de Zweden waren zo buitenaards dom) dat veel mensen dezelfde naam tweemaal gebruikten. Er waren 212 mensen in Stockholm die Erik Eriksson heetten, er waren 117 Sven Svenssons, 236 Nils Nilssons en 259 Lars Larssons. Ik schreef die namen en cijfers op een papiertje, en heb me al die jaren afgevraagd wanneer ik dit feit ooit zou kunnen gebruiken.

En ik geloof dat we hieruit nogmaals twee conclusies kunnen trekken. Bewaar alle vodjes papier met nutteloze informatie, want ooit zul je er blij mee zijn, en als je naar Stockholm gaat, neem dan drank mee.

Uw belastingaangifte toegelicht

Ingesloten vindt u uw Belastingaangifteformulier van de Verenigde Staten, formulier 1040-ES OCR: 'Geschatte belasting voor zelfstandige personen'. U mag dit formulier gebruiken om uw belasting voor het fiscale jaar 1997 te schatten *als*:

1. U het hoofd van een huisgezin bent *en* de som van de leeftijden van uw partner en afhankelijke personen, min de leeftijd van in aanmerking komende huisdieren (zie Schema 12G), deelbaar is door een heel getal. (Gebruik Aanvullend Schema 142C als huisdieren overleden zijn, maar op uw terrein begraven liggen.)

2. Uw Bruto Aangepast Inkomen niet hoger is dan uw Aangepast Bruto Inkomen (behalve waar van toepassing) *en* u geen belastbare rente hebt betaald over inkomen uit dividend voor 1903.

3. U geen aanspraak maakt op teruggave van in het buitenland betaalde belasting. (Waarschuwing: wanneer u aanspraak maakt op teruggave van in het buitenland betaalde belasting voor een 'buitenlandse' belastingteruggave, behalve wanneer het gaat om een buitenlandse 'belastingteruggave', kan dat resulteren in een boete van 125 000 dollar en 25 jaar gevangenisstraf.)

4. U beantwoordt aan een van de volgende beschrijvingen: gehuwd en gezamenlijk het belastingbiljet invullend; gehuwd en niet gezamenlijk het belastingbiljet invullend; niet gehuwd

en niet gezamenlijk het belastingbiljet invullend; gezamenlijk, maar niet invullend; anderszins.

Instructies

Type alle antwoorden met inkt in inktpotlood nummer twee. Haal niets door. Gebruik geen afkortingen of aanhalingstekens. Spel niet het woord 'miscellaneous'. Schrijf uw naam, adres en nummer van de Social Security, en naam, adres en nummer van de Social Security van uw partner en afhankelijke personen, voluit, op elke pagina tweemaal. Zet geen 'vinkje' in een vakje waarbij 'kruisje' staat, of een kruisje in een vakje waarbij 'vinkje' staat, tenzij u ernaar verlangt alles nog eens over te doen. Schrijf niet 'Weet ik veel' in enige lege ruimte. Verzin niets.

Vul eerst de secties 47 tot 52 in, stap dan over op de even genummerde secties en vul ze in omgekeerde volgorde in. Gebruik dit formulier *niet* als het totaal van de uitbetaalde sommen aan pensioenen en lijfrentes hoger is dan uw belastbaar inkomen *of* omgekeerd.

Som onder 'Inkomen' alle lonen op, evenals salarissen, netto belastbaar inkomen uit buitenlandse bronnen, royalty's, fooien, giften, belastbare rente, vermogensaanwas, airmiles, bier betaald op en geld gevonden achter de kussens van de bank. Als uw verdiensten geheel, of gedeeltelijk, maar niet in hoofdzaak, of geheel *en* gedeeltelijk, voortkomen uit andere landen dan de Verenigde Staten (bij onzekerheid zie USIA Leaflet 212W, 'Landen die niet de Verenigde Staten zijn'), *of* uw gerouleerde bruto-inkomen van Schema H groter was dan uw verdiensten over niet-belastbare netto-uitbetalingen, *moet* u een Verklaring van Afstand van Schenker/Overdrager overleggen. Wanneer u dit nalaat, kan dat resulteren in een boete van 1 500 000 dollar en gijzeling van 1 kind.

Vul onder Sectie 89of het totaal inkomen van de boerderij in (indien geen, geef bijzonderheden). Als u geboren bent na 1 januari 1897, en *geen* weduwnaar/weduwe bent, neem dan ook uitzonderlijke verliezen op en voorzie in afrekeningscijfers voor devaluatie op regel 27iii. U *moet* het aantal kalkoenen noemen dat geslacht is voor de export. Breng in mindering, maar trek niet af, bruto dividenden van pro rata rentebetalingen, vermenigvuldigd met het totaal aantal traptreden in uw huis, en vul in op regel 326d.

Vul op Schema F1001, regel c, de inhoud van uw garage in. Neem daarbij alle elektrische en niet-elektrische voorwerpen in Schema 295D op, maar noem daarbij *niet* de elektrische *of* niet-elektrische voorwerpen die niet staan opgesomd op Aanvullend Formulier 243d.

Onder 'Persoonlijke Uitgaven' moet u alle contante betalingen invullen boven een bedrag van 1 dollar, en bewijzen toevoegen. Als u een tandartsbehandeling hebt ondergaan *en* geen terugbetaling wenst op grond van de federale subsidie wegens de olieramp, vul dan uw schoenmaten sinds uw geboorte in, en sluit voorbeelden van schoenen in. (Alleen rechtervoet.) Vermenigvuldig met 1,5 of 1,310, althans met het grootste cijfer en deel regel 3f door 3d. Noteer onder Sectie 912g federale subsidies ontvangen voor de productie van alfalfa, gerst (maar niet sorghum, tenzij voor huiselijk gebruik) en okra *los van de vraag* of u deze hebt ontvangen of niet. Wanneer u dat nalaat, kan dat resulteren in een boete van 3 750 000 dollar en dood door middel van dodelijke injectie.

Als uw kinderen van u afhankelijk zijn maar niet thuis wonen, of thuis wonen maar niet van u afhankelijk zijn, van u afhankelijk zijn maar bijna nooit thuis *en* u geen kwijtschelding vraagt voor huur van maritieme schepen groter dan 12 000 ton draagvermogen (15 000 ton als u in Guam geboren bent), *moet* u een Maritieme-Schepen-Kwijtscheldingsformulier invullen. Wanneer u dat nalaat, kan dat resulteren in een boete van 111 000 000 dollar en een kernaanval op een klein, neutraal land.

Noteer op de pagina's 924-926, Schema D, de namen van

de mensen die u persoonlijk kent en die communist zijn of drugs gebruiken. (Gebruik zo nodig extra pagina's.)

Als u rente-inkomsten hebt van spaarrekeningen, obligaties, schuldbekentenissen op naam, depositocertificaten of andere fiduciaire middelen, maar *niet* uw hoedenmaat kent, vul dan Aanvullende Schema's 112d en 112f in en stuur deze in met alle relevante tabellen. (Stuur op dit moment geen stoelen.) Sluit in, maar collationeer niet de doorlopende verliezen uit investeringen in mijnen, handelstransacties en orgaantransplantaties, deel door het totaal aantal motelbezoeken in 1996 en noteer dit in enige resterende ruimte. Als u niet-terugbetaalde onkosten hebt, dan hebt u pech gehad.

Om uw geschatte belasting te berekenen: tel de regels 27 tot 964 bij elkaar op, trek er de regels 45a en 699f uit Schema 2F van af (indien meer dan wel minder dan 2,2% van de gemiddelde alternatieve minimum geschatte belasting in de afgelopen vijf jaar), vermenigvuldig met het toerenaantal dat uw auto aangeeft wanneer hij vastzit in ijs, en tel er 2 bij op. Als regel 997 kleiner is dan regel 998, begin dan opnieuw. Schrijf in het vakje waarbij 'Verschuldigde Belasting' staat, een heel groot getal.

Schrijf uw cheque uit op naam van 'Internal Revenue Service of the United States of America and to the Republic for Which It Stands', en zet erop: ter attentie van Patty. Schrijf achter op de cheque uw nummer van de Social Security, uw Identificatienummer als Belastingbetaler, de IRS Tax Code Audit-nummer(s), het IRS Regional Office Sub-Unit Zonenummer (*tenzij* u een T/45 Sub-Unit Zone Exclusion Notice instuurt), uw seksuele oriëntatie en wat u het liefst rookt, en stuur op naar:

Internal Revenue Service of the United States of America
Tax Reception and Orientation Center
Building D/Annexe G78

Suite 900
Subduction Zone 12
Box 132677-02
Drawer 2, ongeveer halverwege
Federal City
Maryland 10001

Als u vragen hebt over het invullen, of hulp nodig hebt met uw formulier, bel dan 1-800-IN GESPREK. Dank u, en een welvarend 1998 toegewenst. Wanneer u dit nalaat, kan dat resulteren in een boete van 125 000 dollar en een lange wandeling naar de bajes.

Waarschuwing: Iedereen die plezier heeft, wordt aangegeven

Een van de bars hier in het lieflijke en ordelijke stadje in New Hampshire waar ik woon, heeft onlangs kleine gedrukte mededelingen in plastic houdertjes op elk tafeltje geplaatst – het soort kaartjes waarmee je gewoonlijk wordt uitgenodigd om voor een speciaal prijsje een kan pina colada's te bestellen of misschien de gastheer en -vrouw gezelschap te houden bij hun feestelijk dagelijks *happy hour*.

Het ging echter helemaal niet om een uitnodiging voor dergelijke hedonistische aangelegenheden: op die kaartjes stond: 'Wij nemen onze verantwoordelijkheid voor de gemeenschap heel serieus. Daarom voeren we de regel in dat elke gast maximaal drie drankjes geserveerd krijgt. Wij danken u voor uw begrip en medewerking.'

Wanneer een bar (en nog wel een bar in een universiteitsstadje) je komt vertellen dat je al na drie flesjes bier weg moet, dan weet je dat er iets aan de hand is. Het probleem is natuurlijk niet dat de inwoners hier in Hanover zich te schande hebben gemaakt. Het probleem is dat ze zich misschien meer zouden kunnen amuseren dan met de bescheiden hoeveelheid die sociaal aanvaardbaar wordt geacht in de interessante tijd waarin we leven.

H.L. Mencken heeft puritanisme ooit gedefinieerd als 'de ononderbroken vrees dat iemand, ergens, gelukkig zou kunnen zijn'. Hij heeft dat zeventig jaar geleden gezegd, maar het is in onze tijd even waar als toen. Waar je ook gaat of staat, overal in hedendaags Amerika kom je een vreemd en opdringerig soort betutteling tegen, zoals op die idiote nieuwe kaartjes in onze plaatselijke bar.

De kwestie is dat die mededelingen toch al volkomen overbodig zijn. Ik heb tot mijn schrik ontdekt dat wanneer een Amerikaanse vriend je uitnodigt voor een biertje, dat precies is wat hij bedoelt – één biertje. Je drinkt er voorzichtig van, gedurende zo'n vijfenveertig minuten, en dan is het op en dan zegt je vriend: 'Zo, dat was leuk. Laten we dat volgend jaar nog eens doen.' Ik ken niemand – echt niemand – die zo losbandig zou zijn om drie drankjes te consumeren tijdens één cafébezoek. Alle mensen die ik ken, drinken nauwelijks, verbruiken geen tabak, houden hun cholesterol in het oog alsof het hiv-positief is, joggen ongeveer tweemaal per dag naar Canada en weer terug en gaan vroeg naar bed. Dat is allemaal heel verstandig en ik weet dat ze me tientallen jaren zullen overleven, maar erg plezierig is het niet.

En de Amerikanen van tegenwoordig weten de uitzonderlijkste dingen te bedenken om zich zorgen over te maken. Filmbesprekingen in kranten bijvoorbeeld sluiten bijna altijd af met een alinea over de kwaliteiten van de film die toeschouwers zouden kunnen hinderen – geweld, seksscènes, grove taal enzovoort. Dat lijkt in principe onaanvechtbaar, maar wel opmerkelijk is dat de kranten het nuttig vinden zulke dingen af te drukken. De *New York Times* sloot laatst een bespreking van een nieuwe Chevy Chase-film af met de volgende sombere waarschuwing: '*Vegas Vacation* wordt aangemerkt als BO (Begeleiding door Ouders wenselijk). Afgezien van suggestieve seksscènes ziet men hier ratelslangen en gokken.'

Aha, juist, dan gaat het niet door.

De *Los Angeles Times* waarschuwt zijn lezer dat *As Good as It Gets* 'grove taal en thematische elementen' (wat dat ook mogen zijn) bevat, terwijl men in *Mouse Hunt* 'herrie, komische sensualiteit en taal' zal tegenkomen. Geen grove taal of suggestieve taal, maar domweg 'taal'. Mijn god, stel je dat eens voor. Taal in een film! En herrie! En dan te bedenken dat ik er bijna met de kinderen naartoe was gegaan.

Kortom, er is sprake van een enorme en lachwekkende verontrusting in het land, over zo ongeveer alles. De boekwinkels en bestsellerlijsten staan vol boeken als *Slouching to Gomorrah* van Robert Bork, die erop zinspelen dat Amerika op de rand staat van een catastrofale morele instorting. Tot de letterlijk honderden zaken waarover Bork zich zorgen maakt, behoren 'de verontwaardigde activistes van feminisme, homoseksualiteit, milieubescherming [en] dierenrechten'. O, toe nou toch.

Dingen die nauwelijks de aandacht zouden trekken in andere landen, worden hier beschouwd als bijna gevaarlijk losbandig. Een vrouw in Hartford, Connecticut, is onlangs met arrestatie bedreigd toen een veiligheidsman zag hoe ze haar baby de borst gaf – heel discreet, met een dekentje over haar schouder en met haar rug naar de wereld – in haar auto op een uithoek van de parkeerplaats van een restaurant. Ze had het restaurant verlaten en was naar haar auto gegaan om de baby te voeden, juist omdat ze daar alleen zouden zijn – maar niet alleen genoeg. Iemand met een verrekijker zou hebben kunnen zien wat ze daar uithaalde, en tja, dan kun je je de gevolgen voor een stabiele en ordelijke maatschappij levendig voorstellen.

Intussen is in Boulder, Colorado, waar een van de strengste anti-rookverboden van Amerika van kracht is (dat wil zeggen: ze schieten je neer), een acteur tijdens een amateurvoorstelling met arrestatie bedreigd, als jullie het kunnen geloven, wegens het roken van een sigaret op het toneel, zoals zijn rol voorschreef. Roken is natuurlijk dé grote verboden bezigheid dezer dagen. Als je tegenwoordig waar dan ook in Amerika een sigaret opsteekt, word je als een paria beschouwd. Als je er binnen een openbaar gebouw een opsteekt, word je vrijwel zeker overvallen door een falanx van veiligheidsmensen.

Veel staten – Vermont en Californië, om er twee te noemen – kennen wetten die verbieden praktisch overal binnen te roken, afgezien van particuliere woningen, en vaak zelfs ook in de buitenlucht. Persoonlijk ben ik er helemaal voor dat roken wordt tegengegaan, maar men gaat de laatste tijd steeds meer tot neurotische en zelfs sinistere uitersten. Een bedrijf hier in New Hampshire heeft onlangs een regel ingevoerd dat elke werknemer die ervan verdacht wordt een sigaret te hebben gerookt binnen vijfenveertig minuten voordat hij op zijn werk verschijnt, ontslagen kan worden, zelfs als hij gerookt heeft binnen zijn eigen woning, in zijn eigen tijd, met tabaksproducten die door de overheid zijn goedgekeurd.

Het meest verbijsterend echter is dat zelfs jonge mensen vrijwillig hun plezier laten schieten. Een van de verbazingwekkendste verhalen die ik de laatste tijd heb gehoord, was een verslag in de *Boston Globe* van de vorige maand, namelijk dat twee disputenclubs – die voorzien in woonhuizen voor studenten – alcoholische dranken van alle soorten hebben verboden op al hun afdelingen.

Als een student daar wordt aangetroffen met slechts één blikje bier – ook als hij wettelijk oud genoeg is om dat in zijn bezit te hebben en te drinken – wordt hij onmiddellijk geschorst, en als het dispuutshuis zelf een feestje durft te organiseren waarbij zelfs maar een vingerhoedje sherry wordt geserveerd, zal het op slag gesloten worden, zonder recht van beroep.

Toen ik jong was, leken dispuutshuizen ten doel te hebben dat de brouwerijen van Amerika draaiende bleven. Je kon de kwaliteit van een dispuut afleiden uit het aantal lichamen dat op een zaterdagavond op het grasveld werd aangetroffen. Ik wil hier heus niet pleiten voor ongeremde consumptie van alcohol op universiteiten (eigenlijk wel, maar laten we doen of het niet zo is), maar te stellen dat een groep studenten niet een paar biertjes achterover mag slaan op de dag van hun slotexamen of na een geweldige footballoverwinning of na de laatste schriftelijke examens of, wat kan het me schelen, wanneer ze maar willen, maakt op mij een waanzinnig puriteinse indruk.

Het merkwaardige was dat slechts één van een aantal in het artikel geïnterviewde studenten het niet eens was met het nieuwe voorstel.

'Het werd tijd dat we een dergelijk beleid invoerden,' zei een pedante jonge student van het Massachusetts Institute of Technology, die volgens mij een paar flinke draaien om zijn oren verdient.

Jullie mogen me harteloos noemen, maar ik hoop dat de volgende film die hij ziet, scènes bevat waarin ratelslangen voorkomen, gokken, thematische elementen en taal, en dat hij zich daar rot van schrikt. Zou dat niet zijn verdiende loon zijn?

De Verenigde Staten verklaard

Mijn vader, die als alle vaders leek te oefenen voor een competitie om de saaiste man ter wereld te worden, had de gewoonte, toen ik een jongen was, hardop te zeggen uit welke staat alle andere auto's afkomstig waren, op elke weg waar we reden.

In Amerika, ik neem aan dat jullie dat wel weten, verstrekt elke staat zijn eigen nummerborden, dus kun je in één oogopslag zien waar een andere auto vandaan komt, en dus kon mijn vader spitse opmerkingen maken als 'Hé, alweer een auto uit Wyoming. Ik vraag me af wat die hier moet.' Dan keek hij hoopvol om zich heen om te zien of iemand daarop wilde ingaan of op het thema voortborduren, maar dat gebeurde nooit. Hij kon de hele dag zo doorgaan, en deed dat ook vaak.

Ik heb eens een boek geschreven waarin ik op een vriendelijke manier de spot dreef met de vele interessante en ongewone talenten die mijn oude heer had wanneer hij achter het stuur zat – zijn onfeilbaar vermogen te verdwalen in elke stad, van de verkeerde kant een straat met eenrichtingsverkeer in te rijden, zo vaak dat mensen ten slotte in hun open deuren gingen staan om te kijken, of een hele middag rond te rijden binnen gezichtsafstand van een pretpark of ander enthousiast gezochte attractie zonder ooit de ingang te vinden. Een van mijn tienerkinderen heeft dat boek laatst voor het eerst gelezen en kwam ermee naar de keuken waar mijn vrouw aan het koken was, en zei, op een toon alsof hij iets verbijsterends had ontdekt: 'Maar dit is *pap*,' waarmee hij natuurlijk mij bedoelde.

Ik moet het toegeven. Ik ben in mijn vader veranderd. Ik lees zelfs nummerborden, al ben ik vooral geïnteresseerd in de leuzen die erop staan. Veel staten voegen namelijk een vriendelijk woord of een stukje informatie toe aan hun nummerborden, zoals 'Land of Lincoln' voor Illinois, 'Vacationland' voor Maine, 'Sunshine State' voor Florida en het flitsend onnozele 'Shore Thing' voor New Jersey.

Ik maak graag grappen en opmerkingen over die dingen, dus wanneer we bijvoorbeeld lezen 'You've Got a Friend in Pennsylvania' voor Pennsylvanië, wend ik me tot de passagiers en zeg op gekwetste toon: 'Maar waarom belt hij me dan nooit?' Ik ben echter de enige die dit een amusante manier vindt om een lange rit uit te zitten.

Het is interessant – of liever, misschien niet echt interessant, maar wel degelijk een feit – dat veel staten slogans toevoegen die nogal zinloos zijn. Ik heb nooit begrepen wat Ohio in zijn hoofd had gehaald toen deze staat zich de 'Buckeye State' noemde, en ik heb er geen flauw idee van wat New York bedoelt door zichzelf de titel 'Empire State' toe te kennen. Voor zover ik weet strekken de vele vaststaande roemvolle eigenschappen van New York zich niet uit tot overzeese bezittingen.

Indiana noemt zich de 'Hoosier State', al honderdvijftig jaar lang. Niemand heeft ooit op bevredigende wijze uitgezocht (misschien omdat het niemand wat kan schelen) waar dat woord vandaan komt, al kan ik op grond van eigen ervaring zeggen dat als je dat in een boek meedeelt, tweehonderdvijftig mensen uit Indiana je zullen schrijven met tweehonderdvijftig verschillende verklaringen en de eenstemmige overtuiging dat jij een stomkop bent.

Dit vertel ik allemaal bij wijze van inleiding op onze belangrijke les van vandaag, namelijk dat de Verenigde Staten niet zozeer een land vormen als wel een verzameling van vijftig kleine staten, en als je dat vergeet, komen de consequenties voor je eigen rekening. Dat gaat terug tot de tijd na de Onafhankelijkheidsoorlog, toen een federale regering werd gevormd, en de voormalige koloniën elkaar niet vertrouwden. Om ze zoet te houden kregen de staten uitzonderlijk veel macht toebedeeld. Zelfs nu nog bepaalt de staat alle mogelijke dingen die te maken hebben met je persoonlijk leven – waar, wanneer en op welke leeftijd je mag drinken; of je in het verborgene een wapen mag dragen, vuurwerk bezitten of gokken; hoe oud je moet zijn voor een rijbewijs; of je op de elektrische stoel ter dood gebracht zal worden, door een dodelijke injectie of in het geheel niet, en hoe slecht je moet zijn om zodanig in het nauw te komen.

Als ik onze woonplaats Hanover verlaat en over de Connecticut River de staat Vermont binnenrijd, ben ik opeens onderworpen aan misschien wel vijfhonderd totaal andere wetten. Ik moet, onder meer, mijn autogordel omdoen, een vergunning aanvragen als ik een tandartspraktijk wil openen, en elke hoop opgeven een reclamebord langs de weg te plaatsen, want Vermont is een van de slechts twee staten die reclame langs de grote wegen heeft verboden. Aan de andere kant mag ik ongestraft een wapen bij me dragen, en als ik gearresteerd word wegens dronkenschap achter het stuur, mag ik een bloedproef weigeren.

Omdat ik mijn autogordel altijd al vastmaak, geen schiettuig bezit en geen enkel verlangen voel mijn vingers in andermans mond te steken, zelfs niet in ruil voor een heleboel geld, heb ik geen last van die voorschriften. Elders echter kunnen de verschillen tussen staatswetten van dramatische en zelfs schrikwekkende aard zijn.

De afzonderlijke staten bepalen wat wel en niet in hun scholen onderwezen mag worden, en in veel streken, vooral in het diepe zuiden, moeten de lessen overeenkomen met heel bekrompen religieuze opvattingen. In Alabama bijvoorbeeld is het verboden de evolutieleer te onderwijzen als iets anders dan een 'onbewezen gedachte'. Alle leerboeken biologie moeten voorzien zijn van een sticker die zegt: 'Dit leerboek bespreekt de evolutieleer, een controversiële leer die door enkele geleerden wordt verdedigd als wetenschappelijke verklaring voor de herkomst van levende wezens.' Volgens de wet moeten leraren evenveel aandacht besteden aan de gedachte dat de aarde in zeven dagen geschapen is, en dat alles wat daarop is – fossielen, steenkool, dinosaurusbotten – niet ouder is dan 7500 jaar. Ik weet niet wat voor slogan Alabama op zijn nummerborden zet, maar 'Trots op achterlijkheid' klinkt mij nogal toepasselijk in de oren.

Ik mag eigenlijk niets zeggen, want New Hampshire heeft zelf ook een aantal nogal achterlijke wetten. Het is de enige staat die weigert Martin Luther King Day te vieren (aangezien hij in verband wordt gebracht met communisten), en is een van de weinige staten die zelfs geen fundamentele rechten schenkt aan homoseksuele personen. Erger nog: New Hampshire heeft de krankzinnigste leuze op zijn nummerborden, het eigenaardige en strijdlustige 'Live Free or Die'. Misschien vat ik de dingen te letterlijk op, maar ik vind het niet echt leuk om rond te rijden met de uitgesproken belofte dat ik zal sterven als het niet goed gaat. Ik zou veel liever iets meer dubbelzinnigs hebben, iets minder terminaals – 'Live Free or Pout' misschien, of 'Live Free If It's All the Same to You Thanks Very Much'.

Aan de andere kant: New Hampshire is de enige staat die in zijn grondwet de bewoners het recht toekent in opstand te komen en de regering omver te werpen. Ik heb geen plannen in die richting, maar het is een zekere troost dat ik dat in reserve heb, zeker wanneer ze zich met onze schoolboeken gaan bemoeien.

De oorlog tegen de drugs

Ik heb laatst van een oude vriend in Iowa gehoord dat je, als je in mijn geboortestaat wordt betrapt met één enkele dosis LSD, bedreigd wordt met een vonnis van zeven jaar gevangenisstraf, zonder de mogelijkheid van voorwaardelijke vrijlating.

Het doet er niet toe dat je, bijvoorbeeld, achttien jaar oud bent en nooit iets hebt misdreven, dat je leven hierdoor te gronde gericht zal worden, dat het de staat 25 000 dollar per jaar zal kosten om je gevangen te houden. Het doet er niet toe of je misschien niet eens wist dat je die LSD bij je had – dat een vriend het in het handschoenenkastje van je auto had gestopt zonder dat je het wist, of dat hij misschien bij een feestje politie zag binnenkomen en het in jouw hand had gestopt voordat je iets kon zeggen. Verzachtende omstandigheden spelen geen enkele rol. Dit is Amerika in de jaren negentig van de twintigste eeuw, en als het om drugs gaat, zijn er geen uitzonderingen. Sorry, maar zo is het nou eenmaal. Volgende zaak.

Het zou vrijwel onmogelijk zijn de heftigheid te overdrijven waarmee men in de Verenigde Staten tegenwoordig drugsmisdrijven vervolgt. In vijftien staten kun je tot levenslange gevangenis veroordeeld worden wegens het bezit van één enkele marihuanaplant. Newt Gingrich, de Speaker van het Huis van Afgevaardigden, heeft onlangs voorgesteld ieder die betrapt wordt op het invoeren van nog geen vijftig gram marihuana in de Verenigde Staten, levenslang gevangen te zetten, zonder de mogelijkheid van voorwaardelijke vrijlating. Iedereen die betrapt wordt op invoer van meer dan vijftig gram, zou terechtgesteld worden. Een wet met dergelijke inhoud wordt momenteel door het Congress behandeld.

Volgens een onderzoek uit 1990 is negentig procent van alle drugsovertreders met blanco strafblad door federale rechtbanken veroordeeld tot gemiddeld vijf jaar gevangenisstraf. Geweldsmisdadigers met blanco strafblad daarentegen werden minder vaak gevangengezet en kregen gemiddeld een straf van slechts vier jaar in de gevangenis. Kortom, het is minder waarschijnlijk dat je naar de gevangenis gaat als je een oud dametje de trap af schopt dan wanneer je betrapt wordt op het bezit van een dosis van enig verboden middel. Je mag me een softie noemen, maar ik vind dat een tikje onevenredig.

Begrijp me goed, het is in de verste verte niet mijn bedoeling hier vóór drugs te pleiten. Ik weet dat drugs je ontzaglijk veel kwaad kunnen doen. Ik heb een oude schoolvriend die omstreeks 1977 één LSD-trip teveel gemaakt heeft en sindsdien in een schommelstoel op de veranda van zijn ouders zit, starend naar de ruggen van zijn handen en voor zich uit grinnikend. Ik weet dus wat het effect van drugs kan zijn. Ik ga alleen niet zo ver dat het mij passend lijkt iemand ter dood te brengen omdat hij dwaas handelt.

Niet veel van mijn landgenoten zouden het met me eens zijn. Het is de duidelijke en vurige wens van de meeste Amerikanen alle drugsgebruikers achter de tralies te brengen, en ze zijn bereid vrijwel elke prijs te betalen om dat te verwezenlijken. De bevolking van Texas heeft onlangs bij verkiezingen een voorstel van 720 miljoen dollar voor de bouw van nieuwe scholen van de hand gewezen, maar steunde in grote meerderheid een voorstel van 1 miljard dollar voor de bouw van nieuwe gevangenissen, voornamelijk voor de huisvesting van mensen die veroordeeld waren wegens drugsmisdrijven.

De gevangenisbevolking in Amerika is sinds 1982 meer dan verdubbeld. In de Verenigde Staten zitten nu 1 630 000 mensen in de gevangenis. Dat is meer dan de bevolking van alle steden in het land, afgezien van de drie grootste. Zestig procent van de federale gevangenen zit wegens niet-gewelddadige overtredingen, meestal wegens drugs. De gevangenissen van Amerika zitten propvol niet-gewelddadige kleine misdadigers met als probleem dat ze een zwak voor verboden substanties hebben.

Omdat op de meeste drugsmisdrijven een gevangenisstraf zonder mogelijkheid van voorwaardelijke vrijlating staat, moeten andere gevangenen eerder worden vrijgelaten om ruimte te scheppen voor al die nieuwe drugsovertreders die de gevangenissen binnenstromen. Als gevolg daarvan zit de gemiddelde veroordeelde moordenaar in de Verenigde Staten nu minder dan zes jaar in de gevangenis, en de gemiddelde verkrachter slechts vijf jaar. Bovendien: wanneer zo'n moordenaar of verkrachter eenmaal is vrijgelaten, komt hij onmiddellijk in aanmerking voor bijstand, voedselbonnen en andere federale hulp. De veroordeelde drugsgebruiker, hoe wanhopig zijn omstandigheden zich ook ontwikkelen, zullen deze zaken voor de rest van zijn leven onthouden worden.

Daar eindigt de vervolging overigens nog niet. Mijn vriend in Iowa heeft een keer vier maanden in een gevangenis doorgebracht wegens een drugsovertreding. Dat is bijna twintig jaar geleden. Hij heeft zijn tijd uitgezeten en sindsdien is hij volkomen 'clean' geweest. Onlangs solliciteerde hij naar een tijdelijke baan bij de posterijen als vakantiekracht bij de postsortering – als een van de talloze losse krachten die elk jaar worden aangenomen bij de verwerking van de kerstpost. Niet alleen kreeg hij die baan niet, maar een week of wat later kreeg hij een aangetekende brief waarin hij bedreigd werd met strafvervolging omdat hij op zijn sollicitatieformulier niet had vermeld dat hij een veroordeling wegens drugs achter de rug had.

De posterijen hadden de moeite genomen een achtergrondonderzoek op drugsveroordelingen uit te voeren bij iemand die een tijdelijk baantje als postsorteerder ambieerde. Kennelijk gebeurt dat altijd – maar alleen ten aanzien van drugs. Als hij vijfentwintig jaar geleden zijn grootmoeder vermoord en zijn zuster verkracht had, zou hij dat baantje naar alle waarschijnlijkheid wel hebben gekregen.

Het wordt nog verbijsterender. De overheid kan je bezittingen in beslag nemen als die gebruikt zijn in verband met een drugsmisdrijf, zelfs als je daar zelf niets van wist. In Connecticut heeft, volgens een recent artikel in de *Atlantic Monthly*, een federale aanklaagster, Leslie C. Ohta, naam gemaakt door de eigendommen in beslag te nemen van vrijwel iedereen die maar heel in de verte met een drugsovertreding te maken had – en daarbij was een echtpaar van in de tachtig die een kleinzoon had die marihuana vanuit zijn slaapkamer had verkocht. Het echtpaar had er geen idee van dat hun kleinzoon marihuana in huis had (laat me herhalen dat ze in de tachtig waren) en ze hadden er natuurlijk zelf niets mee te maken. En toch raakten ze hun huis kwijt.

(Korte tijd later werd de achttienjarige zoon van Ohta gearresteerd wegens verkopen van LSD vanuit zijn moeders auto, en hij werd ervan beschuldigd ook drugs vanuit haar huis verkocht te hebben. En is die schattige mevrouw Ohta haar huis en auto kwijtgeraakt? Haha. Ze is alleen overgeplaatst.)

Het treurigste van deze ijverige wraakzucht is dat het geen enkel effect heeft. Amerika geeft elk jaar 50 miljard dollar uit aan de drugsbestrijding, en desondanks gaat het drugsgebruik almaar door. De overheid vaardigt in haar verbijstering en frustratie steeds draconischer wetten uit, totdat we het lachwekkende punt bereiken dat de Speaker van het Huis van Afgevaardigden serieus kan voorstellen mensen terecht te stellen – bind ze vast op een brancard en maak ze dood –

wegens het bezit van het botanische equivalent van twee flessen wodka, en niemand, nergens, lijkt daar vraagtekens bij te plaatsen.

Mijn oplossing van het probleem zou tweeledig zijn. Ik zou het een misdrijf noemen Newt Gingrich te zijn. Dat zou geen effect hebben op het drugsprobleem, maar persoonlijk zou ik me dan veel beter voelen. Vervolgens zou ik het merendeel van die 50 miljard dollar nemen en die uitgeven aan afkickcentra en preventie. Een deel van dat geld zou gebruikt kunnen worden om bussen vol jongelui mee te nemen om te kijken naar die schoolmakker van mij op zijn veranda in Iowa. Ik ben er zeker van dat de meesten van hen ervan overtuigd zouden kunnen worden nooit aan drugs te beginnen. Het zou in elk geval minder wreed en zinloos zijn dan te proberen hen allemaal voor de rest van hun leven op te sluiten.

Waarom niemand loopt

Ik zal jullie wat vertellen, maar jullie moeten beloven het niet door te geven. Niet lang nadat we hierheen verhuisd waren, hadden we onze naaste buren uitgenodigd om te komen eten en – ik zweer dat het de waarheid is – ze kwamen met de auto.

Ik was stomverbaasd (ik herinner me dat ik voor de grap vroeg of ze een tweepersoonsvliegtuigje gebruikten om naar de supermarkt te gaan, waarop ze alleen met verbaasde gezichten reageerden, terwijl in hun hoofd mijn naam geschrapt werd van alle toekomstige lijstjes van uit te nodigen personen), maar ik ben sindsdien gaan begrijpen dat het helemaal niet zo vreemd was dat ze nog geen honderd meter per auto hadden afgelegd om ons te bezoeken. Nergens in Amerika lopen mensen tegenwoordig.

Een onderzoeker van de University of California in Berkeley heeft onlangs de loopgewoonten van de natie nagegaan, en kwam tot de conclusie dat 85 procent van de mensen in de Verenigde Staten 'in wezen' een zittend leven leidt, en 35 procent een 'volledig' zittend leven. De gemiddelde Amerikaan loopt minder dan honderd kilometer per jaar, ongeveer twee kilometer per week, nauwelijks 350 meter per dag. Ik weet heus wel wat traagheid is, maar dat is schrikwekkend weinig. Ik leg al meer kilometers af wanneer ik alleen maar naar de afstandsbediening zoek.

Een van de dingen waarnaar we verlangden toen we naar Amerika verhuisden, was wonen in een stadje op loopafstand van winkels. Hanover, waar we ons gevestigd hebben, is een klein universiteitsstadje, typisch New England, aangenaam, rustig en compact. Er is een groot grasveld, een ouderwetse hoofdstraat, mooie universiteitsgebouwen met fraaie gazons, en woonstraten met bomen. Kortom, een aangenaam, gemakkelijk oord voor wandelingen. Bijna iedereen woont op een loopafstand van vijf minuten van de winkels vandaan, en toch, voor zover ik kan nagaan, loopt vrijwel niemand daarheen.

Ik wandel, als ik thuis ben, bijna elke dag naar het stadje. Ik ga naar het postkantoor of naar de bibliotheek of de plaatselijke boekwinkel, en soms, als ik me bijzonder levenslustig voel, ga ik langs bij Rosey Jekes Café, voor een cappuccino. Om de paar weken ga ik naar de kapper en laat ik een van de mannen daar iets vlots en levendigs uithalen met mijn haar. Dat alles maakt een groot deel van mijn leven uit, en ik zou het niet in mijn hoofd halen het anders te doen dan lopend. De mensen zijn intussen wel gewend aan dat merkwaardige, excentrieke gedrag mijnerzijds, maar in het begin zijn passerende buren een paar maal gestopt om te vragen of ik een lift wilde.

'Maar ik ga jouw kant uit,' zeiden ze wanneer ik beleefd nee zei. 'Het is echt geen moeite.'

'Nee, echt, ik loop graag.'

'Nou ja, als je het heel zeker weet,' zeiden ze dan, en vertrokken met tegenzin, schuldig zelfs, alsof ze het idee hadden weg te rijden bij de plaats van een ongeluk.

De mensen zijn er zo aan gewend hun auto voor alles te gebruiken dat het nooit bij ze op zou komen hun benen uit te vouwen en te zien wat die kunnen doen. Soms is het bijna te gek om los te lopen. Laatst was ik in een stadje in de buurt, Etna heet het, en ik wachtte op een van mijn kinderen die daar pianoles had, toen een auto stopte voor het plaatselijk postkantoor en een man van mijn leeftijd uitstapte en naar binnen rende (en de motor aan liet staan – ook iets wat me mateloos ergert). Hij was drie, vier minuten binnen geweest, kwam weer naar buiten, stapte in de auto en reed precies 4,8 meter (ik had niets beters te doen, dus heb ik het in stappen nagemeten) naar de supermarkt daarnaast, schoot weer naar binnen, waarbij de motor weer bleef aanstaan.

En de kwestie is: die man zag er heel fit uit. Ik ben er zeker van dat hij krankzinnige afstanden jogt en squash speelt en allerlei buitengewoon gezonde dingen doet, maar ik ben er al even zeker van dat hij naar al die dingen toegaat in zijn auto. Het is krankzinnig. Een kennis van ons klaagde laatst dat het zo moeilijk was een parkeerplaats te vinden bij de plaatselijke sportschool. Ze gaat daar een paar maal per week heen om op een tredmolen te lopen. Die sportschool is hoogstens zes minuten lopen van haar voordeur verwijderd. Ik vroeg waarom ze niet naar de sportschool liep om dan zes minuten minder op de tredmolen te lopen.

Ze keek me aan alsof ik een tragische debiel was en zei: 'Maar ik heb een programma voor de tredmolen. Die legt mijn afstand en snelheid vast, en ik kan de moeilijkheidsgraad aanpassen.' Het was nog niet bij me opgekomen hoe onattent de natuur op die punten tekortschiet.

Volgens een bezorgd en enigszins ontzet recent hoofdartikel in de *Boston Globe* geven de Verenigde Staten minder dan een procent van hun wegenbudget van 25 miljard dollar per jaar uit aan voorzieningen voor voetgangers. Eigenlijk sta ik nog versteld dat het zo veel is. Breng een bezoek aan vrijwel elke buitenwijk die de afgelopen dertig jaar is gebouwd – en dat zijn er duizenden –, en je zult nergens een trottoir aantreffen. Vaak vind je niet eens een voetgangersoversteekplaats. Ik overdrijf niet.

Dat is me duidelijk geworden in de vorige zomer, toen we door Maine reden en voor koffie waren gestopt bij een van die eindeloze terreinen met winkelcentra, motels, tankstations en fastfoodtenten die tegenwoordig overal in Amerika uit de grond schieten. Ik zag dat er een boekwinkel aan de overkant was, dus besloot ik maar geen koffie te drinken en naar die winkel te gaan. Ik moest een specifiek boek hebben, en bovendien, ik dacht dat mijn vrouw dan de kans kreeg wat belangrijke kwaliteitstijd door te brengen met vier onhandelbare, oververhitte kinderen.

Hoewel die boekwinkel niet verder dan vijftien, zestien, meter verwijderd was, ontdekte ik dat er geen mogelijkheid was daar te voet te komen. Er was een kruising voor auto's, maar geen zebrapad, en geen kans om over te steken zonder me door drie banen snel rijdend verkeer te wringen. Ik moest in mijn auto stappen en naar de overkant rijden. Destijds vond ik dat lachwekkend en ergerlijk, maar achteraf drong het tot me door dat ik waarschijnlijk de enige was die ooit op de gedachte was gekomen die kruising te voet over te steken.

Het is nu eenmaal zo dat Amerikanen niet alleen nergens naartoe lopen, maar ook nergens naartoe *willen* lopen, en wee eenieder die probeert hen daartoe te dwingen, zoals een stadje hier in New Hampshire, Laconia geheten, tot zijn schade en schande heeft moeten ontdekken. Een paar jaar geleden had Laconia 5 miljoen dollar uitgegeven voor de aanleg van een voetgangerszone in het centrum, om er een aangename winkelomgeving van te maken. Esthetisch gezien was het een doorslaand succes – stedenbouwkundigen van overal kwamen kijken en maakten foto's – maar in commercieel opzicht was het een ramp. Omdat de winkelende mensen gedwongen waren een heel blok te lopen vanaf een parkeerplaats, lieten ze het centrum van Laconia in de steek, en bezochten ze de winkelcentra in de buitenwijken.

In 1994 heeft Laconia die mooie klinkerwegen weer opgebroken, de banken en de bakken met geraniums en sierbomen verwijderd, en de straat weer net zo gemaakt als vroeger. Nu kunnen de mensen weer recht voor de winkels parkeren, en het centrum van Laconia is weer gezond. En als dat niet treurig is, dan weet ik niet wat het wél is.

Tuinieren met mijn vrouw

Ik moet me haasten, want het is zondag en het weer is schitterend en mevrouw Bryson heeft me een groot en ambitieus programma voor de tuin geschetst. En wat nog erger is, ze heeft op haar gezicht wat ik nerveus haar Nike-uitdrukking noem – haar gezicht zegt: 'Doe het!'

Nu moeten jullie me niet verkeerd begrijpen. Mevrouw Bryson is een zeldzaam en allerliefst schepsel en de hemel weet dat mijn leven structuur en toezicht nodig heeft, maar wanneer zij een blocnote en een pen pakt en de gevreesde woorden 'Wat gedaan moet worden' opschrijft (en die verscheidene malen met kracht onderstreept), dan weet je dat het nog heel lang zal duren voordat het maandag is.

Ik ben dol op tuinieren – er zit iets in de combinatie van hersenloos bezig zijn en de voortdurende opgraving van wormen dat me op de een of andere manier aanstaat –, maar eerlijk gezegd ben ik niet zo dol op tuinieren met mijn vrouw. Het probleem is namelijk dat zij een Engelse is, en mij dus kan intimideren. Ze kan dingen zeggen als: 'Heb je de knoppen van de *Dianthus chinensis* bijgesnoeid?' en 'Heb je eraan gedacht de scheidende lagen van *Phlox subulata* te controleren?'

Alle Britten kunnen dat, heb ik geconstateerd, en het is vreselijk – angstaanjagend. Zelfs nu nog herinner ik me mijn verbijstering toen ik voor het eerst, jaren geleden, luisterde

naar *Gardeners' Question Time*, en me met zwijgende ontzetting realiseerde dat ik me bevond onder een volk dat dingen als meeldauw, krulziekte in perzikblad, optimale zuur-
graden en het verschil tussen *Coreopsis verticillata* en
Coreopsis grandiflora niet alleen kende en begreep, maar daar
ook nog om gaf – dat ze zelfs genoten van uitvoerige en levendige discussies daarover.

Ik kom uit een milieu waar men je ziet als iemand met groene vingers als je een cactus op een vensterbank in leven kunt
houden, dus is mijn eigen aanpak van tuinieren altijd wat
minder wetenschappelijk geweest. Mijn methode, die eigenlijk nogal goed werkt, is alles wat omtrent augustus nog niet
gebloeid heeft, te behandelen als onkruid, en al het andere te
bestrooien met beendermeel, slakkenmeel en alles wat ik verder in de tuinschuur aantref. Een of twee keer per zomer giet
ik alles met een doodshoofd op het etiket in een gieter, en
geef ik de hele tuin een behoorlijk bad. Het is een onortho-
doxe methode, en af en toe, dat geef ik toe, moet ik weg-
springen voor een plotseling omvallende boom die niet gereageerd heeft op mijn goede zorgen, maar over het geheel
genomen heb ik er succes mee, en ik heb enkele interessante
en nieuwe mutaties teweeggebracht. Eén keer heb ik bijvoorbeeld een schuttingpaal vrucht doen dragen.

Jarenlang, vooral toen de kinderen nog klein waren en tot
vrijwel alles in staat, had mijn vrouw de tuin aan mij overgelaten. Af en toe kwam ze naar buiten om te vragen wat ik
deed, en dan moest ik bekennen dat ik een paar onkruidach-
tige groeisels bewerkte met een soort poeder dat ik in de garage had gevonden, en waarvan ik eigenlijk dacht dat het stik-
stof was, of cement. Op dat moment kwam meestal een van
de kinderen naar buiten om te zeggen dat kleine Jimmy's haar
in de fik stond, of iets wat even goed, maar vooral nuttig werkte als afleidingsmanoeuvre, en dan schoot ze weer naar binnen, zodat ik in alle rust mijn experimenten kon voortzetten.
Het was een goede regeling en ons huwelijk bloeide.

Toen werden de kinderen groot genoeg om voor hun eigen brandende haren te zorgen, en we verhuisden naar Amerika, en nu heb ik mevrouw B. daar in de tuin naast me. Of liever: zij heeft mij naast zich, want mij lijkt een secundaire rol toegewezen te zijn, die er in wezen op neerkomt dat ik de kruiwagen in draf breng of afvoer. Vroeger was ik een enthousiaste tuinier; nu ben ik een soort riksjajongen.

En trouwens, tuinieren is hier gewoon anders. Mensen in Amerika hebben niet eens tuinen. Ze hebben een achterplaats. En ze tuinieren niet op die achterplaatsen. Ze werken daar. En dan is het om de een of andere manier niet meer leuk.

In Groot-Brittannië is de natuur vruchtbaar en vriendelijk. Het hele land is een soort tuin, eigenlijk. Ik bedoel maar – kijk eens hoe wilde bloemen langs alle wegen bloeien en dansen in de weilanden. Boeren moeten ze zelfs uitroeien (nou ja, dat moeten ze niet, maar ze doen het bepaald niet ongaarne). In Amerika heeft de natuur het instinct dat ze een wildernis wil zijn. Wat je hier ziet, dat zijn triffid-achtige soorten onkruid die van alle kanten op je toekruipen en die voortdurend moeten worden omgehakt met sabels en kapmessen. Ik ben ervan overtuigd: als we onze tuin een maand alleen zouden laten, zouden we bij terugkeer zien dat het onkruid het huis had veroverd en het had meegesleurd naar de bosjes om het langzaam te verslinden.

Amerikaanse tuinen bestaan grotendeels uit gazon, en Amerikaanse gazons zijn voor het merendeel groot. Dat betekent dat je je hele leven loopt te harken. In de herfst vallen alle blaadjes tegelijkertijd, in één grote dreun – een soort plantaardige massazelfmoord – en dan ben je een maand of twee bezig om ze op hopen te harken, en dan komt de wind die zijn best doet ze weer terug te brengen naar de plek waar jij ze gevonden had. Je harkt en harkt en je rijdt het blad met kruiwagens vol naar de bosjes, en dan hang je je hark op, en dan zit je de volgende zeven maanden binnen.

Maar zodra je je hebt omgedraaid, beginnen de bladeren

voorzichtig terug te komen. Ik weet niet hoe ze het doen, maar wanneer je in het voorjaar weer buiten komt, zijn ze weer allemaal terug, je zakt er tot over je enkels in weg op je gazon, en ze verstikken doornstruiken en verstoppen de goten. Dus ben je weken en weken bezig met harken en terugbrengen naar de bosjes. Ten slotte, net wanneer je het gazon stralend schoon hebt, hoor je weer een zware dreun, en dan dringt het tot je door dat het weer herfst is. Het is echt heel ontmoedigend.

En nu heeft mijn dierbare echtgenote ook nog plotseling grote belangstelling ontwikkeld voor de huiselijke horticultuur. Het is mijn eigen schuld, dat moet ik toegeven. Vorig jaar had ik de gazonstrooier gevuld met een zelfgemaakt mengsel – hoofdzakelijk kunstmest, een middel tegen mos, konijnenvoer (eerst per ongeluk, maar toen dacht ik: Wat kan het mij schelen? en gooide de rest er ook bij) en een snufje van iets interessants dat buprimaat en triforine heette. Twee dagen later barstte het grasveld voor uit in fel oranje strepen, zo indrukwekkend en zozeer van blijvende aard dat zelfs vanuit Noord-Massachusetts mensen kwamen kijken. Nu merk ik dus dat ik zo'n beetje permanent op proef ben.

En nu ik het daar toch over heb, ik moet weg. Ik heb net het luide, klinische knappen gehoord van tuinhandschoenen die aangetrokken worden, en het omineuze geluid van metalen gereedschappen die van hun haken worden gehaald. Het zal niet lang meer duren of ik hoor de roep: 'Boy! Breng de kruiwagen – en gauw een beetje!' Maar weten jullie wat ik echt vreselijk vind? Dat ik zo'n stomme koeliehoed moet opzetten.

Waarom iedereen zich zorgen maakt

Zal ik jullie eens wat vertellen? In 1995, aldus de *Washington Post*, hebben computerhackers de veiligheidssystemen van het Pentagon 161 000 keer gekraakt. Dat komt neer op achttien verboden contacten per uur, vierentwintig uur lang, elke 3,2 minuten één.

O, ik weet wel hoe jullie zullen reageren. Iets dergelijks kan gebeuren met elke monolithische verdedigingsinstantie die het lot van de aarde in handen heeft. Per slot van rekening: als je een enorm nucleair arsenaal opslaat, is het niet meer dan natuurlijk dat mensen erin willen doordringen om een kijkje te nemen, en misschien te zien wat al die knoppen met 'Ontsteking' en 'Code Rood' betekenen.

Bovendien heeft het Pentagon al genoeg op zijn boterham, dank u, nu ze moeten proberen de ontbrekende journaals uit de Golfoorlog te vinden. Ik weet niet of jullie daarover gelezen hebben, maar het Pentagon is op zesendertig na alle tweehonderd pagina's kwijt – of liever: reddeloos verloren – van de officiële verslagen van zijn kortstondig, maar opwindend woestijnavontuur. De helft van de ontbrekende documenten, zo schijnt het, is gewist toen een officier in het hoofdkwartier van de Golfoorlog – ik wou dat ik het verzonnen had, maar dat is echt niet zo – ten onrechte een paar spelletjes had gedownload in een militaire computer. De andere ontbrekende files, tja, zijn zoek. Er is alleen bekend dat twee stel opgestuurd zijn naar Central Command in Florida, maar nu kan niemand ze meer vinden (waarschijnlijk zijn die werksters weer bezig geweest), en een derde stel is op de een of andere manier 'verloren geraakt uit een kluis' op een basis in Maryland, wat onder deze omstandigheden buitengewoon plausibel klinkt.

Om eerlijk te zijn tegenover het Pentagon: daar zijn ze ongetwijfeld afgeleid door het verontrustende nieuws dat het niet zulke goede verslagen van de CIA ontvangt. Onlangs is gebleken, volgens andere verslagen, dat de CIA, ondanks uitgaven ter hoogte van het beslist kolossale bedrag van 3 miljard dollar per jaar aan het volgen van de ontwikkelingen in de Sovjet-Unie, niet in staat is geweest het uiteenvallen van de USSR te voorzien – en naar ik begrepen heb nog steeds probeert dat gerucht bevestigd te krijgen via hun contacten bij McDonald's in Moskou – en het is begrijpelijk dat het Pentagon daardoor van zijn stuk is gebracht. Ik bedoel maar: je kunt niet van mensen verwachten dat ze hun oorlogen bijhouden als ze geen betrouwbare rapporten uit de branche ontvangen, nietwaar?

De CIA is vrijwel zeker weer afgeleid van zijn opdrachten door het nieuws – en laat ik opnieuw benadrukken dat ik niets uit mijn duim zuig – dat de FBI jarenlang gefilmd heeft hoe een van hun agenten, Aldrich Ames, de Sovjet-ambassade in Washington betrad met dikke dossiers onder zijn arm, en weer naar buiten kwam met lege handen, maar dat ze niet precies hadden kunnen bedenken wat hij in zijn schild voerde. De FBI wist dat Ames voor de CIA werkte, wist dat hij regelmatig de Sovjet-ambassade bezocht, en wist ook dat de CIA op zoek was naar een spion binnen de eigen gelederen, maar had nooit de gedachtesprong kunnen maken die nodig was om deze tantaliserende berichten te combineren.

Ames is uiteindelijk gepakt en veroordeeld tot een eindeloos aantal jaren gevangenisstraf wegens het doorgeven van informatie, maar niet dankzij de FBI. Maar goed, om eerlijk te blijven tegenover de FBI – die was totaal ondergesneeuwd door al dat geblunder met alles waarmee ze in contact kwamen.

Eerst was daar de onterechte arrestatie van Richard Jewell, de veiligheidsman die door de FBI verdacht werd van de bomaanslag in het Olympisch Park in Atlanta, in 1996. Jewell had, volgens de FBI, de bom geplaatst en opgebeld om de autoriteiten te waarschuwen, had vervolgens een paar kilometer in één minuut afgelegd om terug te keren naar het toneel van het misdrijf, op tijd om daar de held uit te hangen. Hoewel er geen greintje bewijs was dat hem verbond met die bom, en hoewel definitief was aangetoond dat hij dat telefoontje niet had kunnen plegen en vervolgens op tijd terug had kunnen zijn in het park, heeft de FBI er maanden over gedaan om tot zich te laten doordringen dat ze de verkeerde hadden opgepakt.

Vervolgens kwam in april het nieuws dat de forensische laboratoria van de FBI al jaren bezig waren het merendeel van het binnenkomende vitale bewijsmateriaal te verpesten, te verliezen, door te geven, te bederven. Af en toe verzonnen ze maar wat. Eén keer had een geleerde van een lab een bezwarend rapport geschreven, gebaseerd op microscopisch bewijsmateriaal, zonder ooit de moeite te hebben genomen zich over een microscoop te buigen. Dankzij het volhardende en vindingrijke werk van de laboratoria zijn minstens duizend veroordelingen en misschien nog duizenden andere, in gevaar gekomen.

Tot de prestaties van de FBI behoort onder meer dat ze nog steeds niet de dader van de bomaanslag in Atlanta hebben gevonden, of de dader van een reeks aanslagen op kerken in het zuiden van het land, dat ze niemand gearresteerd hebben voor een mysterieuze, dodelijke ontsporing van een passagierstrein in Arizona in 1995, dat ze de 'Unabomber' niet gepakt hebben (die is aangegeven door zijn broer), en nog steeds niet kunnen zeggen of de crash van TWA vlucht 800 vorig jaar een misdrijf of een ongeluk of wat dan ook is geweest.

Veel mensen concluderen hieruit dat de FBI en zijn agenten op een gevaarlijke manier onbekwaam zijn. Hoewel dat ongetwijfeld zo is, zijn er verzachtende omstandigheden voor de lage moraal en bedroevende prestaties van deze instantie – namelijk de ontdekking vorig jaar dat er een groep mensen bestaat die nog verbijsterender blunders op zijn naam heeft staan. Ik bedoel hier de Amerikaanse 'sheriff's departments'.

De ruimte staat niet toe dat ik hier een totaaloverzicht geef van de buitengewone prestaties van de Amerikaanse 'sheriff's departments', dus zal ik slechts twee zaken noemen. Eerst kwam het bericht dat het Sheriff's Department van Los Angeles County vorig jaar een record heeft gevestigd door drieëntwintig gevangenen ten onrechte vrij te laten – en daar waren mensen bij die heel gevaarlijk en gestoord waren. Na de vrijlating van gevangene nummer drieëntwintig legde een hogere ambtenaar aan pietluttige journalisten uit dat een klerk papieren had ontvangen dat die gevangene naar Oregon moest worden overgebracht om daar een lang vonnis wegens inbraak en verkrachting uit te zitten, maar dat die klerk, wat iedereen had kunnen overkomen, had begrepen dat dat betekende dat hij hem al zijn bezittingen moest teruggeven, hem naar de deur begeleidde en hem een behoorlijke pizzeria vlak om de hoek aanraadde.

Nog interessanter waren, volgens mij, de plaatsvervangers van de sheriff in Milwaukee, die naar de luchthaven waren gestuurd met een stel snuffelhonden om explosieven op te sporen. Deze mannen hadden ergens op het vliegveld een pakje met tweeënhalve kilo levensgevaarlijke explosieven verstopt en vervolgens – dat vind ik schitterend – vergeten waar ze het hadden verstopt. Het spreekt vanzelf dat de honden het niet konden vinden. Dat is in februari gebeurd, en ze zoeken nog steeds. Het was de tweede keer dat het 'sheriff's department' van Milwaukee erin geslaagd was explosieven kwijt te raken op de luchthaven.

Ik zou nog eindeloos door kunnen gaan, maar ik ga nu

stoppen, want ik wil zien of ik kan doordringen in de computer van het Pentagon. Jullie mogen me uitschelden, maar ik heb er altijd naar verlangd een klein landje op te blazen. Het zal de volmaakte misdaad worden. De CIA zal niet merken dat er iets gebeurd is, het Pentagon zal het wel merken, maar de gegevens kwijtraken, de FBI zal achttien maanden lang onderzoeken en dan Mr. Ed het Sprekende Paard arresteren, en het Sheriff's Department van Los Angeles County zal hem laten lopen. In elk geval zullen de mensen daardoor worden afgeleid van al die andere dingen waarover ze zich zorgen moeten maken.

Communicatieproblemen

Van alle dingen die op aarde zijn geplaatst om mijn geduld op de proef te stellen – en lieve help, dat zijn er nogal wat – heeft niet een in de loop der jaren zoveel succes gehad als AT&T, de telefoonmaatschappij van Amerika.

Als men mij de keus zou laten tussen, bijvoorbeeld, het morsen van een beker zoutzuur op mijn schoot en een contact met AT&T, zou ik altijd voor zoutzuur kiezen, omdat dat het minst pijnlijk is. AT&T bezit de minst verwoestbare telefooncellen ter wereld. Dat weet ik omdat ik nimmer een ervaring met AT&T via een cel heb gehad die niet resulteerde in een stevige knokpartij met hun apparatuur.

Zoals jullie waarschijnlijk beginnen te begrijpen – ik heb niet veel op met AT&T. Maar dat is oké, want zij hebben ook niet veel met mij op. Ze hebben niet veel op met geen van hun klanten, voor zover ik dat kan nagaan. Ze hebben zelfs zo'n hekel aan hen dat ze niet eens met hen willen praten. Ze gebruiken intussen voor alles synthetische stemmen, en dat betekent dat je, hoezeer alles ook misloopt – en je kunt er zeker van zijn dát het misloopt – nooit met een levende ziel kunt praten. Het enige wat je hoort is een rare, metaalachtige, merkwaardig kortaffe robotstem die dingen zegt als: 'Het door u gedraaide nummer valt niet binnen een erkende parameter.' Dat is mateloos frustrerend.

Daaraan werd ik laatst herinnerd toen ik gestrand bleek te

zijn op Logan Airport in Boston omdat ik vergeten was door de minibusmaatschappij die me zou komen afhalen en thuisbrengen. Ik wist dat ze me vergeten waren, en dat ze geen motorpech of een ongeluk hadden, want terwijl ik op het aangewezen afhaalpunt stond, kwam de vertrouwde Dartmouth Mini-Coach aanrijden, en toen ik me bukte om mijn bagage te pakken, reed hij voorbij, naar de uitgang van het vliegveld, waarna hij verdween in de verte, in de richting van New Hampshire.

Dus ging ik op zoek naar een telefooncel om de minibusmaatschappij op te bellen – gewoon om goeiedag te zeggen, je weet wel, en ze te laten weten dat ik er was en klaar om in te stappen als ze een deur wilden opendoen en genoeg afremden om mij erin te laten springen – en dat betekende dat ik met AT&T te maken kreeg. Ik moest diep zuchten bij dat vooruitzicht. Ik had een lange vliegreis achter de rug. Ik was moe en hongerig en gestrand op een vliegveld zonder enige charme. Ik wist dat het minstens drie uur zou duren voordat de volgende minibus zou komen. En nu moest ik me overleveren aan AT&T. Met sombere voorgevoelens liep ik naar een rij telefooncellen voor de aankomsthal van het vliegveld.

Ik had het nummer van de minibusmaatschappij niet bij me, dus las ik de instructies en draaide het nummer voor inlichtingen. Na een minuut kreeg ik de synthetische stem te horen, die me bruusk opdroeg een bedrag van 1,05 dollar in kleingeld te storten. Daar schrok ik van. Inlichtingen was altijd gratis geweest. Ik doorzocht mijn zakken, maar ik had slechts 67 dollarcent. Dus beproefde ik even de veerkracht van de hoorn – ja, nog steeds onverwoestbaar – pakte mijn bagage en vertrok naar de aankomsthal om geld te wisselen.

Natuurlijk wilde geen van de winkeltjes wisselen zonder dat ik wat kocht, dus moest ik me een exemplaar van de *New York Times*, de *Boston Globe* en de *Washington Post* aanschaffen – elk afzonderlijk, met een ander biljet, aangezien een andere benadering ontoelaatbaar leek – tot ik 1,05 dollar in kleingeld bijeen had.

Toen liep ik terug naar de cel en herhaalde het proces, maar het was een van die telefoons die heel kieskeurig zijn aangaande de munten die ze wensen te slikken, en deze leek een speciale afkeer van Roosevelt-10-centstukken te hebben. Het is niet zo gemakkelijk munten in een gleuf te doen terwijl je een hoorn met je schouder tegen je oor drukt en drie kranten onder je arm hebt, en zeker niet wanneer de cel een op de drie munten terugspuugt. Na ongeveer vijftien seconden hoorde ik een robotstem die me een standje begon te geven – ik zweer het, een standje, op ergerlijke synthetische pieptoon – en het kwam erop neer dat ze, als ik niet gauw dokte, me zouden blokkeren. En toen blokkeerden ze me. Even later braakte het apparaat de munten die ik had gestort, weer uit. Maar nu komt het. Ik kreeg ze niet allemaal terug. Ik had nu nog maar negentig dollarcent.

Dus beproefde ik nogmaals, en iets langduriger, de veerkracht van de hoorn en sjokte terug naar de aankomsthal. Ik kocht een *Providence Journal* en een *Philadelphia Inquirer* en keerde terug naar de cellen. Ditmaal werd ik verbonden met inlichtingen, ik zei wiens nummer ik zocht en haalde haastig een pen en een blocnoteje te voorschijn. Ik wist uit ervaring dat inlichtingen je slechts één keer het nummer noemt en dan afbreekt, dus je moet het zorgvuldig noteren. Ik luisterde aandachtig en begon toen te schrijven. De pen deed het niet meer. Onmiddellijk vergat ik het nummer.

Ik keerde terug naar de aankomsthal, kocht een *Bangor Daily-News*, een *Poughkeepsie Journal* en een plastic ballpoint en liep terug. Ditmaal kreeg ik het nummer, schreef het zorgvuldig op en draaide het. Eindelijk gelukt.

Even later zei een stem aan het andere eind opgewekt: 'Goedemorgen! Dartmouth College!'

'Dartmouth College?' stamelde ik ontzet. 'Ik ben op zoek naar de Dartmouth Mini-Coach Company.' Ik had al mijn resterende muntstukken aan dit gesprek uitgegeven en durfde niet te geloven dat ik weer de aankomsthal in zou moeten om meer kleingeld te verzamelen. Ik vroeg me opeens af hoeveel van de mensen in Amerika die op straathoeken op je af komen en vragen om het kleingeld dat je bij je hebt, vroeger net zulke mensen als ik waren geweest – fatsoenlijke staatsburgers die een normaal leven hadden geleid en straatarm en thuisloos waren geworden, afhankelijk van eindeloos kleingeld, voor een telefooncel.

'Ik kan u het nummer wel geven,' bood de dame aan.

'Echt waar? O, heel graag.'

Ze noemde een nummer, kennelijk uit haar hoofd. Het leek niet – in de verste verte niet – op het nummer dat AT&T me had opgegeven. Ik bedankte haar uitvoerig.

'Graag gedaan,' zei ze. 'Het gebeurt heel vaak.'

'Wat, geven ze uw nummer op wanneer men vraagt om Dartmouth Mini-Coach?'

'Aan de lopende band. Had u bij AT&T geïnformeerd?'

'Ja.'

'Dacht ik al,' zei ze alleen. Ik bedankte haar nogmaals. 'Tot uw dienst. Enne... vergeet niet die telefoon een flinke mep te geven voordat u weggaat.'

Dat zei ze natuurlijk niet. Dat hoefde niet meer.

Ik moest vier uur wachten voordat de volgende minibus kwam. Maar het had erger gekund. Ik had in ieder geval genoeg te lezen.

Verdoold in de bioscoop

Elk jaar omstreeks deze tijd doe ik iets wat een beetje dwaas is. Ik haal een paar van de jongere kinderen bij elkaar en neem ze mee naar de zomerfilm.

Zomerfilms zijn big business in Amerika. Dit jaar zullen Amerikanen tussen Memorial Day (eind mei) en Labor Day (begin september) 2 miljard dollar uitgeven aan bioscoopkaartjes, en nog eens half zoveel aan dingen om op te kauwen terwijl ze met ogen als schoteltjes zitten te kijken naar beelden van buitengewoon kostbare chaos.

Zomerfilms zijn natuurlijk bijna altijd slecht, maar ik geloof dat dit de ergste zomer sinds mensenheugenis is. Ik baseer dat volkomen, maar vol vertrouwen, op een citaat dat ik in de *New York Times* heb gelezen, van Jan de Bont, regisseur van *Speed 2: Cruise Control*, die opschepte dat de meest dramatische gebeurtenis in de film – waarin een onbestuurbaar geworden cruiseschip met Sandra Bullock aan boord zich in een Caribisch dorp ploegt – tot hem was gekomen in een droom. 'Het hele script is achterstevoren geschreven vanuit dat beeld,' onthulde hij met trots. En dat vertelt je, geloof ik, wel alles wat je moet weten over de intellectuele kwaliteit van de gemiddelde zomerfilm.

Ik zeg altijd tegen mezelf dat mijn verwachtingen niet te hoog gespannen mogen zijn, dat zomerfilms het bioscoopequivalent zijn van een ritje in een pretpark, en dat niemand ooit verwacht dat een achtbaan een bevredigende verhaallijn oplevert. Maar de kwestie is: zomerfilms zijn zo stom geworden – zo heel erg vreselijk stom – dat het moeite kost ze uit te zitten. Hoeveel geld er ook aan gespendeerd is – en het is misschien de moeite waard te weten dat minstens acht van de oogst van dit jaar meer dan 100 miljoen dollar hebben gekost –, er zitten altijd zoveel onwaarschijnlijkheden in dat je je afvraagt of het script in elkaar gezet is bij een smakelijk hapje op de avond voordat de opnamen begonnen.

Dit jaar gingen we naar de nieuwe Jurassic-Parkfilm, *Lost World*. Het doet er nu even niet toe dat deze film grotendeels gelijk is aan de vorige Jurassic-Parkfilm – dezelfde dreunende voetstappen en rimpelende poelen wanneer T-rex in de buurt is, dezelfde doodsbange mensen die terugwijken voor een deur waartegen zich velociraptors werpen (waarna ze slechts een ander veeltandig schepsel boven hun schouders zien oprijzen), dezelfde scènes van voertuigen die van een berghelling in de jungle dreigen te glijden terwijl de hoofdpersonen zich eraan vastklampen. Dat doet er allemaal niet toe. De dino's zijn geweldig en in het eerste uur worden een stuk of twaalf mensen fijngeknepen of opgevreten. Daarvoor waren we per slot van rekening gekomen!

En dan loopt het allemaal mis. In een van de belangrijkste scènes ontvlucht een tyrannosaurus, hoogst onwaarschijnlijk, van een schip, hij rent op zijn achterpoten door het centrum van San Diego, verbrijzelt autobussen en vernielt tankstations en dan – opeens, onverklaarbaar – bevindt hij zich, alleen en onopgemerkt, in een buitenwijk waar iedereen ligt te slapen. Komt het jullie ook maar enigszins waarschijnlijk voor dat een prehistorisch, zes meter lang wezen dat in geen 65 miljoen jaar op aarde gezien is, een chaos kan veroorzaken in het centrum van een stad en dan wegglipt naar een woonwijk zonder dat iemand daar iets van merkt? Is het niet een tikje hinderlijk en onbevredigend dat, terwijl het hele centrum van San Diego vol mensen is die allerlei dingen doen, halverwege de avond – in de rij staan voor de bioscoop, hand in hand rondwandelen –, de straten van de woonwijk uitgestorven zijn en vrijwel iedereen ligt te pitten? En zo gaat het dan verder. Terwijl politieauto's rondracen en hopeloos met elkaar in botsing komen, slagen de held en heldin erin de T-rex te lokaliseren, zonder enige hulp – en ongezien door alle anderen in die merkwaardig onoplettende stad; ze lokken hem een paar kilometer terug naar het schip, zodat ze hem kunnen terugbrengen naar het tropische eiland waar hij vandaan komt, zodat een gunstige, onvermijdelijke en commercieel bevredigende mogelijkheid van een *Jurassic Park 3* aan de horizon verschijnt. *Lost World* is slap en voor de hand liggend en bevat, ondanks zijn budget van meer dan 100 miljoen dollar, voor ongeveer 2,35 dollar aan echte gedachten, en dus is de film op weg naar alle mogelijke records. Alleen al in het eerste weekend heeft hij 92,7 miljoen dollar opgebracht.

Maar mijn probleem heeft eigenlijk niet te maken met *Lost World* of een van die andere zomerfilms. Ik verwacht allang niet meer dat Hollywood me in de warmere maanden voorziet van een cerebrale ervaring. Mijn probleem heeft te maken met 'Sony 6 Theatres' van West Lebanon, New Hampshire, en de duizenden andere bioscoopgebouwen in buitenwijken die daarop lijken, en die met de Amerikaanse bioscoopervaring in wezen hetzelfde doen als de Tyrannosaurus rex van Steven Spielberg met San Diego.

Iedereen die in de jaren zestig of eerder in Amerika is opgegroeid, zal zich de tijd herinneren dat een bezoek aan de bioscoop betekende dat je een zaal met één wit doek betrad, meestal heel groot, meestal in het centrum van de stad. In mijn geboorteplaats, Des Moines, was de grootste bioscoop (fantasievol 'The Des Moines' geheten) een paleiselijk bouwwerk met griezelige verlichting en een stijl die aan een Egyptische crypte herinnerde. Rond mijn tijd was het nogal een puinhoop – te oordelen naar de lucht moest daar ergens een dood paard liggen, en er was bepaald nooit meer schoongemaakt sinds Theda Bara in haar eerste jeugd verkeerde – maar alleen al zitten in die zaal, tegenover een enorm wit doek in een grote massa duisternis, was een verrukkelijke ervaring. Afgezien van enkele grote steden zijn bijna al die grote bioscopen in de centra inmiddels verdwenen. ('The Des Moines' is omstreeks 1965 afgebroken.) In plaats daarvan heb je nu multitheaters in buitenwijken, met allerlei heel kleine zalen. Hoewel *Lost World* de interessantste film in de wijde omtrek is, zagen we de film in een ruimte die bijna lachwekkend klein was, nauwelijks groot genoeg voor negen rijen stoelen, die gierig bekleed en zo dicht opeen geplaatst waren dat mijn knieën min of meer achter mijn oren terechtkwamen. Het scherm had de omvang van een grote strandhanddoek en was zo slecht geplaatst dat de mensen op de voorste drie rijen bijna recht omhoog moesten kijken, alsof ze in een planetarium zaten. De geluidskwaliteit was slecht en de film trilde vaak. Voordat het begon moesten we een halfuur reclamefilms uitzitten. Popcorn en snoep waren krankzinnig duur en de verkoopsters waren geprogrammeerd om te proberen je dingen te verkopen die je niet wilde hebben en waarom je niet gevraagd had. Kortom: alles in deze bioscoop leek zorgvuldig bedoeld om je bezoek tot een innig betreurde ervaring te maken.

Ik som dit alles niet op zodat jullie medelijden met me krijgen, al is sympathie altijd welkom, maar om duidelijk te maken dat dit steeds meer de standaardervaring is voor mensen die Amerikaanse bioscopen bezoeken. Ik kan wel tegen een beetje audiovisuele achterlijkheid, maar ik vind het vreselijk te zien hoe de magie wordt weggenomen.

Ik had het daar laatst over met een van mijn oudere kinderen. Ze luisterde aandachtig, meelevend zelfs, en zei toen iets treurigs. 'Pap,' zei ze, 'je moet begrijpen dat de mensen niet meer de stank van een dood paard wíllen als ze naar de bioscoop gaan.'

Ze heeft natuurlijk gelijk. Maar als je het mij vraagt: ze weten niet wat ze missen.

De risicofactor

Ik zal jullie eens iets vertellen wat mij bijzonder oneerlijk voorkomt. Omdat ik een Amerikaan ben, en jullie, schatjes, niet, lijkt het voor mij tweemaal zo waarschijnlijk dat ik voortijdig en door een ongeluk om het leven kom. Dat weet ik omdat ik zojuist heb zitten lezen in iets wat *The Book of Risks: Fascinating Facts About the Chances We Take Every Day* heet, en geschreven is door Larry Laudan, een statistische slimmerik.

Het staat vol interessante en nuttige statistieken, die voor het merendeel te maken hebben met de manieren waarop je in de Verenigde Staten een onherstelbare doodsmak kunt maken. Daardoor weet ik dat ik, als ik dit jaar op een boerderij ga werken, driemaal meer kans maak om een van mijn ledematen te verliezen, en tweemaal meer om een dodelijke vergiftiging op te lopen, dan als ik gewoon rustig hier blijf zitten. Ik weet nu dat mijn kans om vermoord te worden op enig tijdstip in de komende twaalf maanden een op de 11 000 is, om te stikken een op de 150 000, om te sterven door een dambreuk een op de tien miljoen, en om een dodelijke klap op mijn hoofd te krijgen van iets wat uit de hemel komt vallen een op de 250 miljoen. Zelfs als ik binnen blijf, weg van de ramen, schijnt er een kans van een op de 450 000 te zijn dat iets me zal doden voordat het avond wordt. Ik vind dat nogal schrikwekkend.

Niets echter is bitterder dan de ontdekking dat ik, enkel en alleen omdat ik een Amerikaan ben, doordat ik in de houding ga staan voor de 'Star-Spangled Banner' en een honkbalpetje als centraal onderdeel van mijn garderobe beschouw, tweemaal zoveel kans loop als jullie om te veranderen in een verminkt lijk. Dat is geen rechtvaardige manier om sterfelijkheid te bepalen, als je het mij vraagt.

Meneer Laudan legt niet uit waarom Amerikanen tweemaal zo gevaarlijk voor zichzelf zijn als Britten (te zeer geschokt, neem ik aan), maar ik heb er heel wat over nagedacht, zoals jullie je wel kunnen voorstellen, en het antwoord – heel voor de hand liggend, als je even nagaat – is dat Amerika een opvallend gevaarlijk oord is.

Denk eens na over het volgende: Elk jaar worden in New Hampshire twaalf of meer mensen gedood doordat ze met hun auto op een eland botsen (en dan zwijgen we maar van de ongeveer duizend elanden die bij dergelijke ongelukken omkomen – zij hebben hun eigen verhaal elders in dit boek). Als ik me vergis, mogen jullie het zeggen, maar dat is niet iets wat jullie zal overkomen onderweg van de supermarkt naar huis. Ook is het niet erg waarschijnlijk dat jullie opgegeten worden door een grizzlybeer of bergleeuw, bewusteloos getrapt door bizons of in de enkel gebeten door een ernstig verstoorde ratelslang – allemaal gebeurtenissen waarbij elk jaar enkele tientallen Amerikaanse pechvogels om het leven komen. Dan zijn er al die gewelddadige natuurverschijnselen – tornado's, aardverschuivingen, lawines, overstromingen, verlammende sneeuwstormen, af en toe een aardbeving – dingen die nauwelijks voorkomen in jullie kalme deel van de wereld, maar die elk jaar honderden en honderden Amerikanen doden.

Ten slotte, en bovenal, is er de kwestie van de vuurwapens. Er zijn tweehonderd miljoen vuurwapens in de Verenigde Staten, en we vinden het nogal leuk om daarmee te knallen. Elk jaar sterven 40 000 Amerikanen aan schotwonden, verreweg de meeste door een ongeluk. Om dit voor Britten duidelijk te maken: dat zijn 6,8 vuurwapendoden per 100 000 Amerikanen, tegenover een schamele 0,4 per 100 000 inwoners van het Verenigd Koninkrijk. Kortom: Amerika is een behoorlijk riskant land. En toch is het eigenaardige dat we in dit land bang zijn voor al de verkeerde dingen. Luister maar eens stiekem naar vrijwel elk gesprek in Lou's Diner hier in Hanover – ze zullen het allemaal hebben over cholesterol en natrium, mammogrammen en hartslag in ruste. De meeste Amerikanen zullen, als je ze een eidooier laat zien, ontzet terugdeinzen, maar de meest tastbare en vermijdbare risico's jagen hun nauwelijks angst aan.

Veertig procent van de Amerikanen maakt nog steeds geen gebruik van een veiligheidsgordel, wat ik domweg verbijsterend vind, want het kost niets om die vast te zetten en het kan je redden van door de voorruit schieten à la Superman. Nog opmerkelijker zelfs is dat, na allerlei recente krantenberichten over jonge kinderen die bij kleine botsingen gedood waren door airbags, veel mensen zich gehaast hebben hun airbags buiten werking te laten stellen. Ze vergeten daarbij dat in al die gevallen de kinderen gedood waren doordat ze op de voorbank zaten, waar ze niet hadden horen te zitten, en dat ze in bijna alle gevallen geen gordels hadden gedragen. Airbags redden duizenden levens, en toch laten veel mensen ze uitschakelen op grond van het bizarre idee dat ze gevaarlijk zijn.

Ongeveer eenzelfde statistisch gebrek aan logica bestaat ten aanzien van vuurwapens. Veertig procent van de Amerikanen hebben vuurwapens in huis, meestal in een la naast hun bed. De kans dat een van die dingen ooit gebruikt zal worden om een misdadiger neer te schieten is ver beneden een op een miljoen. De kans dat ze gebruikt worden om iemand van het huisgezin neer te schieten – meestal door een kind dat ermee speelt – is minstens twintig keer zo groot. Toch negeren meer dan honderd miljoen mensen dit gegeven, en soms dreigen ze je neer te schieten als je er te veel over doorzeurt.

Niets echter beschrijft beter de duidelijk irrationele houding van mensen tegenover risico's dan een van de actueelste thema's van de afgelopen jaren: passief roken. Vier jaar geleden heeft de 'Environmental Protection Agency' een rapport gepubliceerd waarin de conclusie stond dat mensen van boven de vijfendertig en die zelf niet roken, maar regelmatig andermans rook inademen, een kans van een op 30 000 lopen ooit longkanker te krijgen. De reactie hierop was onmiddellijk en schokkend. Overal in het land werd roken verboden op het werk en in restaurants, in winkelcentra en andere openbare ruimten.

Wat men bij dat alles over het hoofd zag, was hoe microscopisch klein het risico van passief roken in werkelijkheid is. Een op de 30 000 klinkt tamelijk erg, maar is in feite niet veel. Eén varkenskarbonaadje per week zal je statistisch gezien eerder kanker bezorgen dan regelmatig in een kamer vol rokers zitten. Dat geldt ook voor het eten van een wortel om de zeven dagen, het drinken van een glas sinaasappelsap, slechts eens in de veertien dagen, of een krop sla, eens in de twee jaar. Je zult vijf keer eerder longkanker oplopen van je parkiet dan van secundaire rook.

Nu ben ik helemaal voor een verbod op roken, en wel omdat het smerig en hinderlijk is, ongezond voor de roker, en omdat het lelijke brandplekken in het tapijt veroorzaakt. Ik bedoel alleen dat het een tikje vreemd lijkt roken te verbieden vanwege de openbare veiligheid, terwijl men het prima vindt dat elke ouwe zot een vuurwapen bezit of zonder gordel in zijn auto rondrijdt.

Maar ja, logica speelt zelden een rol bij dat soort dingen. Ik herinner me dat ik een paar jaar geleden zag hoe mijn broer een lot kocht (kans om te winnen: ongeveer een op twaalf miljoen), en hoe hij vervolgens in zijn auto stapte en zijn gordel niet omdeed (kans op een ernstig ongeluk tijdens het leven: een op veertig). Toen ik hem op de inconsequentie van zijn gedrag wees, keek hij me even aan en zei: 'En wat zijn de kansen, denk je, dat ik je zes kilometer van je huis vandaan uit de auto zet?'

Sindsdien heb ik dat soort gedachten grotendeels vóór me gehouden. Dat is namelijk veel minder riskant.

Ha, zomer!

In New England, zo legde een vriend hier me laatst uit, zijn er drie jaargetijden. Het is net winter geweest, of de winter komt eraan, of het is winter.

Ik weet wat hij bedoelde. De zomers hier zijn kort – ze beginnen op 1 juni en eindigen op de laatste dag van augustus, en de rest van de tijd kun je maar beter weten waar je handschoenen liggen – maar gedurende die drie maanden is het aangenaam warm en bijna altijd zonnig. En het mooiste is dat de warmte over het algemeen plezierig blijft, anders dan in Iowa, waar ik ben opgegroeid en waar temperatuur en luchtvochtigheid elke dag van de zomer toenemen, totdat het half augustus zo warm en benauwd is dat zelfs de vliegen op hun rug gaan liggen om alleen maar stilletjes te hijgen.

Die bedomptheid, dat is het ergste. Als je in Iowa in augustus de deur uit komt, verkeer je binnen twintig seconden in een toestand die men transpiratie-incontinentie zou kunnen noemen. Het wordt zo heet dat zelfs etalagepoppen in warenhuizen zweetkringen onder hun oksels hebben. Ik heb bijzonder levendige herinneringen aan de zomers in Iowa omdat mijn vader de laatste in het midden-westen is geweest die een airconditioner aanschafte. Hij vond dat onnatuurlijke dingen. (Alles wat meer dan dertig dollar kostte vond hij onnatuurlijk.)

De enige plaats waar je een beetje kon afkoelen, was de

overdekte veranda. Tot in de jaren vijftig had bijna elke Amerikaan zoiets. Overdekte veranda's zijn een soort zomerkamers aan de zijkant van het huis, met wanden van heel fijn, maar stevig gaas om insecten buiten te houden. Ze schenken je alle voordelen van tegelijkertijd buiten en binnen zijn. Ze zijn schitterend en ik zal ze altijd associëren met zomerse zaken – maïs aan de kolf, watermeloen, het nachtelijk gesjirp van krekels, het geluid van de buurman van mijn ouders, meneer Piper, die laat thuiskwam van een van zijn logebijeenkomsten, zijn auto parkeerde met behulp van zijn vuilnisbakken, en dan mevrouw Piper een serenade bracht met twee coupletten van de 'Rose of Sevilla' alvorens voor een dutje op het grasveld te gaan liggen.

En toen wij naar de Verenigde Staten kwamen, was dus het enige dat ik me wenste toen we een huis zochten, een overdekte veranda, en zo'n huis hebben we ook gevonden. In de zomer woon ik daar, buiten. Ik schrijf dit nu op de overdekte veranda, uitkijkend op een zonnige tuin, luisterend naar kwetterende vogels en het zoemen van de grasmaaier van een buurman, gestreeld door een zachte bries, en ik voel me behoorlijk lekker. We zullen vanavond hier eten (als mevrouw B. niet weer struikelt over een plooi in het vloerkleed als ze binnenkomt met het dienblad, ach gos), en dan blijf ik hier rondhangen met een boek tot het bedtijd is, luisterend naar de krekels en turend naar de vrolijk knipperende vuurvliegjes. De zomer zou geen zomer zijn zonder dat alles.

Kort nadat we in ons huis waren gaan wonen, was me opgevallen dat een hoek van het gaas, vlak bij de vloer, was losgeraakt, en dat onze kat die opening gebruikte als een soort poezenluik om naar binnen te komen en te slapen op een oude bank die we daar hadden staan, dus had ik het maar zo gelaten. Op een avond, toen we hier ongeveer een maand woonden, zat ik ongewoon lang te lezen, toen ik uit mijn ooghoek de kat zag binnenkomen. Alleen was er iets vreemds. De kat wás al in de veranda, bij mij.

Ik keek nog eens. Het was een stinkdier. En bovendien: hij bevond zich tussen mij en de enige uitgang. Hij ging op weg naar de tafel, en het drong tot me door dat hij waarschijnlijk elke nacht omstreeks deze tijd binnenkwam om alle etensrestjes op te ruimen die op de vloer waren gevallen. (En die zijn er heel vaak, vanwege een spelletje dat de kinderen en ik doen, 'Groente-Olympiade' geheten, zodra mevrouw Bryson de ruimte verlaat om de telefoon aan te nemen of meer jus te halen.)

Bespoten worden door een stinkdier is absoluut het ergste dat je kan overkomen en dat je niet doet bloeden of naar het ziekenhuis stuurt. Als je de stank van een stinkdier van enige afstand ruikt, is het helemaal niet zo erg. Het is eerst op een vreemde manier zoet en opmerkelijk – niet direct aantrekkelijk, maar niet weerzinwekkend. Iedereen die ooit voor het eerst een stinkdier uit de verte heeft geroken, denkt: 'Ach, zo erg is het niet. Ik begrijp niet waarom ze daar zoveel drukte over maken.'

Maar als je dichterbij komt – of nog erger, als je door zo'n beest besproeid wordt – jullie mogen me geloven, dan duurt het heel, heel lang voordat iemand je verzoekt langzaam en innig met haar te dansen. De stank is niet alleen sterk en onaangenaam, maar ook onverwijderbaar. De meest effectieve behandeling schijnt te zijn dat je je schoonschrobt met tomatensap, maar zelfs met tientallen liters van dat spul kun je slechts hopen de stank een fractie te verminderen.

Een klasgenootje van mijn zoon had een keer een stinkdier in het souterrain van haar huis gehad. Het dier had gesproeid, en de familie was bijna alles in hun huis kwijtgeraakt. Al hun gordijnen, beddengoed, kleren, bekledingen – alles, kortom, wat een geur kon opnemen – moest verbrand worden, en de rest van het huis moest grondig schoongemaakt worden, van top tot teen. Het klasgenootje van mijn zoon was nooit in de buurt van het stinkdier geweest, ze had het huis onmiddellijk verlaten en had zich een weekend lang schoongeschrobd met tomatensap, maar het duurde weken voordat iemand aan dezelfde kant van de straat wilde lopen als zij. Dus als ik zeg: niemand wil door een stinkdier besproeid worden, geloof me dan maar, dan wil je niet door een stinkdier besproeid worden.

Dat alles ging door mijn hoofd terwijl ik zat te staren naar een stinkdier, misschien anderhalve meter van me vandaan. Het beest snuffelde ongeveer dertig seconden onder de tafel in het rond, en sloop toen kalmpjes weer weg zoals het was gekomen. Toen het vertrok, draaide het zich om en keek me aan met een blik die zei: 'Ik wist de hele tijd best dat jij daar zat.' Maar het besproeide me niet, en daar ben ik nog steeds dankbaar voor.

De volgende dag spijkerde ik het gaas weer vast, maar om mijn dank te tonen legde ik een handvol kattenbrood op de stoep, en omstreeks middernacht verscheen het stinkdier om het op te eten. Daarna heb ik twee zomers lang regelmatig wat voedsel neergelegd, en het stinkdier is altijd gekomen om het op te eten. Dit jaar is hij niet teruggeweest. Er is een rabiës-epidemie onder kleine zoogdieren geweest, die de populatie van stinkdieren, wasberen en zelfs eekhoorns drastisch heeft verminderd. Kennelijk gebeurt dat zo eens in de vijftien jaar, als onderdeel van een natuurlijke kringloop.

Ik lijk mijn stinkdier dus kwijt te zijn. Over een paar jaar zullen de populaties zich hersteld hebben, en misschien kan ik dan een ander exemplaar adopteren. Ik hoop het, want als je een stinkdier bent, heb je niet veel vrienden.

Intussen, voor een deel uit respect en voor een ander deel omdat mevrouw B. op een ongelukkig moment in het oog geraakt werd, zijn we gestopt met spelletjes met eten, hoewel ik, al zeg ik het zelf, een goede kans op een gouden medaille maakte.

Hulp voor het niet-bewuste individu

Laatst heb ik zoiets verwonderlijks en onverwachts mee-gemaakt dat ik een glas priklimonade over mijn T-shirt morste. (Al moet ik opmerken dat ik in werkelijkheid geen onverwachte gebeurtenis nodig heb om dat te doen. Ik heb alleen een glas priklimonade nodig.) Wat deze schui-mende explosie veroorzaakte was dat ik belde naar een overheidskantoor – om precies te zijn naar de U.S. Social Security Administration – en dat iemand de telefoon aan-nam.

Daar zat ik, helemaal voorbereid op een stem op een band-je die zou zeggen: 'Al onze medewerkers zijn in gesprek, dus wacht u even terwijl wij een irritant muziekje draaien dat om de vijftien seconden wordt onderbroken door een stem op een bandje die u vertelt dat al onze medewerkers in gesprek zijn, dus wacht u even terwijl wij een irritant muziekje draai-en' enzovoort, tot theetijd.

Men kan zich dus mijn verrassing voorstellen toen ik, na-dat de telefoon slechts 270 keer was overgegaan, een leven-de mens aan de lijn kreeg. Hij vroeg me naar een paar per-soonlijke bijzonderheden, en zei toen: 'Neem me niet kwalijk, Bill, ik moet je even laten wachten.'

Hebben jullie dat gehoord? Hij noemde me Bill. Niet meneer Bryson. Niet meneer. Niet o machtige belastingbeta-ler. Maar Bill. Twee jaar geleden zou ik dat als een grove onbeschaamdheid hebben beschouwd, maar nu merk ik dat ik het wel aardig ben gaan vinden.

Er zijn tijden dat ik erg ongeduldig word van de ongedwongenheid en familiariteit van het Amerikaanse leven – wanneer een kelner me vertelt dat hij Bob heet en dat hij me die avond zal bedienen, moet ik me beheersen om niet te zeggen: 'Ik wil alleen een cheeseburger, Bob. Ik ben niet uit op een relatie' – maar over het geheel genomen ben ik het wel leuk gaan vinden. Waarschijnlijk omdat het iets symboliseert wat veel dieper gaat.

Hier worden namelijk nooit petten afgenomen – men is het er oprecht en algemeen over eens dat niemand beter is dan enig ander. En dat vind ik prachtig. Mijn vuilnisman noemt me Bill. Mijn dokter noemt me Bill. Het schoolhoofd van mijn kinderen noemt me Bill. Zij nemen hun pet niet voor mij af. Ik neem mijn pet niet voor hen af.

In Engeland heb ik meer dan tien jaar dezelfde accountant gehad, en we hebben altijd een hartelijke, maar zakelijke relatie gehad. Zij heeft me nooit anders aangesproken dan als meneer Bryson, en ik noemde haar uitsluitend mevrouw Creswick. Toen ik naar Amerika verhuisde, belde ik een accountant om een afspraak te maken. Toen ik zijn kantoor binnenkwam, was het eerste wat hij zei: 'Ha, Bill, blij dat je kon komen.' We waren meteen vrienden. Wanneer ik hem nu spreek, vraag ik naar zijn kinderen.

Ook op andere manieren merk je het. Hanover, waar we wonen, is een universiteitsstadje. De plaatselijke universiteit, Dartmouth, is een particuliere instelling en behoorlijk exclusief – ze hoort bij de Ivy League-*colleges*, zoals Harvard en Yale – maar dat zou je van buiten nooit zeggen.

Voor de terreinen van Dartmouth geldt voor ons geen 'verboden toegang'. Voor het grootste gedeelte staat alles open voor de inwoners. We mogen gebruik maken van de bibliotheek, de concerten bijwonen, evenals de uitreiking van de diploma's, als we dat willen. Een van mijn dochters schaatst op de baan van de universiteit. Het atletiekteam van de middelbare school van mijn zoon traint 's winters op de overdekte baan van de universiteit. De filmclub van de universiteit vertoont regelmatig films, waar ik vaak naartoe ga. Pas nog heb ik *North by Northwest* gezien op een groot scherm, samen met een van mijn tienerkinderen, en na afloop namen we koffie met kwarktaart in de cafetaria van de studenten. Bij geen van die dingen hoef je ooit je identiteit aan te geven of om speciale toestemming te vragen, en nooit geven ze je het gevoel dat je een indringer bent, of niet welkom.

Door dat alles krijgen alledaagse ontmoetingen iets van openheid en gelijkheid, en dat staat me zeer aan. Ach, jullie zouden het oppervlakkig en kunstmatig kunnen noemen, en zelfs ongepast, maar het leven wordt er ook een stuk minder bekrompen van.

Het enige wat je op die manier echter niet kunt krijgen, dat is het 'social security'-nummer van je vrouw. Laat ik het uitleggen. Een 'social security'-nummer is ongeveer het equivalent van een Brits nationaal verzekeringsnummer, alleen veel belangrijker. Het is in wezen het nummer dat jou als persoon identificeert. Omdat mijn vrouw dat niet had begrepen, was ze haar kaartje kwijtgeraakt. We hadden het nummer tamelijk dringend nodig voor een of ander belastingformulier. Dat legde ik uit aan de man van de 'social security' toen hij weer aan de lijn kwam. Hij had me per slot van rekening zojuist Bill genoemd, dus mocht ik hopen dat we een oplossing zouden vinden.

'We mogen die informatie alleen geven aan het bewuste individu.'

'De persoon die op het kaartje genoemd wordt, bedoel je?'

'Inderdaad.'

'Maar dat is mijn vrouw,' sputterde ik.

'We mogen die informatie alleen geven aan het bewuste individu.'

'Begrijp ik je goed,' zei ik. 'Als ik mijn vrouw was, dan zou je me dat nummer zó geven, over de telefoon?'
'Inderdaad.'
'Maar als ik nou eens iemand was die deed of ik haar was?'
Er werd even geaarzeld. 'We zouden aannemen dat het individu dat ernaar vroeg, het individu was dat aangegeven is als het bewuste individu.'
'Wacht even.' Ik dacht even na. Mijn vrouw was de deur uit, dus kon ik haar er niet bij roepen, maar ik wilde dit alles niet nog een keer doormaken. Ik nam de telefoon aan en zei met mijn normale stem: 'Hallo, hier is Cynthia Bryson. Mag ik alstublieft het nummer van mijn kaart?'
Er werd even nerveus gegrinnikt. 'Ik weet dat jij het bent, Bill,' zei de stem.
'Nee, echt, hier is Cynthia Bryson. Mag ik alstublieft mijn nummer hebben?'
'Dat kan ik niet doen.'
'Maakt het enig verschil als ik met een vrouwelijke stem spreek?'
'Ik vrees van niet.'
'Mag ik het volgende vragen – louter nieuwsgierigheid. Staat het nummer van mijn vrouw nu op een computerscherm vlak voor je?'
'Ja.'
'Maar je wilt het me niet geven?'
'Ik vrees dat ik dat niet kan doen, Bill,' zei hij, en het klonk of hij het meende.
Na jaren van pijnlijke ervaringen heb ik geleerd dat er niet de geringste kans – niet de *allergeringste* kans – is dat een Amerikaanse overheidsdienaar ooit een regel zal overtreden om je te helpen, dus drong ik niet verder aan. Ik vroeg of hij wist hoe je vlekken van aardbeienpriklimonade uit een wit T-shirt kon verwijderen.
'Met zuiveringszout,' antwoordde hij zonder enige aarzeling. 'Een nacht laten weken, dan gaat het er allemaal uit.'

179

Ik bedankte hem en we namen afscheid.

Ik zou het natuurlijk leuk hebben gevonden als ik erin geslaagd was de gevraagde informatie ook te krijgen, maar ik had er tenminste een vriend bij, en hij bleek gelijk te hebben met dat zuiveringszout. Het T-shirt kwam er als nieuw uit.

Waar Schotland ligt,
en andere nuttige tips

Laatst zat ik in een vliegtuig voor een reis binnen Amerika, en daar bladerde ik door het tijdschrift van de vliegmaatschappij, waar ik een quiz tegenkwam die 'Uw Cultureel IQ' heette.

Ik wilde wel weten of ik zoiets had, en verdiepte me in de vragen. De allereerste vroeg in welk land het van slechte smaak getuigt als men iemand vraagt: 'Waar woont u?' Het antwoord luidde, zoals ik tot mijn verrassing ontdekte toen ik de bladzijde omsloeg, Engeland.

'Het eigen huis is voor Engelsen een privézaak,' deelde het blad me plechtig mee.

Ik ga door de grond als ik denk aan al die keren dat ik tegen een Engels persoon gezegd heb: 'En, waar woon jij, Clive?' (of wie dan ook, want ze heetten natuurlijk niet allemaal Clive), zonder ook maar even te vermoeden dat ik een ernstige sociale blunder beging, en dat Clive (of wie dan ook) zat te denken: 'Nieuwsgierige Amerikaanse bemoeial.' Dus verontschuldig ik me nu natuurlijk, bij jullie allemaal, en bovenal bij Clive.

Vervolgens, een paar dagen later, kwam ik een artikel tegen over de Britse politiek, in de *Washington Post*, die behulpzaam en terloops opmerkte dat Schotland 'ten noorden van Engeland' ligt, een geografische kwestie waarvan ik altijd had aangenomen dat iedereen het wel wist, en toen drong het tot me door dat misschien niet ík slecht geïnformeerd was, maar – was dat mogelijk? – mijn gehele volk.

Ik werd nieuwsgierig en wilde nagaan hoeveel of hoe weinig mijn mede-Amerikanen weten van het Verenigd Koninkrijk, maar dat is niet eenvoudig. Je kunt niet zomaar op iemand afstappen, iemand die je heel goed kent, en vragen: 'Heb jij er enig idee van wat de *Chancellor of the Exchequer* is?', of: 'Schotland ligt ten noorden van Engeland. Waar of niet waar?', net zo min als je op een Engelsman kunt afstappen met de vraag: 'Waar woon je?' Het zou onbeleefd en brutaal zijn, en misschien gênant voor degene aan wie zo'n vraag gesteld werd.

Toen bedacht ik dat ik op meer discrete wijze enig idee zou kunnen krijgen door naar de bibliotheek te gaan en te kijken in Amerikaanse reisgidsen voor Groot-Brittannië. Die zouden me vertellen wat voor soort informatie Amerikanen nodig hebben voordat ze aan een bezoek aan het Verenigd Koninkrijk beginnen.

Dus ging ik naar de bibliotheek, waar ik naar de afdeling reizen liep. Er waren vier boeken die uitsluitend over Groot-Brittannië gingen. Mijn favoriet was, op het eerste gezicht, *Rick Steves' Europe 1996*. Ik had nog nooit van Rick gehoord, maar volgens het omslag brengt hij elk jaar 'verscheidene maanden' door met 'voelen aan de fjords en strelen van kastelen', wat vreselijk vlijtig klinkt, zij het ook ietwat zinloos. Ik nam al die boeken mee naar een tafel in een hoek en bracht die middag door in gefascineerde studie.

Nou, ik kreeg mijn antwoord, namelijk dat wat Amerikanen over Groot-Brittannië weten, neerkomt op vrijwel niets, althans als je die boeken mag geloven. Volgens deze teksten moeten aanstaande Amerikaanse reizigers naar Groot-Brittannië te horen krijgen dat Glasgow 'niet rijmt op "cow"', dat ponden sterling in Schotland en Wales 'even algemeen als in Engeland' worden aangenomen, dat het land 'goed opgeleide artsen' heeft en 'al de nieuwste medicijnen', en, ja, dat

Schotland ten noorden van Engeland ligt. (Heel ver ten noorden daarvan zelfs, dus je kunt er beter een volle dag voor uittrekken.) Amerikaanse reizigers, zo lijkt het, zijn nogal hulpeloos. De boeken vertellen niet alleen wat ze in Groot-Brittannië kunnen verwachten – voornamelijk regen en huisjes met rieten daken –, maar ook hoe ze hun koffers moeten pakken, hoe ze de weg naar het vliegveld moeten zoeken, en zelfs hoe ze door de douane moeten komen.

'Wees vriendelijk en bereidwillig, maar praat niet al te veel,' adviseert Joseph Raff, auteur van *Fielding's Britain 1996*, als het gaat over de Britse douane. 'Houd je paspoort bij de hand – zwaai er niet mee!' Misschien gaat het me niets aan, maar als je je moet laten vertellen hoe je je paspoort moet vasthouden, heb ik het gevoel dat je misschien nog niet helemaal klaar bent om oceanen over te steken.

Het allermooist vond ik *The Best European Travel Tips* van een zekere John Whitman. Het boek ging niet speciaal over Groot-Brittannië, maar was zo goed dat ik het bijna helemaal uitgelezen heb.

Het stond vol goede raad over zakkenrollers, over gierige kelners, en zelfs over de manier waarop je je luchtvaartmaatschappij een proces kunt aandoen als je vlucht niet doorgaat. Meneer Whitman verwacht kennelijk dat dingen mislopen. Zijn eerste tip voor de omgang met de eigenaardigheden van Europese hotels luidt: 'Vraag de naam van de bediende wanneer je incheckt.' Ten aanzien van vliegtickets adviseert hij: 'Lees alle papieren aandachtig, zodat je weet wat je rechten zijn.'

Tot zijn vele nuttige opmerkingen behoren: neem een paar pennen mee, hang een 'Niet storen'-bordje aan de buitenkant van je kamerdeur als je niet gestoord wilt worden (ik verzin het niet; hij zegt er zelfs bij dat je het over de knop moet hangen) en hij merkt heel wijs op (want niets ontgaat het ervaren oog van meneer Whitman) dat Europa, wat logies betreft, 'een variatie aan mogelijkheden' biedt.

In ander verband waarschuwt hij: 'U zult in veel Europese hotelkamers wc's en een bidet aantreffen,' en daaraan voegt hij behoedzaam toe: 'Als u zin hebt met die toiletvormige porseleinen dingen te experimenteren ter wille van uw persoonlijke hygiëne, doet u dat dan.' Bedankt voor de toestemming, meneer Whitman, maar ik heb mijn handen al vol aan dat Niet storen-bordje!

Joseph Raff voorziet inmiddels in een nuttig woordenlijstje voor raadselachtige Britse termen als 'queue', 'flat', 'chips' en – een woord waarvan ik jaren lang perplex heb gestaan – 'motorcar'. Vervolgens zegt hij zelfverzekerd dat een 'surname' je voornaam is, en een 'Christian name' je achternaam, wat nuttige informatie zou zijn als het niet volkomen fout was.

Er komen überhaupt nogal veel fouten in die boeken voor, vrees ik. Ik las dat het bier dat je drinkt, 'bitters' heet, dat de markt in Londen 'Covent Gardens' heet, dat je, als je uitgaat, graag naar de 'cine' gaat, dat de berg in het Lake District 'Scarfell Pike' heet en – dit vond ik heel erg leuk – dat de Elizabethaanse architect 'Indigo' Jones heette.

Uit *Let's Go Europe '96* kwam ik te weten dat Cardiff 'het enige stedelijke centrum' van Wales is, wat nogal een schok zal zijn voor de inwoners van Swansea, en in de *Berkeley Budget Guide to Great Britain and Ireland* ontdekte ik dat 'vrijwel elke stad, stadje, dorp, gehucht of groepje afgelegen huizen een postkantoor heeft – of het nu gevestigd is in een slagerij, een drankwinkel ("off-licence") of apotheek ("chemist").'

Wat ik echt heb ontdekt, dat is dat Amerikanen behoefte hebben aan nieuwe reisgidsen. Ik denk erover zelf zoiets te schrijven, vol met mijn eigen goede raad, zoals 'Wanneer u met een politieman spreekt, noem hem dan altijd "Mr. Plod"', en 'Als u de aandacht van een ongrijpbare kelner wilt trekken, steek dan twee vingers op en wuif met uw hand

krachtig enkele malen op en neer. Dan zal hij u als een inboorling beschouwen.' En tot slot, maar voor de hand liggend: 'Vraag nooit aan iemand die Clive heet waar hij woont.'

Uitstervende accenten

We hebben iemand die Walt heet, en die af en toe wat timmerwerk in huis doet. Hij lijkt zo'n 112 jaar oud, maar lieve help, wat kan die man zagen en hameren. Hij doet al minstens vijftig jaar klusjes, overal in ons stadje.

Walt woont in Vermont, vlak aan de overkant van de Connecticut River, en hij is een keurige New-Englander – eerlijk, hardwerkend, volstrekt niet bereid tijd, geld of woorden te verspillen. (Hij praat alsof hij gehoord heeft dat hem daarvoor ooit een rekening gepresenteerd zal worden.) Bovenal staat hij, als alle New-Englanders, vroeg op. Goeie help, wat staan New-Englanders graag vroeg op. We hebben hier een paar Engelse vrienden, die een paar jaar geleden uit Surrey hierheen zijn verhuisd. Kort na hun aankomst belde de vrouw de tandarts op voor een afspraak, en toen kreeg ze te horen dat ze de volgende dag om halfzeven kon komen. Ze verscheen de volgende avond, en toen was de praktijk van de tandarts gesloten. Ze hadden halfzeven *in de ochtend* bedoeld. Als men Walt had gevraagd om die tijd bij de tandarts te zijn, zou hij vast en zeker vragen of het niet wat vroeger kon.

In elk geval verscheen hij laatst even voor zevenen bij ons, en toen verontschuldigde hij zich dat hij zo laat was, het kwam doordat het verkeer in Norwich zo 'heftig' was geweest. Interessant aan die opmerking was niet dat het verkeer in Norwich ooit heftig kon zijn, maar dat hij die naam uitsprak als 'Norritsj', net als de stad in Engeland. Dat verraste me, omdat iedereen in Norwich en kilometers in de omtrek het uitspreekt als 'Nor-wich' (dus mét een 'w', net als in 'sandwich').

Daar vroeg ik hem naar.

'Ayuh,' zei hij, een term uit New England die je overal voor kunt gebruiken; het woord wordt langzaam uitgesproken en gaat meestal gepaard met het afzetten van een pet en een nadenkend krabben op het hoofd. Het betekent: Het is mogelijk dat ik op het punt sta iets te zeggen, maar het zou ook kunnen dat ik dat niet doe. Hij legde me uit dat de naam van het dorp tot in de jaren vijftig was uitgesproken als 'Norritsj', maar daarna waren er mensen van buiten komen wonen, uit plaatsen als New York en Boston, en die waren om de een of andere reden de uitspraak gaan veranderen. Nu spreekt vrijwel iedereen die jonger is dan Walt, wat neerkomt op vrijwel iedereen, het uit als 'Nor-wich'. Dat vond ik heel treurig, het idee dat een traditionele plaatselijke uitspraak verloren kon gaan, enkel en alleen omdat buitenstaanders te lui of te nonchalant waren om die te behouden, maar het is slechts een symptoom van een veel algemenere trend.

Dertig jaar geleden was driekwart van de bevolking van Vermont in die staat geboren. Tegenwoordig is dat nog maar nauwelijks de helft, en in sommige plaatsen veel minder. Het gevolg is dat je tegenwoordig veel minder vaak dan vroeger inwoners het woord 'cow' hoort uitspreken als 'kyow', of 'so don't I' in plaats van 'so do I', of ze de kleurrijke, zij het ook enigszins cryptische uitdrukkingen hoort gebruiken waarom de staat vroeger beroemd was – ik denk hier aan 'zwaarder dan een dooie dominee', en 'jeezum-jee-hassafrats', termen die helaas door veel mensen in Vermont niet meer worden gebezigd.

Als je naar de meer afgelegen uithoeken van de staat gaat en ronddrentelt in een kruidenierswinkel, is het nog mogelijk dat je een paar oude boeren hoort vragen om 'een kikkervelletje meer' koffie, of ze hoort zeggen: 'Tja, zou dat je moeders inmaak niet laten knarsen', maar waarschijnlijk kom je daar eerder vluchtelingen uit de grote steden tegen, in Ralph Lauren-kleding, die aan de winkelier vragen of hij soms guaves heeft.

Overal in het land gebeurt hetzelfde. Ik heb net een academisch onderzoek gelezen over het dialect van Ocracoke Island voor de kust van North Carolina. (Wat ik niet allemaal voor jullie doe, zeg nou zelf.) Ocracoke maakt deel uit van de Outer Banks, een reeks barrière-eilanden, waar de bewoners vroeger een joviaal dialect spraken dat zo zwaar en mysterieus was dat bezoekers weleens dachten dat ze in een half vergeten buitenpost van Elizabethaans Engeland terecht waren gekomen.

De inwoners – die weleens 'Hoi-Toiders' worden genoemd, vanwege de manier waarop ze 'high tide' uitspreken – hadden een eigenaardig, zangerig accent, en hun taal bevatte veel archaïsche termen, zoals 'quammish' (wat betekent dat je je ziek of ongemakkelijk voelt), 'fladget' (voor een stukje van het een of ander) en 'to mommuck' (wat lastig vallen betekent), woorden die niet meer vernomen waren sinds Shakespeare zijn ganzenveer had neergelegd. Omdat het zeevarende mensen waren, gebruikten ze ook nautische termen op een aparte manier. Het woord 'scud' bijvoorbeeld, wat betekent voor een storm uit varen met heel weinig zeil, werd ook gebruikt voor bewegingen op het land, zodat een Ocracoker je kon uitnodigen om met hem mee te gaan voor een 'scud' in zijn auto. En tot slot, om de verbijstering van buitenstaanders compleet te maken, hadden ze een aantal niet-Engelse woorden in hun taal opgenomen, zoals 'pizer' (naar het schijnt van het Italiaanse 'piazza') voor een veranda, en spraken ze hun taal uit op een manier die herinnerde aan George Formby die een accent uit het zuidwesten van Engeland nadeed. Kortom, het was een interessant dialect.

Dat alles ging gewoon zijn gangetje, heel betrouwbaar, tot 1957, toen de federale overheid een brug van Ocracoke naar het vasteland bouwde. Vrijwel onmiddellijk kwamen er toeristen en begon het dialect van Ocracoke uit te sterven. Dat is allemaal wetenschappelijk bijgehouden en vastgelegd door linguïsten van de North Carolina State University, die gedurende een halve eeuw periodiek veldonderzoek op het eiland hebben gedaan. En toen, tot ieders verbazing, begon het dialect van Ocracoke een reveil te beleven. De onderzoekers constateerden dat mensen van middelbare leeftijd – degenen die opgegroeid waren in de jaren vijftig en zestig, toen het toerisme voor het eerst een overheersende invloed op het leven van de eilandbewoners was gaan uitoefenen – een zwaarder accent hadden dan hun ouders. De verklaring, zo nemen de onderzoekers aan, is dat de eilandbewoners 'de kenmerken van hun eilanddialect overdrijven, bewust of onbewust, omdat ze willen dat het duidelijk is dat zij "echte" Ocracokers zijn en geen toeristen of nieuwe inwoners, die nog niet zo lang geleden van het vasteland zijn gekomen'.

Een overeenkomstig verschijnsel heeft men ook elders aangetroffen. Een onderzoek naar het dialect van Martha's Vineyard, voor de kust van Massachusetts, heeft geconstateerd dat bepaalde traditionele uitspraakafwijkingen, zoals de afvlakking van de klank 'ou' in woorden als 'house' en 'mouse', waardoor ze meer klinken als 'hawse' en 'mawse', een onverwachte opleving vertoonden nadat ze bijna uitgestorven waren. De drijvende kracht, zo bleek, bestond uit inboorlingen die naar het eiland waren teruggekeerd nadat ze elders hadden gewoond, en die de oude uitspraakvormen waren gaan gebruiken om zich te onderscheiden van de massa niet-inboorlingen.

Betekent dit dus dat het interessante en knauwerige accent van Vermont zich eveneens zal herstellen, en dat we weer mogen verwachten mensen te horen zeggen dat iets 'je een pijn zou bezorgen waar je nooit een steekje had gevoeld', of dat ze zich 'beroerder dan het achterend van een wild zwijn voelen'? Helaas niet, zo lijkt het.

Uit het bewijsmateriaal blijkt dat de herleving van dialect zich alleen voordoet op eilanden of in gemeenschappen die op de een of andere manier nog redelijk geïsoleerd leven.

Het lijkt dus waarschijnlijk dat, wanneer de oude Walt zijn zaag en hamer ten slotte aan de wilgen hangt, de man die hem zal opvolgen niet zal klinken als een oude inwoner van Vermont, zelfs als hij daar geboren en getogen is. Ik hoop alleen dat hij niet zo vroeg opstaat.

Rapport over inefficiëntie

Laatst viel mijn oog op iets in onze plaatselijke krant. Het was een artikel waarin stond dat de controletoren en aanverwante faciliteiten van ons plaatselijk vliegveld geprivatiseerd zullen worden. Dat vliegveld werkt met verlies, dus probeert de Federal Aviation Administration geld te besparen door onze landingsdiensten te verhuren aan iemand die het goedkoper kan doen. Wat vooral mijn aandacht trok was een zinnetje dat diep in het artikel verstopt was en luidde: 'Een woordvoerster van het regionaal bureau van de FAA in New York City, Arlene Sarlac, kon ons niet de naam noemen van het bedrijf dat de toren overneemt.'

Zo, dat is een reuze geruststelling. Nou ben ik misschien hypergevoelig, omdat ik van tijd tot tijd gebruik maak van dat vliegveld, en persoonlijk belang heb bij het vermogen van de toren om vliegtuigen op een redelijk normale manier te laten landen, maar ik zou liever weten dat de toren niet is aangekocht door bijvoorbeeld de New England Roller Towel Company, of door Crash Services (Panama), en dat het vliegtuig, wanneer ik de volgende keer wil landen, niet gedirigeerd zal worden door de een of andere kerel op een ladder die met een bezem wuift. Ik zou op zijn allerminst willen hopen dat de FAA enig idee had aan wie ze die toren verkopen. Jullie mogen me pietepeuterig noemen, maar ik heb het gevoel dat dit iets is wat je ergens zwart op wit hoort te hebben.

De FAA, dat moet gezegd worden, is niet beroemd om zijn efficiëntie. Een overheidsrapport uit april merkt op dat deze instantie al jaren geteisterd wordt door stroomstoringen, slecht functionerende en verouderde apparatuur, overwerkt en overspannen personeel, ontoereikende opleidingsprogramma's en wanbeheer als gevolg van een onsamenhangende hiërarchie. Wat betreft de normen voor de apparatuur constateert het rapport dat '21 afzonderlijke bureaus 71 orders hadden uitgevaardigd, zeven normen en 29 specificaties'. Het kwam erop neer dat de FAA er geen idee van had wat voor apparatuur men had, hoe die werd onderhouden, of zelfs wiens beurt het was om koffie te zetten.

De *Los Angeles Times* schrijft: 'Minstens drie vliegtuigongelukken hadden voorkomen kunnen worden als de FAA niet achter geraakt was op zijn schema voor de geplande modernisering van de controleapparatuur voor het luchtverkeer.'

Ik vertel dit omdat ons onderwerp deze week grootschalige incompetentie is. Ondanks al mijn inspanningen is alom sprake van een gruwelijk verzinsel dat ik eens en voor altijd zou willen begraven, namelijk dat Amerika een efficiënt land is. Niets is minder waar.

Voor een deel komt het doordat het een groot land is. Grote landen brengen grote bureaucratieën voort. Die bureaucratieën produceren weer een heleboel afdelingen, en elk van die afdelingen vaardigt ladingen regels en voorschriften uit.

Een onvermijdelijk gevolg van zoveel afdelingen is dat de linkerhand niet alleen niet weet wat de rechterhand doet, maar niet eens lijkt te weten dat er een rechterhand ís. Dat wordt op een interessante manier bewezen door diepvriespizza.

In de Verenigde Staten wordt diepvriespizza met kaas gereguleerd door de Food and Drug Administration. Diepvriespizza met pepperoni daarentegen wordt gereguleerd door het ministerie van Landbouw. Deze bepalen elk hun eigen normen ten aanzien van inhoud, etikettering enzovoort, ze hebben elk een eigen team van inspecteurs en een eigen reglement dat licenties, certificaten en allerlei ander duur papierwerk verplicht stelt. En dat is dan alleen maar voor diepvriespizza. Een dergelijke waanzin zou in een klein land als Groot-Brittannië onmogelijk zijn. Voor zoiets moet je bij de Europese Unie zijn.

In totaal, zo heeft men geschat, bedragen de kosten voor de bevolking voor het volgen van al die federale regelingen 668 miljard dollar per jaar, gemiddeld 7000 dollar per huishouden. Dat is nogal wat volgzaamheid.

De Amerikaanse inefficiëntie krijgt echter zijn speciale scherpe accent door die specifieke, krankzinnige zuinigheid. Hier heerst een vorm van kortetermijndenken die domweg verbijsterend is. Kijk maar eens naar een ervaring van de Internal Revenue Service, ons equivalent van de belastingdienst.

Elk jaar blijft in de Verenigde Staten naar schatting 100 miljard dollar aan belastingen – echt wel een behoorlijk bedrag, genoeg om alle federale tekorten in één keer op te heffen – onaangegeven en ongeïnd. In 1995 heeft de overheid, bij wijze van experiment, de IRS 100 miljoen dollar extra geschonken om op zoek te gaan naar dat extra geld. Aan het eind van dat jaar had de IRS 800 miljoen dollar gevonden en geïnd – slechts een fractie van het ontbrekende geld, maar nog altijd acht dollar extra overheidsgeld voor elke dollar extra inningskosten.

De IRS voorspelde vol vertrouwen dat ze, als het experiment werd voortgezet, het komend jaar minstens 12 miljard dollar ontbrekende belastinggelden zouden innen voor de overheid, terwijl er de jaren daarop nog meer zou binnenkomen. In plaats van het experiment voort te zetten, wees het congres het af bij wijze van – en nu komt het – onderdeel van hun eigen programma ter vermindering van de federale tekorten. Beginnen jullie te begrijpen wat ik bedoel?

Of neem de keuringsdienst van waren. Er bestaan allerlei hightech-apparaten om vlees te keuren op microbacteriële besmetting met salmonella en *E. coli*. Maar de overheid is te zuinig om daarin te investeren, dus blijven de federale keurmeesters vlees op het oog inspecteren, terwijl het voorbij rolt op lopende banden. En nu kunnen jullie je wel voorstellen hoe oplettend een laagbetaalde federale inspecteur zal kijken naar elk van die 18 000 identieke geplukte kippen die op een lopende band langs hem komen, elke dag van zijn werkende leven. Jullie mogen me cynisch noemen, maar ik betwijfel sterk of een inspecteur na een jaar of tien nog zal denken: 'Hé, daar komen weer wat kippen aan. Misschien dat die interessant zijn.' En trouwens – en dat is iets waarvan je zou denken dat het inmiddels bij iemand was opgekomen – micro-organismen zijn niet met het blote oog te onderscheiden.

Als gevolg daarvan is, zoals de overheid zelf toegeeft, wel twintig procent van alle kippen en 49 procent van de kalkoenen besmet. Wat dat allemaal kost aan ziekte, god mag het weten, maar men denkt dat misschien wel tachtig miljoen mensen elk jaar ziek worden door voedsel dat aan de bron besmet is geraakt; dat kost de economie tussen de 5 en 10 miljard dollar aan extra gezondheidszorg, verloren productiviteit enzovoort. Elk jaar sterven in de Verenigde Staten negenduizend mensen aan voedselvergiftiging.

En dat alles brengt ons weer terug bij die goeie ouwe Federal Aviation Administration. (Eigenlijk niet, maar ik moest daar op de een of andere manier weer naartoe.) De FAA is al dan niet de minst efficiënte bureaucratie van de Verenigde Staten, maar is ontegenzeglijk de enige in wiens handen ik mijn leven moet leggen wanneer ik negenduizend meter boven de aarde zweef, dus kunnen jullie me mijn ongerustheid voorstellen als ik verneem dat ze onze controletoren gaan overdragen aan een paar mensen van wie ze de naam niet meer weten.

Volgens onze plaatselijke krant zal de overdracht aan het eind van de maand rond zijn. Drie dagen daarna moet ik volgens afspraak vanaf dat vliegveld naar Washington vliegen.

Ik zeg het er maar bij, voor het geval jullie over een paar weken hier een blanco ruimte aantreffen.

Maar waarschijnlijk zal het zo ver niet komen. Ik vroeg net aan mijn vrouw wat we vanavond eten.

Kalkoenburgers, zei ze.

Een dagje naar het strand

Elk jaar omstreeks deze tijd maakt mijn vrouw me wakker met een speels tikje, en dan zegt ze: 'Ik heb een idee. Laten we drie uur in de auto gaan zitten en naar de oceaan rijden, bijna al onze kleren uittrekken en de hele dag in het zand gaan zitten.'

'Waarom?' vraag ik dan argwanend.

'Omdat het leuk is,' zegt ze nadrukkelijk.

'Dat denk ik niet,' antwoord ik dan. 'Mensen vinden het ergerlijk wanneer ik en plein public mijn overhemd uittrek.'

'Nee, heus, het zal heerlijk zijn. We krijgen zand in ons haar. We krijgen zand in onze schoenen. We krijgen zand in onze boterhammen en vervolgens in onze mond. We verbranden in de zon en de wind. En als we het zitten moe zijn, dan kunnen we pootjebaden in water dat zo koud is dat het pijn doet. Aan het eind van de dag vertrekken we om dezelfde tijd als 37 000 andere mensen, en dan komen we in zo'n opstopping terecht dat we pas om middernacht thuis zijn. Ik kan spitse opmerkingen over de chauffeurskwaliteiten maken, en de kinderen kunnen de tijd doorbrengen door elkaar met scherpe voorwerpen te steken. Het zal zó gezellig zijn.'

De tragiek is dat mijn vrouw, aangezien ze een Engelse is en dus niet redelijk waar het om zout water gaat, echt denkt dat het gezellig zal zijn. Eerlijk gezegd heb ik nooit begrepen waarom de Britten zo aan hun kusten gehecht zijn.

Iowa, waar ik opgegroeid ben, is vijftienhonderd kilometer verwijderd van de dichtstbijzijnde oceaan, dus betekent het woord 'oceaan' voor mij (en volgens mij voor de meeste anderen uit Iowa, hoewel ik nog niet de kans heb gehad het ze allemaal te vragen) alarmerende zaken als springtij en onderstroom. (Ik neem aan dat mensen in New York overeenkomstige angstgevoelens krijgen als je over dingen als 'maïsvelden' en 'jaarmarkt' begint.) Lake Ahquabi, waar ik in mijn jeugd al mijn ervaringen met zwemmen en zonnebrand heb opgedaan, heeft dan misschien niet de romantiek van Cape Cod of de grootsheid van de rotsige kust van Maine, maar het grijpt je ook niet bij de benen om je hulpeloos mee te sleuren naar Newfoundland. Nee, de zee mogen ze houden, wat mij betreft, met elke druppel water die erin zit.

Toen mijn vrouw dus het vorig weekend voorstelde naar de oceaan te rijden, reageerde ik vastbesloten en zei: 'Nooit ofte nimmer – geen sprake van,' en dat is natuurlijk de reden waarom we, drie uur later, terechtkwamen op Kennebunk Beach in Maine.

Nu zullen jullie me nauwelijks geloven, gezien de wervelende avonturen waaruit mijn leven heeft bestaan, maar in mijn hele leven was ik maar twee keer op een Amerikaans oceaanstrand geweest – een keer in Californië, toen ik twaalf was, waar ik erin geslaagd was alle huid van mijn neus te schrapen (eerlijk waar) door een teruggaande golf verkeerd te timen, zoals alleen iemand uit Iowa dat kan, en voorover te duiken in kaal, korrelig zand, en een keer in Florida toen ik op *college* zat en veel te beneveld was om zo'n subtiel landschapskenmerk als een oceaan op te merken.

Ik kan dus niet beweren op dit punt met gezag te spreken. Het enige wat ik jullie kan vertellen is: als je op Kennebunk Beach mag afgaan, dan zijn Amerikaanse stranden totaal anders dan Britse. Om te beginnen was er geen pier, promenade of lunapark; er waren geen winkels waar alles als door een wonder één pond kost; geen zaakjes waar je ondeugende prentbriefkaarten of zwierige hoeden kunt kopen; geen tearooms en fish-and-chipszaken; geen waarzegsters; geen lichaamloze stem uit een bingozaal die de bekende geheimzinnige woorden riep: '*Number 37 – the vicar's in the shrubs again,*' of wat ze ook mogen zeggen.

Nee, er was zelfs helemaal niets van commercie – alleen een straat met grote zomerhuizen, een uitgestrekt zonnig strand en een eindeloze en vijandige zee daarachter.

Dat wil niet zeggen dat de mensen op het strand – vele honderden – dat alles misten; integendeel, die hadden alles meegebracht wat ze ooit nodig zouden hebben op het punt van eten, drinken, strandparasols, windschermen, vouwstoelen en glanzende opblaasbare zwembanden. Amundsen is naar de Zuidpool met minder provisie vertrokken dan de meeste van die mensen bij zich hadden.

Vergeleken daarmee waren wij nogal zielig. Niet alleen waren we witter dan de flanken van een oude man, maar wat uitrusting betrof hadden we slechts drie strandhanddoeken en een rieten tas die, op zijn Engels, gevuld was met een fles zonnebrandolie, een eindeloze voorraad vochtige papieren handdoekjes, reserveonderbroeken voor iedereen (voor het geval van auto-ongelukken, waarmee een bezoek aan de afdeling Spoedeisende Hulp was verbonden), en een bescheiden pakket boterhammen.

Onze jongste zoon – die ik de laatste tijd Jimmy ben gaan noemen, voor het geval hij ooit advocaat wordt – overzag het toneel en zei: 'Oké, pa, de situatie is zó. Ik wil een ijsje, een luchtbed, een luxe emmer met schep, een hotdog, suikerspin, een opblaasbootje, een scuba-uitrusting, een eigen waterglijbaan, een pizza met extra kaas en een wc.'

'Zulke dingen hebben ze hier niet, Jimmy,' grinnikte ik.

'Maar ik moet echt naar de wc.'

Dat gaf ik door aan mijn vrouw. 'Dan zul je hem moeten meenemen naar Kennebunkport,' zei ze kalm van onder een krankzinnige zonnehoed.

Kennebunkport is een oud stadje, aan een kruispunt gelegen, gebouwd lang voordat iemand ooit aan de auto had gedacht, en enkele kilometers van het strand verwijderd. Het was er stampvol verkeer, uit alle richtingen. We parkeerden ontzettend ver van het centrum vandaan en zochten overal naar een toilet. Tegen de tijd dat we er een vonden (in werkelijkheid de achtermuur van de Rite-Aid-apotheek – maar zeg dat alsjeblieft niet tegen mijn vrouw) hoefde kleine Jimmy al niet meer. Dus gingen we terug naar het strand. Toen we daar aankwamen, enkele uren later, ontdekte ik dat iedereen was gaan zwemmen en dat er nog maar één half afgehapte sandwich over was. Ik ging op een handdoek zitten en knabbelde op de sandwich.

'O, kijk eens, mam,' zei dochter nummer twee toen ze een paar minuten later opdoken uit de branding, 'pappie zit te eten van de boterham waar die hond in heeft gebeten.'

'Zeg dat het niet waar is,' jammerde ik.

'Maak je geen zorgen, lieverd,' zei mijn vrouw geruststellend. 'Het was een Ierse setter. Die zijn heel schoon.'

Daarna herinner ik me niet veel meer. Ik deed een dutje en toen ik wakker werd, merkte ik dat kleine Jimmy bezig was me tot aan mijn borstkas te begraven in het zand, wat ik prima vond, alleen was hij bij mijn hoofd begonnen, en ik was erin geslaagd zozeer verbrand te raken dat een huidarts me de week daarna uitnodigde mee te komen naar een congres in Cleveland, als praktijkgeval.

We waren twee uur lang de autosleutels kwijt, de Ierse setter kwam terug en jatte een van de strandhanddoeken, en zette vervolgens zijn tanden in mijn hand omdat ik zijn sandwich had opgegeten, en dochter nummer twee kreeg teer in haar haar. Kortom, een typisch dagje aan zee. We kwamen omstreeks middernacht thuis na door onoplettendheid een omweg naar de grens met Canada te hebben gemaakt – al hadden we toen tenminste iets om over te praten tijdens de lange rit dwars door Pennsylvania.

'Heerlijk,' zei mijn vrouw. 'Dat moeten we binnenkort nog eens doen.'

En het hartbrekende is: ze meende het nog ook.

Heerlijke overbodigheden

Hier volgt een verhaal dat ik erg aardig vind.

Vorig jaar, vlak voor Kerstmis, bracht een Amerikaanse fabriek van computerspelletjes, Maxis Inc., een avonturenspel op de markt dat SimCopter heet, en waarin de spelers in helikopters moeten vliegen om mensen te redden. Wanneer de winnende spelers met succes het tiende en hoogste niveau hadden bereikt, zo schreef de *New York Times*, behoorden ze beloond te worden met een of ander audiovisueel toestandje waartoe 'een mensenmenigte, vuurwerk en een fanfarekorps' zouden behoren.

In plaats daarvan, vermoedelijk tot hun grote verbazing, kregen de winnaars beelden te zien van mannen in badpak die elkaar zoenden.

Die foute beelden, zo bleek, waren het werk van een ondeugende 33-jarige programmeur die Jacques Servin heet. Toen de *Times* contact met hem zocht, zei Servin dat hij die knuffelende kerels erin had gezet 'om de aandacht te vestigen op het gebrek aan homoseksuele personages in computerspelletjes'. De fabriek haalde haastig 78 000 spelletjes terug, en verzocht meneer Servin elders emplooi te zoeken.

Nog een verhaal dat ik leuk vind.

In juni van dit jaar kreeg mevrouw Rita Rupp uit Tulsa, Oklahoma, toen ze in haar eentje per auto door Amerika reed, het idee dat ze weleens ontvoerd zou kunnen worden door snode personen. Voor alle zekerheid had ze dus alvast een briefje geschreven, in gepast wanhopig handschrift, waarin stond: 'Help. Ik ben ontvoerd. Bel de verkeerspolitie.' Vervolgens noemde het briefje haar naam en adres, en de telefoonnummers van de gewapende eenheden waarom ze vroeg. En tja, als je een dergelijk briefje schrijft, moet je ervoor zorgen (a) dat je inderdaad ontvoerd wordt of (b) dat je zo'n briefje niet per ongeluk uit je tas laat vallen. En raad dus eens wat er gebeurde? De ongelukkige mevrouw Rupp liet inderdaad het briefje vallen, het werd opgeraapt en ingeleverd door een gewetensvol staatsburger, en onmiddellijk daarna had de politie in vier staten wegversperringen geplaatst, ze hadden bulletins uitgevaardigd en deden over de hele linie behoorlijk opgewonden. Intussen reed mevrouw Rupp door naar haar bestemming, zonder iets te weten van de chaos die ze had veroorzaakt.

Het probleem met deze twee verhalen, hoe verrukkelijk ze ook zijn, is dat ik geen enkele manier heb kunnen bedenken om ze in een van mijn columns te verwerken. Dat is het vervelende van het schrijven van columns, merk ik. Ik loop voortdurend op tegen interessante en goeie 'titbits' (of 'tidbits', zoals wij het in de Verenigde Staten met alle geweld willen spellen, om niemand in verlegenheid te brengen), en wanneer ik zulke amusante onderwerpen tegenkom, knip ik ze zorgvuldig uit of ik fotokopieer ze, en dan berg ik ze op onder 'Computerspelletjes (Zoenende mannen)' of 'Foutste tips voor reizen via autowegen'.

En dan, een tijdje later – nou ja, vanmiddag om precies te zijn – kom ik ze weer tegen en vraag ik me af wat ik daar in vredesnaam bij had gedacht. Ik noem dat verzamelen van interessante, maar in laatste instantie nutteloze informatie het Ignaz Semmelweissyndroom, naar de Oostenrijks-Hongaarse arts Ignaz Semmelweis, die in 1850 als eerste tot de conclusie kwam dat de verspreiding van besmettingen in kraamzalen dramatisch verminderd kon worden als men zijn handen waste. Kort na deze hoogst belangrijke ontdekking is dokter Semmelweis gestorven – aan een geïnfecteerde snee in zijn hand.

Begrijpen jullie wat ik bedoel? Een prachtig verhaal, maar ik kan het nergens kwijt. Ik had het evengoed het Versalle-syndroom kunnen noemen, naar de operazanger Richard Versalle die in 1996, tijdens de wereldpremière van *The Makropulos Affair* in het Metropolitan Opera House in New York, de noodlottige woorden 'Hoe jammer dat je niet eeuwig kunt leven' zong en vervolgens, de arme man, dood neerviel door een hartaanval.

Maar ik had het ook kunnen noemen naar de grote generaal John Sedgewick van het leger van de Unionisten, wiens laatste woorden, bij de Slag van Fredericksburg tijdens de Amerikaanse Burgeroorlog, luidden: 'Luister, mannen, ze kunnen nog geen stier raken op een dergelijke afst...'

Wat al die mensen gemeen hebben is dat ze in de verste verte niets te maken hebben met iets waarover ik ooit heb geschreven of waarschijnlijk ooit zal schrijven. Het probleem is dat ik nooit helemaal zeker weet waarover ik zal gaan schrijven (ik kan niet wachten om erachter te komen waarheen deze column me zal leiden, om jullie de waarheid te zeggen), dus bewaar ik dat soort dingen, voor het geval ik ze in geval van nood toch nog kan gebruiken.

Als gevolg daarvan heb ik dossierzakken die uitpuilen van knipsels als – nou ja, als dit hier, uit een krant in Portland, Maine, met de kop 'Opnieuw man geketend aan boom gevonden'. Dat 'Opnieuw', daar bleef mijn blik aan hangen. Als de kop had geluid 'Man geketend aan boom gevonden' zou ik waarschijnlijk gewoon hebben doorgebladerd. Per slot van rekening kan iedereen wel één keer aan een boom geketend worden. Maar *tweemaal* – tja, dat begint toch een tikje onzorgvuldig te klinken.

De persoon in kwestie was een zekere Larry Doyen uit Mexico, Maine, die naar blijkt de uiterst interessante gewoonte heeft zich aan bomen vast te maken met een ketting met hangslot, en de sleutel dan zodanig weg te gooien dat hij er niet bij kan. Ditmaal had hij twee weken in de bossen vertoefd, waarbij hij bijna was omgekomen.

Een vermakelijk verhaal, en duidelijk een heilzame les voor diegenen onder ons die erover dachten al-fresco-bonding als hobby te nemen, maar het kost me moeite me, van deze afstand, voor te stellen wat ik daarvan had willen maken voor een van mijn columns.

Ook weet ik niet meer wat ik zag in een verhaaltje dat ik uit de *Seattle Times* had geknipt en dat gaat over een groep parachutisten uit het leger die, bij wijze van public-relationsstunt, ermee hadden ingestemd met hun parachutes te landen op het footballveld van een middelbare school in Kennewick, Washington, om de bal voor de wedstrijd aan te bieden aan de quarterback van het thuisteam. Met prijzenswaardige precisie sprongen ze uit hun vliegtuig, ze trokken sporen van gekleurde rook uit speciale vuurpijlen achter zich aan, voerden een aantal behendige en adembenemende luchtakrobatische manoeuvres uit en landden in een leeg stadion, aan de andere kant van het stadje.

Al evenmin kan ik volledig verklaren waarom ik een ander stuk uit de *New York Times* heb bewaard, over een echtpaar dat de kirrende geluidjes van hun pasgeboren dochtertje had opgeschreven, deze hadden gepresenteerd in de vorm van een gedicht (representatieve regel: 'Bwah-bwah bwah-bwah bwah-bwah'), dat hadden ingeleverd voor iets wat de 'North American Open Poetry Contest' heet, en daarmee in de halve finale waren gekomen.

Soms bewaar ik helaas niet het hele stuk, maar alleen een alinea, zodat ik achteraf met een raadselachtig fragment zit. Hier volgt een citaat uit het maartnummer van 1996 van de *Atlantic Monthly*: 'Het is volkomen legaal wanneer een huidarts hersenoperaties uitvoert in zijn garage als hij een patiënt kan vinden die bereid is op die tafel te gaan liggen en ervoor te betalen.' Hier komt er nog een, uit de *Washington Post*: 'Onderzoekers van de University of Utah hebben ontdekt dat de meeste mannen gedurende drie uur door het ene neusgat ademhalen, en gedurende de volgende drie uur hoofdzakelijk door het andere.' De hemel mag weten wat ze gedurende de overige achttien uur van de dag doen, want ik heb de rest van dat stuk niet bewaard.

Ik denk aldoor dat ik een manier zal bedenken om die rare fragmenten in een column te verwerken, maar die heb ik nog niet gevonden. Het enige wat ik jullie vol vertrouwen kan beloven, dat is: als ik die manier vind, zullen jullie het hier als eersten lezen.

Het verlies van een zoon

Het kan een beetje sentimenteel worden, en dat spijt me, maar gisteravond zat ik te werken aan mijn bureau, toen mijn jongste kind naar me toe kwam, met een honkbalbat over zijn schouder, een petje op zijn hoofd en de vraag of ik zin had om wat met hem te honkballen. Ik was bezig met iets belangrijks voordat ik een lange reis ging maken, en ik had bijna gezegd dat het me speet, maar nee – en toen bedacht ik dat hij nooit meer zeven jaar, één maand en zes dagen oud zou zijn, dus konden we maar beter van het moment genieten, zolang het nog kon.

We gingen naar het grasveld voor het huis, en hier wordt het sentimenteel. Die ervaring had iets heel moois, zo fundamenteel en prachtig dat ik het jullie niet kan vertellen – zoals de avondzon over het gras viel, de ernstige gretigheid van zijn jeugdige gestalte, het feit dat we aan die allerwezenlijkste bezigheid voor vader-en-zoon deden, de heerlijke tevredenheid van gewoon samen zijn – en ik kon me niet voorstellen dat ik ooit gedacht zou hebben dat het afsluiten van een artikel of het schrijven van een boek of wat dan ook belangrijker en dankbaarder kon zijn dan dit.

Die plotselinge overgevoeligheid is ontstaan doordat we een paar weken geleden onze oudste zoon hebben weggebracht naar een kleine universiteit in Ohio. Hij was de eerste van onze vier kinderen die uitvloog, en nu is hij weg –

volwassen geworden, onafhankelijk, ver weg – en ik begin me opeens te realiseren hoe snel ze vertrekken.

'Als ze eenmaal gaan studeren, komen ze nooit meer echt terug,' zei laatst een buurvrouw, die twee van haar eigen kinderen op die manier heeft verloren, weemoedig tegen ons. Dat is niet wat ik had willen horen. Ik had willen horen dat ze heel vaak terugkomen, alleen hangen ze dan hun kleren in de kast, ze bewonderen je om je intelligentie en geestigheid en ze hebben niet meer het verlangen om diamanten ringetjes in diverse gaatjes in hun hoofd te hangen. Maar die buurvrouw had gelijk. Hij is weg. Er hangt een leegte in huis die dat bewijst.

Ik had niet verwacht dat het zo zou zijn, want de afgelopen paar jaar was hij, zelfs als hij hier was, niet echt hier, als jullie begrijpen wat ik bedoel. Zoals de meeste tieners woonde hij in eigenlijke zin niet in ons huis – hij kwam alleen een paar keer per dag langs om te zien wat er in de koelkast stond of om van de ene naar de andere kamer te lopen, met een handdoek om zijn middel, en te roepen: 'Mam, waar is mijn...?', zoals in 'Mam, waar is mijn gele overhemd?' en 'Mam, waar is mijn deodorant?' Af en toe zag ik de achterkant van zijn hoofd in een gemakkelijke stoel voor een tv-toestel waar oriëntaalse mensen elkaar tegen hun hoofd schopten, maar meestal verbleef hij op een plaats die 'Uit' heette.

Mijn rol bij zijn vertrek naar *college* bestond uitsluitend uit het uitschrijven van cheques – een heleboel cheques – en het zetten van een passend bleek en ontzet gezicht naarmate de bedragen hoger werden. Jullie zullen niet geloven wat het tegenwoordig in de Verenigde Staten kost om een kind naar de universiteit te sturen. Misschien komt het doordat we leven in een gemeenschap waar dat soort dingen serieus wordt genomen, maar bijna elke jongere die gaat studeren, gaat eropuit en bekijkt een stuk of vijf of meer mogelijke universiteiten, en dat kost enorm veel geld. Dan zijn er de inschrijf-

gelden voor de toelatingsexamens voor het *college* en afzonderlijk inschrijfgeld voor elke universiteit die je aanvraagt.
Maar dat alles is nog niets vergeleken met de kosten van
de universiteit zelf. Het collegegeld van mijn zoon bedraagt
19 000 dollar per jaar – bijna twintigduizend gulden in echt
geld – en ik heb me laten vertellen dat dat eigenlijk nog heel
redelijk is, in deze tijd. Sommige universiteiten vragen wel
28 000 dollar collegegeld. Dan moet er 3000 dollar betaald
worden voor zijn kamer, 2400 dollar voor zijn eten, zo'n
700 dollar voor boeken, 650 dollar voor gezondheidszorg
en ziekteverzekering, en 710 dollar voor 'activiteiten'. Vraag
me niet wat dat zijn. Ik zet alleen maar handtekeningen op
cheques.

Dan zijn er de kosten van zijn vliegreizen naar en van Ohio
met Thanksgiving, Kerstmis en Pasen – feestdagen wanneer
praktisch elke *college*-student in Amerika gaat vliegen, zodat
de luchtvaartmaatschappijen waanzinnige bedragen eisen –
plus alle andere bijkomende kosten, zoals zakgeld en rekeningen voor interlokale telefoongesprekken. Nu al belt mijn
vrouw hem om de dag op om te vragen of hij genoeg geld
heeft, terwijl het eigenlijk, zoals ik tegen haar zeg, omgekeerd
zou moeten zijn. O, en dat duurt hier dan ook nog vier jaar,
in plaats van drie in Groot-Brittannië. En dan is er nog iets.
Volgend jaar heb ik een dochter die naar de universiteit gaat,
dus dan moet ik dat alles tweemaal doen.

Jullie willen me dus wel excuseren, hoop ik, als ik jullie
vertel dat de emotionele kant van deze gebeurtenis nogal
overschaduwd is door de aanhoudende financiële schok. Pas
toen we hem afzetten bij zijn studentenhuis en hem daar achterlieten en hij zo'n ontroerend verloren en verbijsterd gezicht trok temidden van een massa kartonnen dozen en
koffers in een Spartaans kamertje dat veel weg had van een
gevangeniscel, drong het echt tot me door dat hij bezig was
uit ons leven te verdwijnen, en aan een eigen leven begon.

Nu we thuis zijn, is het nog erger. Er wordt niet gekickbokst op de tv, er ligt geen enorme massa gympen in de hal, er wordt niet boven aan de trap geroepen 'Mam, waar is mijn...?', er is niemand van mijn eigen lengte die me 'dombo' noemt of die zegt: 'Leuk overhemd, pap. Heb je een bootvluchteling beroofd?' Ik begrijp nu dat ik het helemaal verkeerd had gezien. Zelfs als hij niet hier was, was hij hier, als jullie begrijpen wat ik bedoel. En nu is hij helemaal niet meer hier.

De gewoonste dingen – een verfrommeld T-shirt, gevonden achter de achterbank van de auto, wat uitgekauwde kauwgom, achtergelaten op een opvallend ongepaste plek – maken dat ik zin krijg om in hulpeloos grienen uit te barsten. Mevrouw Bryson heeft daarvoor geen enkele aanleiding nodig. Zij grient aan één stuk door – aan de gootsteen, terwijl ze stofzuigt, in het bad. 'Mijn baby,' jammert ze diep ongelukkig, en dan snuit ze haar neus met een schrikwekkend getoeter in elk stuk stof dat ze bij de hand heeft, en dan klaagt ze weer een tijdje.

De afgelopen week merk ik dat ik heel wat tijd doorbreng met doelloos door huis rondlopen, starend naar de raarste dingen – een basketbal, de bekers die hij met hardlopen heeft gewonnen, een oude vakantiefoto – en denkend aan al die slordig weggeworpen dagen van gisteren die ze vertegenwoordigen. Het moeilijke en onverwachte is niet alleen het besef dat mijn zoon niet hier is, maar dat de jongen die hij was, voorgoed weg is. Ik zou er alles voor overhebben om ze allebei terug te krijgen. Maar dat kan natuurlijk niet. Het leven gaat door. Kinderen worden groot en gaan het huis uit, en als je het nog niet wist, geloof me dan maar, het gebeurt sneller dan je je kunt voorstellen.

En dat is de reden waarom ik hier stop en een beetje ga honkballen op het grasveld voor het huis, zolang ik nog de kans krijg.

Afleiding langs de autowegen

Als jullie deze columns aandachtig hebben gevolgd (en zo nee, waarom niet?), zullen jullie je herinneren dat ik vorige week verteld heb dat we onlangs van New Hampshire naar Ohio zijn gereden om mijn oudste zoon af te zetten bij een universiteit die had aangeboden hem gedurende de komende vier jaar te huisvesten en te onderwijzen, in ruil voor een som die niet zo ver verwijderd is van de kosten van de lancering van een maanraket.

Wat ik jullie toen niet verteld heb, omdat ik jullie niet aan het schrikken wilde maken in de eerste week na mijn vakantie, is hoe nachtmerrieachtig die ervaring is geweest. Begrijp me goed, ik houd evenveel van mijn vrouw en kinderen als ieder ander, los van de vraag hoeveel ze me per jaar kosten aan schoeisel en Nintendo-spelletjes (wat eerlijk gezegd heel wat is), maar dat wil niet zeggen dat ik ooit nog een keer een week met hen wil doorbrengen in een afgesloten metalen kamertje op een Amerikaanse autoweg.

Het probleem zit hem niet in mijn gezin, zo zeg ik er haastig bij, maar in de Amerikaanse autoweg. O, wat is de Amerikaanse autoweg saai. Als Britten kunnen jullie je werkelijk geen verveling op een dergelijke schaal voorstellen (tenzij jullie misschien uit Stevenage komen). Een deel van het probleem met die autowegen is dat ze zo vreselijk lang zijn – het is 1280 kilometer van New Hampshire naar centraal Ohio en, zoals ik nu persoonlijk kan getuigen, omgekeerd even ver –, maar voornamelijk is het dat er onderweg niets is wat je kan opwinden.

Zo was het vroeger niet. Toen ik een jongen was, waren de autowegen van de Verenigde Staten bezaaid met afleidende zaken. Erg interessant waren ze niet, maar dat deed er helemaal niet toe.

Elke dag kon je erop rekenen dat je ergens een reclamebord zag staan met een tekst als 'Bezoek wereldberoemde atoomrots – Hij gloeit echt!' Een paar kilometer verderop stond een volgend bord waarop stond: 'Kom kijken naar de rots waarvan de wetenschap versteld staat! Slechts 240 kilometer!' Hierop zag je een afbeelding van een ernstig kijkende wetenschapper met een ballonnetje naast zijn mond, waarin de woorden: 'Het is waarlijk een wonder der natuur!' of 'Ik ben totaal verbijsterd!'

Een paar kilometer verderop las je dan 'Onderga het krachtveld van de atoomrots... *Als je durft!* Slechts 220 kilometer!' Daarop zag je een man die, heel interessant, wel wat op je eigen vader leek, en die op gewelddadige wijze achteruit werd geworpen door een vreemde, stralende kracht. In kleinere letters stond erbij: 'Waarschuwing: Misschien ongeschikt voor jonge kinderen.'

Nou, dat was het wel. Mijn grote broer en zus, die met mij op de achterbank geprop zaten en alle afleidingsmogelijkheden hadden uitgeprobeerd die bestonden uit mij vasthouden en felgekleurde geometrische patronen tekenen op mijn gezicht, armen en buik met een ballpoint, begonnen dan te zeuren dat ze naar die wereldberoemde attractie wilden, en ik stemde daar zwakjes mee in.

De mensen die die reclameborden hadden geplaatst, waren briljant, zo ongeveer de grootste marketingspecialisten van onze eeuw. Ze wisten precies – tot op de kilometer, zou ik denken – hoelang het duurde voordat een auto vol kinderen erin geslaagd was hun vaders diepgaand en onvermijdelijk verzet te breken tegen een bezoek aan iets wat tijdverspilling was en geld kostte. Het resultaat was overigens dat we altijd naar zoiets toe gingen.

Die wereldberoemde atoomrots leek natuurlijk helemaal niet op de attractie zoals hij op dat bord was uitgebeeld. Hij was zoveel kleiner dan op het plaatje dat het haast lachwekkend was, en hij gloeide helemaal niet. Hij lag achter een hekje, zogenaamd ter beveiliging van de toeschouwers, en dat hek was overdekt met waarschuwingen als 'Waarschuwing: Gevaarlijk krachtveld! Niet verder gaan!' Maar er was altijd wel een kind dat onder het hek door kroop en erheen liep en de steen aanraakte en er zelfs overheen klauterde, zonder opzij geworpen te worden of andere zichtbare schade op te lopen. In de regel trokken mijn extravagante ballpoint-tatoeëringen meer aandacht onder de toeschouwers.

Dus stopte mijn vader ons allemaal weer vol weerzin in de auto, en hij zwoer zich nooit meer zo te laten bedotten en dan reden we verder tot we, een paar uur later, langs een bord kwamen waarop stond: 'Bezoek wereldberoemd zingend zand! Slechts 320 kilometer!' en dan begon het weer van voren af aan.

In het westen, in echt saaie staten als Nebraska en Kansas, mochten mensen borden neerzetten waarop zo ongeveer alles stond – 'Kom kijken naar de dode koe! Uren pret voor het gehele gezin!' of 'Houten plank! Slechts 198 kilometer!' In de loop der jaren hebben we, zoals ik me nog heel goed herinner, de poot van een dinosauriër bekeken, een kleurrijke woestijn, een versteende kikker, een gat in de grond dat beweerde de diepste put ter wereld te zijn en een huis dat geheel van bierflesjes was gebouwd. Van sommige vakanties zijn dat soort dingen zelfs het enige wat ik me kan herinneren.

Het was altijd een teleurstelling, maar dat gaf niet. Je betaalde geen 75 dollarcent voor die ervaring. Je betaalde die 75 dollarcent als een soort tribuut, een dankjewel aan de fantasievolle persoon die je geholpen had een afstand van 190 kilometer saaie autoweg af te leggen in een toestand van oprechte opwinding en, in mijn geval, zonder dat er op je getekend werd. Mijn vader heeft dat nooit kunnen begrijpen. En nu, zo moet ik helaas vertellen, begrijpen mijn kinderen het al evenmin. Tijdens deze rit, toen we Pennsylvania overstaken, een staat die zo krankzinnig groot is dat je daarvoor een hele dag nodig hebt, kwamen we langs een bord waarop stond: 'Bezoek wereldberoemd roadside America! Slechts 119 kilometer!'

Ik had er geen idee van wat 'Roadside America' was, en het lag niet eens op onze route, maar ik wilde er niettemin heen. Dat soort dingen bestaat gewoon niet meer. Tegenwoordig is het opwindendste dat je mag hopen tegen te komen langs de Amerikaanse autowegen een Happy Meal van McDonald's. Dus moet iets als 'Roadside America', wat het ook mag zijn, zorgvuldig gekoesterd worden. De grote ironie is dat ik de enige, en zelfs verreweg de enige was die ernaar wilde gaan kijken.

'Roadside America' bleek een grote modelspoorbaan te zijn, met stadjes en tunnels, boerderijen met miniatuurkoeien en -schapen, en een heleboel treinen die eindeloos in kringetjes rondreden. Het was er een beetje stoffig en slecht verlicht, maar charmant op de manier van onveranderd-sinds-1957. Wij waren die dag de enige klanten, en misschien zelfs de enige klanten sinds dagen. Ik vond het schitterend.

'Is het niet geweldig?' vroeg ik aan mijn jongste dochter.

'Pap, wat ben je toch aandoenlijk,' zei ze treurig, en ze liep de deur uit.

Ik wendde me hoopvol tot haar kleine broertje, maar die schudde slechts zijn hoofd en ging haar achterna.

Ik was teleurgesteld, natuurlijk, maar ik geloof dat ik weet wat ik de volgende keer moet doen. Ik zal ze van tevoren twee uur lang naar beneden drukken en over hun hele lijf tekeningen in ballpoint maken. Dan zullen ze elke vorm van afleiding langs de autowegen waarderen. Daar ben ik van overtuigd.

Gluurders aan het werk

Ik zal jullie iets vertellen wat jullie moeten onthouden voor het geval jullie ooit gebruik maken van een paskamer in een Amerikaans warenhuis of ander soort winkel. Het is volkomen legaal – het is zelfs kennelijk normaal – dat zo'n warenhuis of winkel je bespioneert terwijl je hun kleren aanpast.

Ik weet dat omdat ik net heb zitten lezen in een boek van Ellen Alderman en Caroline Kennedy, getiteld *The Right to Privacy*, dat vol staat met alarmerende verhalen over de manieren waarop winkels en werkgevers zich kunnen binnendringen in wat gewoonlijk als de privésfeer wordt beschouwd – en dat ook vol enthousiasme doen.

De kwestie van het spioneren in de paskamer is aan het licht gekomen in 1983, toen een klant die kleren paste in een warenhuis in Michigan, ontdekte dat een winkelbediende op een trapje was geklommen en hem in het oog hield via een metalen ventilatieopening. (Is dat even stijlloos!) De klant was zo kwaad dat hij de zaak een proces aandeed wegens inbreuk op zijn privacy. Die rechtszaak heeft hij verloren. De rechtbank achtte het redelijk dat winkeliers zich met dergelijke controles verdedigden tegen winkeldiefstal.

Hij had zich niet hoeven te verbazen. Vrijwel iedereen in Amerika wordt tegenwoordig op de een of andere manier bespioneerd. Een combinatie van technische ontwikkelingen, paranoia onder werkgevers en commerciële gierigheid heeft ertoe geleid dat het leven van vele miljoenen Amerikanen aan een onderzoek wordt onderworpen op een manier die een jaar of tien niet mogelijk, om niet te zeggen onvoorstelbaar, zou zijn geweest.

Als je inlogt op internet, zal bijna elke website die je bezoekt, vastleggen waarnaar je gekeken hebt en hoelang je daar bent blijven hangen. Die informatie kan, en zal meestal ook, worden verkocht aan postorder- en marketingbedrijven, of op andere wijze gebruikt om je te bombarderen met verleidelijke woordjes om geld uit je zak te kloppen.

Erger nog: er zijn tegenwoordig tientallen informatie-makelaars – elektronische privédetectives – die hun brood verdienen door op het internet voor geld persoonlijke informatie over mensen op te sporen. Als je in Amerika woont en je ooit in het kiesregister hebt laten inschrijven, kunnen ze aan je adres en geboortedatum komen, aangezien de registratieformulieren voor het kiesregister in de meeste staten openbaar zijn. Met die twee gegevens kunnen ze je vrijwel alle informatie verschaffen over elk gewenst persoon (en dat doen ze ook, in ruil voor acht of tien dollar): strafregister, medische gegevens, verkeersdelicten, kredietwaardigheid, hobby's, koopgewoonten, jaarlijks inkomen, telefoonnummers (inclusief de geheime), noem maar op.

De meeste van die dingen waren vroeger ook mogelijk, alleen kostte dat dagen en moest je bij allerlei overheidskantoren langsgaan. Tegenwoordig gebeurt het in een paar minuten, volstrekt anoniem, via het internet.

Veel bedrijven maken gebruik van dergelijke technologische mogelijkheden om op genadeloze wijze meer winst te maken. In Maryland, zo vertelt het weekblad *Time*, heeft een bank – naar het schijnt volkomen legaal – de medische gegevens onderzocht van de mensen die geld wilden lenen, om na te gaan wie van hen aan levensbedreigende ziekten leden, en die informatie is gebruikt om leningen op te zeggen. Andere bedrijven hebben zich niet op klanten geconcentreerd, maar op hun eigen werknemers – bijvoorbeeld om na te gaan wat voor medicijnen ze op doktersvoorschrift gebruiken. Een groot, heel bekend bedrijf heeft samengewerkt met een farmaceutische firma om de medische gegevens van werknemers uit te kammen, zodat ze konden zien wie zou kunnen profiteren van wat antidepressiepillen. Het bedrijf wilde kalmere werknemers; de farmaceuten zouden meer klanten krijgen.

Volgens de American Management Association spioneert twee op de drie bedrijven in de Verenigde Staten op de een of andere manier onder de werknemers. Vijfendertig procent traceert telefoontjes, en tien procent neemt de telefoongesprekken zelfs op om ze later op hun gemak af te luisteren. Ongeveer een kwart van de bedrijven geeft toe dat ze de computerbestanden van hun werknemers controleren en hun e-mail lezen.

Weer andere bedrijven houden in het geheim hun employés tijdens het werk in het oog. Een secretaresse op een universiteit in Massachusetts ontdekte dat een verborgen videocamera vierentwintig uur per dag haar kantoor filmde. De hemel mag weten wat het bestuur hoopte te vinden door middel van die camera. Wat ze te zien kregen waren beelden van een vrouw die elke avond haar dagelijkse kleren verruilde voor een trainingspak teneinde van werk naar huis te joggen. Ze doet ze een proces aan en zal waarschijnlijk heel wat geld toegewezen krijgen. Elders is het recht van bedrijven om onder hun werkkrachten te spioneren door rechtbanken erkend.

In 1989 ontdekte een employee van een groot, van oorsprong Japans bedrijf voor computerproducten dat het bedrijf consequent de e-mail van de werknemers las, ook al had men hun verzekerd dat dat niet gebeurde. Zij sloeg alarm en werd op staande voet ontslagen. Ze deed ze een proces aan wegens onrechtvaardig ontslag, maar dat verloor ze. Een rechtbank steunde het beleid van bedrijven om niet alleen de particuliere contacten van werknemers te lezen, maar ook om die mensen wat voor te liegen. Nou nou.

En om terug te komen op een algemeen bekend thema: er is sprake van een specifieke paranoia aangaande drugs. Ik heb een vriend die een paar jaar geleden een baan kreeg bij een groot bedrijf in Iowa. Aan de overkant van het bedrijf was een café dat na werktijd door werknemers werd bezocht. Op een avond dronk mijn vriend samen met zijn collega's een biertje na het werk, toen hij benaderd werd door een collega die vroeg of hij wist waar ze aan marihuana kon komen. Hij zei dat hij dat zelf niet gebruikte, maar om van haar af te komen – ze drong erg aan – gaf hij haar het telefoonnummer van een kennis die dat spul weleens verkocht.

De volgende dag werd hij ontslagen. De vrouw, zo bleek, was een spionne van het bedrijf, speciaal aangesteld om drugsgebruik binnen het bedrijf op te sporen. Goed onthouden: hij had haar geen marihuana geleverd, had haar niet aangeraden marihuana te gebruiken en had nadrukkelijk gezegd dat hij zelf geen marihuana gebruikte. Niettemin werd hij ontslagen wegens 'aanmoediging en stilzwijgende goedkeuring van het gebruik van verboden middelen'.

Tegenwoordig test 91 procent van de grote bedrijven – iets wat ik bijna niet kan geloven – een aantal van de employés op drugs. Tientallen bedrijven hebben iets ingevoerd wat de TAD-regels heet – TAD is de afkorting van 'tabak, alcohol, drugs' – en die verbieden werknemers ooit gebruik te maken van deze middelen, zelfs in hun eigen huis. Er zijn bedrijven, als jullie me kunnen geloven, die hun werknemers verbieden ooit te drinken of te roken – zelfs niet één biertje, zelfs niet op zaterdagavond – en die regels afdwingen door hun employés te dwingen urineproeven af te staan. Dat is krankzinnig, maar het is nu eenmaal zo.

Maar het kan zelfs nog erger. Twee vooraanstaande elektronische bedrijven die samenwerken, hebben iets uitgevonden dat een 'actief naamkaartje' heet, en dat de bewegingen traceert van elke werknemer die gedwongen is zoiets te dragen. Zo'n kaartje zendt elke vijftien seconden een infrarood signaal uit. Dat signaal wordt ontvangen door een centrale computer, die op die manier in staat is na te gaan waar elke werknemer is en is geweest, met wie ze hebben gepraat, hoe vaak ze naar het toilet of naar het drinkfonteintje zijn geweest – kortom, elke handeling van hun werkdag vast te leggen. Als dat geen bedreiging is, dan weet ik het niet.

Er is echter één ontwikkeling, en het doet me deugd dat te vertellen, die dit alles weer goed maakt. Een bedrijf in New Jersey heeft patent gekregen op een apparaat dat kan nagaan of de employés van een restaurant hun handen hebben gewassen nadat ze naar de wc zijn geweest. En dát is iets waarmee ik het eens kan zijn.

Hoe huur je een auto

We zijn nu bijna tweeënhalf jaar terug in de Verenigde Staten, nauwelijks te geloven, dus je zou denken dat ik zo langzamerhand wel begrijp hoe alles werkt, maar helaas is dat niet zo. De complexiteiten van het Amerikaanse leven brengen me nog steeds vaak in verwarring. Het gaat hier namelijk allemaal zo ingewikkeld, zie je.

Ik was gedwongen daarover na te denken toen ik vorige week in Boston op het vliegveld een huurauto wilde ophalen, toen de man achter de balie, nadat hij alle nummers die met mij te maken hebben had ingetikt en afdrukken van verscheidene creditcards had gemaakt, zei: 'Wenst u een Derde Partij Afstand van Verantwoordelijkheid Schade-Uitsluitingsdekking?'

'Dat weet ik niet,' zei ik onzeker. 'Wat is dat?'

'Dat voorziet in dekking voor het geval een Andere Partij Schadeloosstellingsclaim tegen u wordt ingediend, of een Eerste of Tweede Partij Uitsluitingsclaim wordt ingediend door u namens een vierde partij.'

'Tenzij je een Eerste Partij Resterende Overstapuitsluiting claimt,' voegde een man in de rij achter me daaraan toe, zodat ik mijn hoofd heen en weer moest draaien.

'Nee, dat is alleen in New York zo,' zei de man van het autoverhuurbedrijf. 'In Massachusetts kun je geen overstapuitsluiting claimen tenzij je maar één been hebt en gewoonlijk niet in Noord-Amerika woont om belastingredenen.'

'U denkt aan een Tweede Partij Ongeldigheidsverklaring van Invaliditeitsdekking,' zei een tweede man in de rij tegen de eerste. 'Komt u soms uit Rhode Island?'

'Eh, ja, inderdaad,' zei de eerste man.

'Nou, dat verklaart het. Jullie hebben daar Variabele Dubbel-Negatieve Deelverantwoordelijkheid.'

'Ik begrijp hier geen woord van,' riep ik wanhopig uit.

'Luister,' zei de man van het verhuurbedrijf enigszins ongeduldig, 'stel dat u tegen iemand aanbotst die een Tweede Partij Ongeldigheidsverklaring van Invaliditeitsdekking heeft, maar geen Eerste en Derde Partij Ongeluksvergoeding. Als u een Derde Partij Afstand van Verantwoordelijkheid Schade-Uitsluitingsdekking hebt, hoeft u geen claim in te dienen op uw eigen polis onder Eencijferige Omgekeerde Afstand van Verantwoordelijkheid. Voor hoeveel bent u verzekerd tegen Persoonlijk Verlies?'

'Dat weet ik niet,' zei ik.

Hij keek me met grote ogen aan. 'Weet u dat niet?' zei hij, regelrecht ongelovig. Uit mijn ooghoek kon ik zien dat de andere mensen in de rij geamuseerde blikken wisselden.

'Dat soort zaken handelt mevrouw Bryson af,' legde ik uit, nogal verlegen.

'Wat is dan uw Grondlijn Dubbele Voetfoutniveau?'

Ik wierp hem een kleine, hulpeloze, sla-me-niet-blik toe.

Hij zoog lucht naar binnen op een manier die leek te zeggen dat ik misschien maar liever moest gaan lopen. 'Ik krijg de indruk dat u behoefte hebt aan het Universele Volle Dekking Dubbel Top-Geladen Alomvattend Zigzagplan.'

'Met Gegradueerde Overlijdensverzekering,' stelde de tweede man in de rij voor.

'Wat zijn dat allemaal voor dingen?' vroeg ik diep ongelukkig.

'Het staat allemaal in de folder,' zei de man achter de balie. Hij gaf me een folder. 'Het komt erop neer dat u voor

100 miljoen dollar gedekt bent voor diefstal, brand, verkeersongelukken, aardbevingen, kernoorlog, explosies van moerasgas, inslaande meteoren, ontsporing die tot haarverlies leidt en opzettelijke dood – zolang deze zich tegelijkertijd voordoen en mits u zich vierentwintig uur van tevoren schriftelijk meldt en een Plan voor Ongeluk-rapport indient.'

'Hoeveel kost dat?'

'172 dollar per dag. Maar u krijgt er wel een set vleesmessen bij.'

Ik keek naar de andere mannen in de rij. Ze knikten.

'Oké, dan doe ik dat,' zei ik, uitgeput en berustend.

'En wenst u de Zorgvrije Brandstof-Bijvullingsoptie,' vervolgde de man, 'of de Zelf Bijvullende Optie voor Zuinige Mensen?'

'Wat is dat nou weer?' vroeg ik, tot mijn schrik beseffend dat deze hel nog niet voorbij was.

'Nou, met de Zorgvrije Brandstof-Bijvullingsoptie mag u de auto leeg terugbrengen, en dan vullen wij de tank bij voor een eenmalig bedrag van 32,95 dollar. Onder de andere optie vult u de tank zelf bij voordat u de auto terugbrengt, en dan zetten we die 32,95 dollar elders op de rekening onder "Diverse Onverklaarbare Kosten".'

Ik overlegde met mijn adviseurs en koos voor de Zorgvrije Optie.

De man van het verhuurbedrijf zette een kruisje in het bijpassende hokje. 'En wenst u de Optieregeling voor het Vinden van de Auto?'

'Wat is dat?'

'Dan vertellen we u waar de auto staat.'

'Die moet je nemen,' zei de man die het dichtst bij me stond, vol overtuiging. 'Ik heb dat ooit nagelaten, in Chicago, en toen heb ik tweeënhalve dag rondgezworven om die verdomde auto te vinden. Toen bleek dat-ie onder een dekzeil in een maïsveld bij Peoria stond.'

En zo ging het door. Ten slotte, toen we ons door zo'n

tweehonderd pagina's ingewikkelde opties hadden geworsteld, schoof de man me het contract toe.

'Als u wilt tekenen, hier, hier en hier,' zei hij. 'En uw paraaf hier, hier, hier en hier – en dan nog hier. En hier, hier en hier.'

'Waarvoor zet ik mijn paraaf eigenlijk?' vroeg ik argwanend.

'Nou, deze hier geeft ons het recht naar uw huis te komen en een van uw kinderen of een fraai elektronisch apparaat in gijzeling te nemen als u de auto niet op tijd terugbrengt. Deze hier geeft aan dat u het ermee eens bent een waarheidsserum te slikken in het geval van onenigheid. Deze hier ontheft u van uw recht om een vervolging in te stellen. Deze hier erkent dat enige schade aan de auto nu of op enig tijdstip in de toekomst voor uw verantwoordelijkheid komt. En deze hier is een schenking van 25 dollar voor het afscheidsfeestje van Bernice Kowalski.'

Voordat ik iets kon zeggen rukte hij het contract uit mijn handen, en hij verving het door een plattegrond van het vliegveld.

'Om de auto te bereiken,' vervolgde hij, tekenend op de plattegrond alsof het zo'n doolhof was die je in kleurboeken van kinderen aantreft, 'volgt u de rode pijlen van Terminal A naar Terminal D2, daarna volgt u de gele pijlen – inclusief de groene – tot aan de parkeergarage naar de roltrappen van Sector R. Ga met de roltrap naar beneden naar Passagiersverzamelpunt Q, stap in de shuttle waarop staat "Satellite Parking/Mississippi Valley" en rijd daarmee naar Parkeerplaats A427-West. Daar stapt u uit, u volgt de witte pijlen onder de haventunnel door, via het quarantainegebied, en langs de waterfilterinstallatie. U steekt landingsbaan 22-Links over, klimt over het hek aan de overkant, glijdt over het talud naar beneden, en dan vindt u uw auto geparkeerd op nummer 12 604. Het is een rode Flymo. Kan niet missen.'

Hij gaf me mijn sleutels en een grote doos vol documenten, verzekeringspolissen en aanverwante artikelen. 'En veel succes,' riep hij me achterna.

Ik heb die auto natuurlijk nooit gevonden, en ik kwam uren te laat voor mijn afspraak, maar ik moet eerlijk zijn: ik geef toe dat we veel plezier van die vleesmessen hebben gehad.

Herfst in New England

Ach, de herfst! Elk jaar omstreeks deze tijd gebeurt hier gedurende een tantaliserend korte periode – hoogstens een week of twee – iets verbazingwekkends. Heel New England explodeert in massa's kleuren. Al die bomen, die maandenlang een sombere, groene achtergrond hebben gevormd, barsten opeens uit in een miljoen gloeiende nuances, en het landschap 'verandert in glorie', om met Frances Trollope te spreken.

Gisteren ben ik, onder het voorwendsel van hoogst belangrijk speurwerk, naar Vermont gereden, waar ik mijn verbaasde voeten trakteerde op een wandeling naar Killington Peak, 1270 meter stoere pracht in het hart van de Green Mountains. Het was zo'n verrukkelijke dag waarop de wereld vol is van herfstige geuren en pittige, knisperende perfectie, en de lucht was zo schoon en helder dat je het gevoel krijgt dat je je hand kunt uitsteken en ertegen tikken met je vinger, zoals je zou doen met een glimmend gepoetst wijnglas. Zelfs de kleuren waren helder: een felblauwe hemel, donkergroene velden, bladeren in duizenden lichtende tinten. Het is echt een verbijsterend gezicht wanneer elke boom in een landschap een individu wordt, wanneer elke kronkelige secundaire weg en welvende heuvel opeens en eindeloos bespetterd is met elke scherpe kleur die de natuur kan schenken – vlammend rood, glanzend goud, pulserend lichtrood, vurig oranje.

Vergeef het me als ik een tikje overdreven klink, maar het is onmogelijk zo'n groots schouwspel te beschrijven zonder te gaan wauwelen. Zelfs de grote natuurkenner Donald Culross Peattie, een man wiens proza zo droog is dat je er fidibussen mee kunt opdweilen, raakte helemaal zijn hoofd kwijt toen hij het wonder van een herfst in New England probeerde te beschrijven.

In zijn klassieke boek *Natural History of Trees of Eastern and Central North America* zeurt Peattie 434 pagina's lang voort in een taal die men op zijn allervriendelijkst 'ambachtelijk' kan noemen (een typerende passage: 'Eiken zijn meestal zware en dichtvertakte bomen, met een schubbige of gerimpelde bast en takken met min of meer vijf zijtakken, en dus in vijftallen gerangschikte bladeren...'), maar wanneer hij eindelijk aandacht schenkt aan de suikerahorn in New England en zijn schitterende herfsttooi, is het alsof iemand wat in zijn chocolademelk heeft gedaan. In een opeenvolging van ademloze beeldspraak beschrijft hij de kleuren van de ahorn als 'de kreet van een groot leger... als tongen van vuur... als de machtige, marcherende melodie die zweeft op de toppen van een symfonisch zwalkende zee en met zijn luide zang zin geeft aan alle berekende dissonantie van het orkest.'

'Ja, Donald,' zo hoor je zijn vrouw zo ongeveer zeggen, 'en slik nu je tabletjes, lieverd.'

Gedurende twee koortsige alinea's gaat hij zo voort, en vervolgens begint hij opeens weer over afhangende bladoksels, schubbige knoppen en afhangende takjes. Ik begrijp hem volkomen. Toen ik de bovennatuurlijk heldere lucht van de top van de Killington bereikte, waar alle horizonnen baadden in herfstkleuren, merkte ik dat ik me moest beheersen om mijn armen niet te spreiden en los te barsten in een medley van melodieën van John Denver. (Daarom is het een verstandig idee om te wandelen met een ervaren metgezel en een welvoorziene EHBO-doos mee te nemen.)

Je leest af en toe over een of andere geleerde die eropuit getrokken is met het wetenschappelijk equivalent van een verfmonsterkaart, en die op de toon alsof hij een grote ontdekking heeft gedaan meedeelt dat de ahorns van Michigan en de eiken van de Ozarks nog diepere kleuren bereiken, maar zo iemand heeft dan totaal geen oog voor de speciale kwaliteiten die de herfst van New England zo uniek maken.

In de eerste plaats: het landschap van New England voorziet in een achtergrond waartegen geen andere streek van Noord-Amerika het kan opnemen. De zonnige witte kerkjes, de overdekte bruggen, keurige boerderijen en knusse dorpjes vormen een ideaal complement voor de rijke, aardse kleuren der natuur. Bovendien groeien hier veel meer verschillende bomen dan elders: eiken, beuken, espen, sumaks, vier ahornsoorten, en andere bijna ontelbare soorten vormen een contrast dat de zintuigen verdooft. En tot slot, wat het allerbelangrijkst is, hebben we hier in de herfst dat kortstondige, volmaakte evenwicht van klimaat, met knapperig koele nachten en warme, zonnige dagen, waardoor alle blad verliezende bomen tegelijkertijd een hoogtepunt bereiken. Vergis je dus niet. Gedurende enkele heerlijke dagen in elke oktobermaand is New England ontegenzeglijk de mooiste plek op aarde.

En het opmerkelijkste van alles is wel dat niemand precies weet waarom dat allemaal gebeurt.

In de herfst, zoals jullie je zullen herinneren van de biologielessen op school (of, als je die niet hebt gehad, van *Tomorrow's World*), bereiden bomen zich voor op hun lange winterslaap door geen chlorofyl meer aan te maken, de stof die hun bladeren groen maakt. De afwezigheid van chlorofyl geeft andere kleurstoffen, die aldoor al aanwezig waren in de bladeren, de kans een beetje op te scheppen. De carotenoïden zijn verantwoordelijk voor het geel en goud van berken, bitternoten, beuken en sommige eiken. En nu wordt het interessant. Om die gouden kleuren in stand te houden, moeten de bomen doorgaan de bladeren te voeden, al doen die dan niets nuttigs meer, behalve hangen en mooi zijn. Net op het moment dat een boom al zijn energie zou moeten sparen voor de volgende lente, besteedt hij veel van zijn krachten aan het voeden van een kleurstof die het hart van simpele zielen als mij vreugde schenkt, maar niets voor die boom terugdoet.

Nog raadselachtiger is dat sommige boomsoorten een stap verder gaan en, wat hun heel wat opofferingen kost, een ander soort stof aanmaken die anthocyanine heet, en die verantwoordelijk is voor de spectaculaire oranje en vuurrode kleuren die zo typerend zijn voor New England. Het is niet zo dat de bomen van New England meer van die anthocyaninen aanmaken, maar eerder dat het klimaat en de bodemgesteldheid van New England precies de juiste voorwaarden bieden voor dit soort kleuren. Waar het klimaat vochtiger of warmer is, doen de bomen diezelfde moeite – dat doen ze al jaren – zonder dat het iets oplevert. Niemand weet waarom de bomen tot die enorme inspanning overgaan als ze er helemaal niets voor terugkrijgen.

Maar nu komt het allergrootste mysterie. Elk jaar stappen letterlijk miljoenen mensen, door de plaatselijke bewoners vriendelijk als 'bladgluurders' aangeduid, in hun auto's, ze leggen grote afstanden af om naar New England te reizen en een paar weekends door te brengen met rondschuifelen in kunstnijverheidswinkels en etablissementen met namen als 'Norm's Antiques and Collectibles'.

Ik schat dat niet meer dan 0,05 procent van hen verder dan vijftig meter van hun auto afdwaalt. Wat een vreemd, onverklaarbaar ongeluk is dat, tot aan de rand van de volmaaktheid komen en die dan de rug toekeren.

Ze missen niet alleen de kruidige vreugden van het buitenleven – de frisse lucht, de welige, organische geuren, de onuitsprekelijke verrukking van wandelen door dikke lagen dor blad – maar ook het unieke genoegen van horen hoe de heuvels galmen van 'Take Me Home, Country Road', met luider stem gezongen met een aangenaam, heel apart Anglo-Iowa-accent. En dat, al zeg ik het zelf, is bepaald wel de moeite waard om je auto voor uit te komen.

Een licht ongemak

Ons onderwerp van vandaag is het gemak in Amerika, en het feit dat de dingen, hoe gemakkelijker ze zogenaamd worden, in werkelijkheid steeds ongemakkelijker worden. Ik moest daaraan denken (ik denk altijd, namelijk – werkelijk een wonder) toen ik laatst mijn jongere kinderen voor de lunch meenam naar een Burger King, en er een rij van een stuk of tien auto's stond bij het doorrijloket. Nu is het doorrijloket niet, ondanks zijn veelbelovende naam, een loket waar je doorheen rijdt, maar een loket waar je naartoe rijdt om je eten op te halen, nadat je je bestelling onderweg via een telefoon hebt opgegeven. De bedoeling is snel te voorzien in meeneemvoer voor mensen die haast hebben.

We parkeerden, gingen naar binnen, bestelden en aten, alles binnen ongeveer tien minuten. Toen we vertrokken, viel het me op dat een witte pick-up, die als laatste in de rij had gestaan toen we aankwamen, nog steeds vier of vijf auto's verwijderd was van de plaats waar hij zijn eten in ontvangst kon nemen. Het zou veel sneller voor de chauffeur zijn geweest als hij net als wij had geparkeerd, naar binnen was gegaan en zelf zijn eten had opgehaald, maar dat zou nooit bij hem zijn opgekomen, want het doorrijloket *hoort* sneller en gemakkelijker te zijn.

Jullie begrijpen natuurlijk waar ik naartoe wil. De Amerikanen zijn zozeer gehecht geraakt aan het idee 'gemak', dat ze zich bij vrijwel elk ongemak lijken neer te leggen teneinde dat gemak te bereiken. Het is idioot, dat weet ik, maar zo is het nu eenmaal. De dingen die bedoeld zijn om ons leven te versnellen en te vereenvoudigen, hebben meestal in werkelijkheid een tegengesteld effect, en dat zette me aan het denken (zien jullie wel, daar ga ik weer) over de vraag waarom dat zo zou zijn.

Amerikanen hebben altijd op een eigenaardige manier geloofd in de gedachte van hulpverlenend gemak. Het is een interessant gegeven dat vrijwel elke alledaagse uitvinding die de worsteling uit het leven verwijdert – roltrappen, automatische deuren, liften, koelkasten, wasmachines, diepvriesvoedsel, fastfood – uit Amerika stamt, of althans daar voor het eerst algemeen ingang heeft gevonden. De Amerikanen zijn zo gewend geraakt aan een gestage stroom van arbeidsbesparende ontwikkelingen dat ze, omstreeks de jaren zestig van de twintigste eeuw, waren gaan verwachten dat machines zo ongeveer alles voor hen zouden doen.

Ik herinner me het moment dat ik me voor het eerst realiseerde dat dit niet noodzakelijkerwijs een goed idee was, namelijk met Kerstmis 1961 of '62, toen mijn vader een elektrisch voorsnijmes cadeau kreeg. Het was een vroeg model, en nogal indrukwekkend. Misschien houdt mijn herinnering me voor de gek, maar ik zie duidelijk voor me hoe mijn vader een stofbril opzette en zware rubberhandschoenen aantrok voordat hij de stekker in het stopcontact stak. Vast staat dat, toen hij het mes in de kalkoen stak, de vogel niet zozeer in stukken gesneden werd, maar in kleine stukjes de lucht in vloog, als een soort vlezige witte hagel, voordat het lemmet de schaal raakte in een regen van blauwe vonken, en dat het hele ding uit zijn handen schoot en van de tafel glibberde, de kamer uit, als een wezen uit een Gremlins-film. Ik geloof niet dat we het ding ooit nog gezien hebben, al hoorden we het soms laat in de nacht tegen tafelpoten bonken.

Als de meeste vaderlandslievende Amerikanen kocht mijn

vader eeuwig gadgets die rampzalig bleken – kledingstomers die geen kreukels uit kostuums haalden, maar wel het behang in vellen van de muren lieten vallen, een elektrische potloodslijper die in nog geen seconde een compleet potlood (inclusief de metalen dop en je vingertoppen als je niet heel snel was) kon verteren, een *waterpick* (voor de onwetenden onder jullie: een apparaat waaruit met kracht water spuit om je tanden te reinigen) die zo beweeglijk was dat twee mensen hem moesten vasthouden en die de badkamer achterliet als het inwendige van een wastunnel bij een tankstation, en nog veel meer.

Maar dat alles was niets vergeleken met de situatie van tegenwoordig. De Amerikanen zijn nu tot in het krankzinnige omringd door voorwerpen die dingen voor hen doen – automatische kattenvoerbakjes, elektrische vruchtenpersen en blikopeners, koelkasten die hun eigen ijsblokjes maken, automatische autoraampjes, wegwerptandenborstels die je koopt met de tandpasta al op zijn plaats. De mensen zijn zo verslaafd aan gemak dat ze gevangenzitten in een vicieuze cirkel: hoe meer arbeidsbesparende apparaten ze aanschaffen, des te harder moeten ze werken; hoe harder ze werken, des te meer arbeidsbesparende apparaten ze denken nodig te hebben.

Er is niets, hoe lachwekkend ook, dat in Amerika geen enthousiast publiek krijgt zolang het maar belooft te voorzien in enige bevrijding van inspanning. Laatst zag ik een advertentie voor een 'verlicht, ronddraaiend dassenrekje', 39,95 dollar. Je drukt op een knop en het ding laat je al je dassen zien, wat je de uitputtende beproeving van kiezen met de hand bespaart.

Ons huis in New Hampshire zat vol apparatuur die door eerdere eigenaars was geïnstalleerd, allemaal bedoeld om het leven een klein beetje gemakkelijker te maken. Tot op zekere hoogte zijn er een paar die dat inderdaad doen (mijn favoriet is natuurlijk de afvalvernietiger), maar de meeste zijn alleen maar op een rare manier nutteloos. Een van onze kamers bijvoorbeeld was uitgerust met automatische gordijnen. Je draait een knop aan de wand om, en vier stel gordijnen gaan moeiteloos open of dicht. Althans, dat is de bedoeling. In de praktijk gaat het zo: één stel gordijnen gaat open, een ander stel gaat dicht, weer een ander gaat herhaaldelijk open en dicht en eentje doet gedurende vijf minuten helemaal niets en begint dan te roken. Na de eerste week hebben we ze gemeden als de pest.

Iets anders wat we geërfd hebben is een automatische garagedeuropener. In theorie klinkt dat prachtig en zelfs nogal chic. Je rijdt de oprit op, drukt op een knop van de afstandsbediening en dan, afhankelijk van je gevoel voor timing, rij je vlot de garage binnen, of je neemt het onderste paneel van de deur mee. Dan druk je weer op de knop en de deur sluit zich achter je, en iedereen die voorbij komt wandelen denkt: 'Wow! Chique vent!'

In werkelijkheid, zo heb ik ontdekt, wil onze garagedeur alleen dicht als hij er zeker van is een driewieler te kunnen mangelen of een hark te vernielen, en eenmaal gesloten weigert hij open te gaan, tenzij ik op een stoel ga staan en met een schroevendraaier en hamer iets driftigs uithaal bij de controledoos, en ten slotte de reparateur van garagedeuren bel, een man die Jake heet en die regelmatig met vakantie naar de Malediven gaat sinds wij bij hem klant zijn geworden. Ik heb meer geld aan Jake uitgegeven dan ik in de eerste vier jaar na mijn studie heb verdiend, en nog steeds heb ik geen garagedeur waarop ik kan rekenen.

Jullie begrijpen dus wat ik bedoel. Automatische gordijnen en garagedeuren, elektrische kattenvoerbakjes en ronddraaiende dassenrekjes *lijken* het leven alleen maar gemakkelijker te maken. Het enige wat ze in werkelijkheid doen is je leven duurder en ingewikkelder maken.

En hier vinden we onze twee belangrijke lessen voor heden. In de eerste plaats: vergeet nooit dat de eerste lettergreep van 'convenience' (gemak) 'con' (bedrieger) luidt. En ten tweede: stuur je kinderen naar de school voor garagedeurreparateurs.

Doe me maar een proces aan

Ik heb een vriend in Groot-Brittannië, een academicus, die onlangs benaderd is door advocaten van een Amerikaans bedrijf met de vraag of hij wilde optreden als getuige-deskundige voor een rechtszaak die zij behandelden. Ze zeiden dat ze de belangrijkste jurist en twee assistenten naar Londen wilden laten overvliegen om met hem te praten.

'Zou het niet eenvoudiger zijn als ik in plaats daarvan naar New York kom vliegen?' zei mijn vriend.

'Dat wel,' kreeg hij onmiddellijk te horen, 'maar op deze manier kunnen we de cliënt de kosten van drie vliegreizen berekenen.'

En daaraan kun je zien hoe de Amerikaanse juridische geest werkt.

Ik betwijfel niet dat een groot aantal Amerikaanse juristen – nou ja, minstens twee – fantastisch nuttige dingen doen die volkomen rechtvaardigen dat ze hun cliënten 150 dollar per uur rekenen, wat naar ik begrepen heb het gebruikelijke tarief in dit land is. Het probleem is echter dat er te veel van hen zijn. Het is namelijk zo – en dat is een zeer ontnuchterend statistisch gegeven – dat de Verenigde Staten meer advocaten hebben dan de hele rest van de wereld samen: bijna 800 000, vergeleken met een toch al riant aantal van 260 000 in 1960. Wij kunnen ons nu beroemen op 300 advocaten op elke 100 000 inwoners. Groot-Brittannië daarentegen heeft er 82, Japan slechts elf.

En al die advocaten moeten natuurlijk wat te doen hebben. De meeste staten staan advocaten toe te adverteren, en veel van hen doen dat dan ook, met groot enthousiasme. Je kunt geen halfuur televisie kijken zonder minstens één reclamespot waarin een oprecht uitziende advocaat zegt: 'Hi, ik ben Vinny Slick van Bent & Oily Law Associates. Als je een verwonding hebt opgelopen op je werk, of een verkeersongeluk hebt gehad, of gewoon zin hebt in wat extra geld, kom dan naar mij toe, dan vinden we wel iemand die we een proces kunnen aandoen.'

Amerikanen doen je, zoals algemeen bekend is, om de geringste aanleiding een proces aan. Misschien is er zelfs ergens iemand die een proces heeft aangespannen om een geringste aanleiding, en 20 miljoen dollar heeft geïncasseerd voor de pijn en het leed dat daardoor veroorzaakt is. Het is echt zo dat men denkt dat wanneer er iets misgaat, om welke reden ook, en jij ergens in de buurt bent, dat je dan een lading geld hoort te krijgen.

Dat is een paar jaar geleden fraai geïllustreerd toen in een chemische fabriek in Richmond, Californië, een explosie plaatsvond waardoor schadelijke gassen zich over de stad verspreidden. Binnen enkele uren arriveerden tweehonderd advocaten en hun vertegenwoordigers in de opgewonden gemeenschap, waar ze hun kaartjes uitdeelden en de mensen adviseerden een bezoek aan het plaatselijke ziekenhuis te brengen. Twintigduizend inwoners deden dat maar al te graag.

Nieuwsopnamen van die gebeurtenissen wekken de indruk van een soort feestje in de openlucht. Van de twintigduizend tevreden, glimlachende, zo te zien kerngezonde mensen die voor onderzoek in de rij stonden voor de EHBO-afdeling van het ziekenhuis, zijn er slechts twintig in het ziekenhuis opgenomen. Hoewel het aantal aangetoonde gevallen van schade dus gering was, op zijn zachtst gezegd, hebben zeventigduizend inwoners – praktisch alle burgers van het stadje – een schadeclaim ingediend. Het bedrijf heeft toegestemd in een schikking van 180 miljoen dollar. Daarvan hebben de advocaten 40 miljoen dollar geïncasseerd.

Elk jaar worden meer dan negentig miljoen processen aangespannen in dit uitzonderlijk procedeerzieke land – dat wil zeggen één proces op elke tweeënhalve inwoner – en veel daarvan zou men, als men zich vriendelijk wil uitdrukken, ambitieus kunnen noemen. Terwijl ik dit schrijf, vervolgen twee ouders in Texas de honkbalcoach van een middelbare school omdat hij hun zoon tijdens een wedstrijd als reserve had opgesteld, en ze claimen vernedering en ernstige emotionele schade. In de staat Washington doet intussen een man met een hartkwaal de plaatselijke melkfabriek een proces aan 'omdat hun melkpakken hem niet gewaarschuwd hebben voor de cholesterol'. Ik ben ervan overtuigd dat jullie gelezen hebben over de vrouw in Californië die de Walt Disney Corporation vervolgt nadat zij en haar gezin overvallen waren op een parkeerplaats bij Disneyland. Een belangrijk onderdeel van de aanklacht was dat haar kleinkinderen een schok en een trauma hadden opgelopen toen men hen achter de coulissen meenam om te troosten en zij zagen hoe Disney-personages hun kostuums uittrokken. De ontdekking dat Mickey Mouse en Goofy eigenlijk gewone, verklede mensen waren, was kennelijk te veel geweest voor de arme kleintjes.

Die rechtszaak is van de hand gewezen, maar elders hebben mensen geldbedragen toegewezen gekregen die in geen enkele verhouding stonden met de pijn of het verlies dat ze hadden geleden. Onlangs is er een beruchte zaak geweest waarbij een hoge medewerker van een brouwerij in Milwaukee aan een vrouwelijke collega de gewaagde plot van een Seinfeld-televisieshow had verteld; zij had daar aanstoot aan genomen en hem aangegeven wegens seksuele overlast. De brouwerij reageerde door de man te ontslaan, waarop hij weer reageerde door de brouwerij een proces aan te doen. Nu weet ik niet wie wat verdiende in deze zaak – eerlijk gezegd vind ik dat ze allemaal een flink pak op hun broek zouden moeten krijgen – maar uiteindelijk heeft die ontslagen man een schadevergoeding van 26,6 miljoen dollar gekregen, ongeveer 400 000 maal zijn jaarsalaris, door toedoen van een meelevende (dat wil zeggen: getikte) jury.

Naast het idee dat een proces een manier is om snel rijk te worden, zien we het interessante en typisch Amerikaanse denkbeeld dat wát er ook gebeurt, iemand anders verantwoordelijk gesteld moet worden. Als je bijvoorbeeld tachtig sigaretten per dag rookt, vijftig jaar lang, en ten slotte kanker krijgt, dan moet dat de schuld van alle anderen zijn, maar niet van jou, en je procedeert niet alleen tegen de fabrikant van je sigaretten, maar ook tegen de groothandelaar, de winkeliers, de vervoersonderneming die de sigaretten bij de winkelier heeft afgeleverd, enzovoort. Een van de merkwaardigste trekjes van het Amerikaanse rechtsstelsel is dat het aanklagers toestaat mensen en bedrijven te vervolgen die slechts zijdelings te maken hebben met de zogenaamde klacht.

Vanwege de manier waarop het systeem werkt (of juister gezegd: niet werkt), is het voor een bedrijf of instelling vaak minder kostbaar de zaak te schikken dan het op een proces te laten aankomen. Ik ken een vrouw die uitgegleden en gevallen was toen ze op een regenachtige dag een warenhuis binnenging, en die tot haar verbazing en vreugde min of meer onmiddellijk een schikking van 2500 dollar aangeboden kreeg als ze haar handtekening op een papiertje zette dat ze geen rechtszaak zou beginnen. Die handtekening heeft ze gezet.

Dit alles kost de maatschappij waanzinnige bedragen – op zijn minst enkele miljarden dollars per jaar. Alleen al New York City geeft 200 miljoen dollar per jaar uit aan schikkingen bij claims wegens 'slippen en vallen' – mensen die struikelen over trottoirbanden en dergelijke. Volgens een recente documentaire van ABC Television over het dolgedraaide Amerikaanse rechtsstelsel betalen consumenten in de Verenigde Staten vanwege de krankzinnig hoge aansprakelijk-heidskosten voor producten 500 dollar meer dan nodig voor elke auto die ze kopen, 100 dollar meer voor footballhelmen en 3000 dollar meer voor pacemakers. Volgens die docu-mentaire betalen ze zelfs een beetje meer voor haarknippen omdat een of twee ontevreden klanten met succes hun kap-per hebben vervolgd vanwege het gênant korte kapsel dat ik altijd als vanzelfsprekend heb aanvaard. Dat alles heeft mij natuurlijk op een idee gebracht. Ik ben van plan tachtig sigaretten te gaan roken, vervolgens glijd ik uit en val ik, terwijl ik melk met een hoog cholesterolgehal-te drink en de plot van een Seinfeld-show vertel aan een vrouwspersoon dat langskomt bij Disneyland, en dan bel ik Vinny Slick om te zien of we een deeltje kunnen maken. Ik ben niet bereid tot een schikking voor minder dan 2,5 mil-jard dollar – en dan hebben we het nog niet eens over mijn laatste bezoek aan de kapper gehad.

Het heerlijke binnenleven

Ik ging laatst een eind wandelen, en toen werd ik door iets merkwaardigs getroffen. Het was een prachtige dag – mooier kun je je niet voorstellen, en waarschijnlijk de laatste van dien aard die we zullen zien gedurende menige lange wintermaand hier in de omgeving – en toch had bijna elke auto die langskwam de raampjes gesloten.

Al die chauffeurs hadden hun autothermostaat zo afgesteld dat binnen hun afgesloten voertuig precies dezelfde temperatuur heerste als in de wereld daarbuiten, en ik bedacht dat Amerikanen, waar het om frisse lucht gaat, een beetje gek zijn geworden, of hun gevoel voor verhoudingen zijn kwijtgeraakt, of wat dan ook.

O ja, af en toe gaan ze weleens de deur uit voor de nieuwe ervaring van buitenshuis zijn – ze gaan bijvoorbeeld picknicken, of een dagje naar het strand, of naar een groot pretpark – maar dat zijn uitzonderlijke gebeurtenissen. Over het geheel genomen hebben de meeste Amerikanen zozeer de reflex ontwikkeld dat ze hun leven moeten doorbrengen in een reeks omgevingen waar het klimaat geregeld is, dat de mogelijkheid van een alternatief niet meer bij hen opkomt.

Dus doen ze boodschappen in afgesloten winkelcentra, en ze rijden daarheen met de autoraampjes dicht en de airconditioning aan, zelfs bij schitterend weer, zoals op die dag. Ze werken op kantoren waar ze de ramen niet eens zouden kunnen openzetten als ze dat wilden – alleen zou natuurlijk niemand dat willen. Als ze met vakantie gaan, doen ze dat vaak in een enorme camper waardoor ze het heerlijke buitenleven kunnen beleven zonder zichzelf daaraan bloot te stellen. Wanneer ze naar een sportwedstrijd gaan, vindt die steeds vaker plaats in een overdekt stadion. Als je tegenwoordig door een willekeurige Amerikaanse woonwijk loopt, zie je geen kinderen die fietsen of honkbal spelen, want ze zitten allemaal binnen. Het enige geluid dat je hoort is het eentonige zoemen van airco's.

Steden overal in het land bouwen tegenwoordig wat men 'skywalks' noemt – overdekte viaducten voor voetgangers, airconditioned natuurlijk – die alle gebouwen in het centrum met elkaar verbinden. In mijn geboortestad Des Moines in Iowa is de eerste skywalk ongeveer vijfentwintig jaar geleden gebouwd tussen een hotel en een warenhuis, en dat was zo'n succes dat andere stadsontwikkelaars spoedig dat voorbeeld hebben gevolgd. Nu kun je een kilometer of meer in het centrum lopen, in elke richting, zonder ooit een voet buiten de deur te zetten. Alle winkels die vroeger op straatniveau lagen, zijn naar de eerste verdieping verhuisd, want daar vindt nu het voetgangersverkeer plaats. De enige mensen die je ooit op straatniveau in Des Moines ziet, zijn dronkenlappen en kantoormensen die buiten een sigaretje roken. Het buitenleven is namelijk een soort vagevuur geworden, een oord waarheen je verbannen wordt.

Er zijn zelfs clubs van kantoorpersoneel, mensen die een sweatshirt aantrekken en hun lunchpauze gebruiken om stevig en gezond te joggen via een vaste route over de skywalks. Het zou nooit bij hen opkomen zoiets buiten in de openlucht te doen. Overeenkomstige clubs, meestal bestaande uit oudere personen, kun je in vrijwel elk winkelcentrum in het land aantreffen. Dat zijn mensen, zo moeten jullie begrijpen, die elkaar in winkelcentra ontmoeten, niet om te winkelen, maar voor hun dagelijkse lichaamsbeweging.

De laatste keer dat ik in Des Moines was, kwam ik een oude vriend van de familie tegen. Hij was gekleed in een sweatshirt en vertelde me dat hij net van een bijeenkomst van de Valley West Mall Hiking Club kwam. Het was een stralende aprildag, en ik vroeg waarom de club geen gebruik maakte van een van de grote, mooie parken.

'Geen regen, geen kou, geen hellingen, geen overvallers,' antwoordde hij zonder enige aarzeling.

'Maar in Des Moines zijn toch geen overvallers,' merkte ik op.

'Dat klopt,' gaf hij meteen toe, 'en weet je ook waarom? Omdat er niemand buiten is die overvallen kan worden.' Hij knikte daar nadrukkelijk bij, alsof ik daar niet aan had gedacht, wat inderdaad zo was.

De apotheose van deze vreemde beweging zou weleens het Opryland Hotel in Nashville, Tennessee, kunnen zijn, waar ik ongeveer een jaar geleden geweest ben in opdracht van een tijdschrift. Het Opryland Hotel is een uitzonderlijk geval. Om te beginnen is het enorm groot en lelijk op een bijna verrukkelijke manier – een soort combinatie van *Gone with the Wind* en Graceland en Mall of America.

Maar het Opryland onderscheidt zich bovenal doordat het een totale-binnenshuis-ervaring is. In het midden bevinden zich drie enorme pleinen met een glazen dak, vijf tot zes verdiepingen hoog, met een oppervlakte van in totaal 36 000 vierkante meter, die alle voordelen van het buitenleven biedt zonder een van de ongemakken. Die 'interieurschappen', zoals het hotel ze noemt, zitten vol tropisch gebladerte, volwassen bomen, watervallen, beekjes, 'openlucht'-restaurants en -cafés en wandelpaden op allerlei niveau. Het effect herinnert opvallend aan illustraties die je in de jaren vijftig zag in sf-tijdschriften, over hoe het leven eruit zou zien in een ruimtekolonie op Venus (of althans hoe het eruit zou zien als al die ruimtekolonisten te dikke, middelbare Amerikanen op Reeboks en met honkbalpetjes zouden zijn, die hun leven doorbrengen met het eten van dingen die ze in hun hand vasthouden).

Kortom, het is een vlekkeloze, aseptische, zelfstandige wereld met een volmaakt, steeds identiek klimaat en zonder vogels die rommel maken, hinderlijke insecten, regen, wind en elke vorm van werkelijkheid.

Op mijn eerste avond, toen ik wilde vluchten voor de troepen schuifelende mensen en weleens wilde zien hoe het weer terug op aarde was, stapte ik naar buiten om een wandeling door de tuin te maken. En zal ik jullie eens wat vertellen? Er was geen tuin – alleen eindeloze parkeerterreinen, golvend door het landschap zo ver het oog reikte, in vrijwel alle richtingen. Aan de overkant, op een afstand van hooguit een paar honderd meter, lag het Opryland Amusement Park, maar daar kon je op geen enkele manier te voet binnenkomen. De enige toegangsroute, zo ontdekte ik door te vragen, was voor drie dollar een kaartje kopen en in een bus met airco stappen voor een ritje van vijfenveertig seconden naar de ingang.

Behalve als je wilde rondlopen tussen duizenden geparkeerde auto's kon je nergens een luchtje scheppen of de benen strekken. Bij Opryland is het buitenleven naar binnen verplaatst, en dat, zo realiseerde ik me huiverend, is zoals vele miljoenen Amerikanen het zouden willen voor het hele land, als dat mogelijk was.

Terwijl ik daar stond, liet een vogel op de punt van mijn linkerschoen iets vallen wat je meestal niet waardeert, een vogelpoepje. Ik keek van de hemel naar mijn schoen en toen weer naar de hemel.

'Dank je,' zei ik, en ik geloof dat ik het echt meende.

Een bezoek aan de kapper

Jullie moeten weten dat ik in het bezit van heel vrolijk haar ben. Hoe kalm en beheerst ik voor het overige ook ben, hoe ernstig en formeel de situatie ook is – mijn haar viert altijd feest. Op elke groepsfoto kun je mij onmiddellijk aanwijzen, want ik ben die persoon achteraan wiens haar, op zijn eigen manier, lijkt te luisteren naar een discoplaat met de titel *Dance Craze '97.*

Om de zoveel tijd neem ik, met akelige voorgevoelens, dat haar van me mee naar de kapper in het stadje en laat ik een van de mannen daar er een tijdje mee spelen. Ik weet niet waarom, maar als ik naar de kapper ga, word ik altijd een doetje. Als ik een cape omgelegd krijg en ze mijn bril afzetten, en als mijn hoofd vervolgens met scherpe gereedschappen wordt bewerkt, voel ik me hulpeloos en onzeker.

Ik bedoel, daar zit je dan, zonder armen en knipperend met je ogen, en een of andere vent die je niet kent, is bezig ernstige, en vrijwel zeker betreurenswaardige dingen te doen met de bovenkant van je hoofd. Ik moet inmiddels wel zo'n tweehonderdvijftig keer van mijn leven mijn haar hebben laten knippen, en als ik één ding geleerd heb, dan is het dat een kapper je haar knipt zoals hij dat wil, en daar valt niets tegen te doen.

Die hele ervaring zit voor mij dus vol met traumatische aspecten. Dat wordt nog verhevigd door het feit dat ik altijd de kapper krijg die ik hoopte niet te krijgen – meestal die nieuwe die ze 'Kluns' noemen. Ik vrees bovenal het moment wanneer hij je een stoel heeft aangewezen en jullie tweeën samen staren naar de hopeloze catastrofe die de bovenkant van je hoofd is, en hij zorgwekkend gretig zegt: 'En, wat wilt u dat ik hiermee doe?'

'Gewoon een beetje bijknippen,' zeg ik, hem aanziend met roerende hoop, al weet ik dan al dat hij denkt in termen van een extravagant wijde coupe en met mousse verstevigde lokken, met misschien een pony van dansende krulletjes. 'U weet wel, een beetje anoniem en fatsoenlijk – als een bankier of boekhouder.'

'Ziet u hier misschien iets bij wat u aanstaat?' zegt hij, wijzend op een muur vol oude zwart-witfoto's van glimlachende mannen met kapsels die afgekeken lijken te zijn van personages uit de *Thunderbirds*.

'Eigenlijk zou ik liever iets minder nadrukkelijks willen.'

'Met andere woorden, meer natuurlijk?'

'Precies.'

'Zoals mijn haar, bijvoorbeeld?'

Ik kijk even naar de kapper. Zijn haar herinnert me aan een vliegdekschip dat door woelige zeeën vaart, of misschien aan een extravagant voorbeeld van vormsnoeierij.

'Eigenlijk nog wat bescheidener,' zeg ik nerveus.

Hij knikt nadenkend, op een manier die me doet beseffen dat we ons niet eens in hetzelfde universum bevinden wat betreft voorkeur voor haarstijl, en dan zegt hij plotseling en overtuigd: 'Ik weet precies wat u bedoelt. Dat noemen wij de Wayne Newton.'

'Dat is eigenlijk niet precies waar ik aan dacht,' begin ik te protesteren, maar hij duwt mijn kin al naar beneden en grijpt naar zijn schaar.

'Dat is een heel populaire stijl – alle leden van het kegelteam hebben ervoor gekozen,' zegt hij, en met een motorisch gezoem begint hij haar van mijn hoofd te verwijderen alsof hij behang van de muren haalt.

'Ik wil echt geen Wayne Newton-kapsel,' mompel ik ontstemd, maar mijn kin is tegen mijn borstkas gedrukt, en trouwens, mijn stem gaat ten onder in het zoemen van zijn dansende clipper. En zo zit ik daar gedurende een kleine, martelende eeuwigheid, starend naar mijn schoot, onder strenge instructies me niet te verroeren, luisterend naar angstaanjagende snijapparaten die over mijn hoofdhuid gaan. Uit mijn ooghoek kan ik grote hoeveelheden afgeknipt haar op mijn schouders zien vallen.

'Niet al te kort,' blaat ik van tijd tot tijd, maar hij is verwikkeld in een levendig gesprek met de kapper en de klant in de stoel naast me, over de vooruitzichten van het basketbalteam de Chicago Bulls, en wijdt zijn aandacht slechts af en toe aan mij en mijn hoofd, meestal om te mompelen: 'Verdorie', of 'O jee'.

Ten slotte rukt hij mijn hoofd weer omhoog en zegt: 'Wat dacht u van de lengte?'

Ik tuur in de spiegel, maar zonder bril zie ik alleen iets als een roze ballon in de verte. 'Ik weet het niet,' zeg ik. 'Het lijkt me wel erg kort.'

Het valt me op dat hij ongelukkig tuurt naar alles boven mijn wenkbrauwen. 'Hadden we nou een Paul Anka afgesproken of een Wayne Newton?' vraagt hij.

'Nou, eigenlijk geen van beide,' zeg ik, blij dat ik eindelijk de kans krijg dit recht te zetten. 'Ik wilde alleen wat bescheiden bijknippen.'

'Mag ik wat vragen?' zegt hij. 'Hoe snel groeit uw haar?'

'Niet erg snel,' zeg ik, en ik tuur met meer inspanning naar de spiegel, maar ik kan nog steeds niets onderscheiden. 'Hoezo, zijn er problemen?'

'O nee,' zegt hij, maar op de manier die 'O ja' betekent. 'Nee, het is prima,' vervolgt hij. 'Alleen lijk ik van de linkerkant van uw hoofd een Paul Anka gemaakt te hebben, en van de rechter een Wayne Newton. Mag ik u iets anders vragen: Hebt u een grote hoed?'

'Wat hebt u dan gedaan?' vraag ik, toenemend ontsteld, maar hij is al verdwenen om zijn collega's te consulteren. Ze kijken naar me zoals men naar een slachtoffer van een verkeersongeluk kijkt, en overleggen op fluistertoon.

'Ik geloof dat het ligt aan die antihistamine die ik slik,' hoor ik Kluns treurig tegen hen zeggen.

Een van de collega's komt dichterbij om goed te kijken, en zegt dat het niet zo rampzalig is als het lijkt. 'Als je hier achter het linkeroor wat haar neemt,' zegt hij, 'en via zijn achterhoofd over zijn andere oor hangt, en misschien nog wat hiervan naar daar verplaatst, dan kun je er een aangepaste Barney Rubble van maken.' Hij wendt zich tot mij. 'Moet u de komende paar weken veel uit, meneer?'

'Zei u Barney Rubble?' jammer ik ontzet.

'Tenzij u een Hercule Poirot wilt,' stelt de andere kapper voor.

'Hercule Poirot?' jammer ik opnieuw.

Ze laten het aan Kluns over om te doen wat hij kan. Na nogmaals tien minuten overhandigt hij me mijn bril, en mag ik opkijken. In de spiegel word ik geconfronteerd met een beeld dat me herinnert aan een schuimgebakje met oren. Boven mijn schouder staat Kluns trots te glimlachen.

'Toch nog aardig goed geworden, nietwaar?' zegt hij.

Ik kan niets uitbrengen. Ik overhandig hem een fors bedrag en struikel de winkel uit. Ik loop naar huis met opgezette kraag en opgetrokken schouders.

Thuis werpt mijn vrouw één blik op me. 'Heb je iets gezegd waardoor ze in de war zijn geraakt?' vraagt ze oprecht verwonderd.

Ik haal hulpeloos mijn schouders op. 'Ik heb tegen hem gezegd dat ik eruit wilde zien als een bankier.'

Ze slaakt een zucht zoals alle vrouwen ooit zullen zuchten. 'Nou ja, het rijmt er tenminste op,' zegt ze, raadselachtig als zo vaak, en ze loopt weg om de grote hoed te halen.

Boekentournees

Deze maand is het tien jaar geleden dat ik een telefoontje kreeg van een Amerikaanse uitgever dat ze zojuist een van mijn boeken hadden aangekocht, en dat ze me voor drie weken op tournee zouden sturen, langs zestien steden. 'We gaan een mediaster van je maken,' zei hij opgewekt. 'Maar ik ben nog nooit op tv geweest,' protesteerde ik, lichtelijk in paniek. 'O, dat is zó gemakkelijk. Je zult het heerlijk vinden,' zei hij met de onbezorgde zekerheid van iemand die het niet zelf hoeft te doen. 'Nee, dat wordt iets vreselijks,' hield ik vol. 'Ik heb geen persoonlijkheid.' 'Maak je geen zorgen, we zullen je een persoonlijkheid *geven*. We laten je naar New York overkomen voor een cursus mediatraining.'

Mijn hart zonk me in de schoenen. Het voelde allemaal heel omineus aan. Voor eerst sinds ik in 1961 per ongeluk de garage van een buurman in de fik had gestoken, begon ik serieus te denken over de mogelijkheid van plastische chirurgie en een nieuw leven in Midden-Amerika.

Dus vloog ik naar New York, en daar bleek die mediatraining minder erg dan ik gevreesd had. Ik werd overgeleverd aan een vriendelijke, geduldige man die Bill Parkhurst heette, en die twee dagen met me ging zitten in een studio zonder ramen, ergens in Manhattan, en me onderwierp aan een eindeloze reeks nep-interviews.

Hij zei dingen als: 'Oké, nu gaan we een interview van drie minuten doen met een vent die je boek pas tien seconden geleden heeft gezien en niet weet of het een kookboek is of een boek over gevangenishervormingen. Bovendien is deze vent een beetje dom, en hij zal je vaak in de rede vallen. Oké, daar gaan we.'

Dan klikte hij met zijn stopwatch en dan deden we een interview van drie minuten. En dan deden we het nog eens. En nog eens. En zo ging het door, twee dagen lang. Tegen de middag van de tweede dag moest ik mijn tong met mijn vingers terug in mijn mond stoppen. 'Nu weet je hoe je je zult voelen omtrent de tweede dag van je tournee,' zei Parkhurst opgewekt.

'En hoe is het na eenentwintig dagen?' vroeg ik.

Parkhurst glimlachte. 'Je zult het zalig vinden.'

Tot mijn verbijstering had hij het bijna bij het goede eind. Boekentournees zijn inderdaad wel leuk. Je wordt ondergebracht in goede hotels, je wordt overal naartoe gereden in grote zilverkleurige automobielen, je wordt behandeld alsof je veel belangrijker bent dan in werkelijkheid, je mag driemaal per dag steak eten op andermans kosten, en je mag eindeloos over jezelf praten, weken achtereen. Beantwoordt dat aan je stoutste dromen of niet?

Het was een volkomen nieuwe wereld voor me. Zoals jullie je zullen herinneren als jullie deze columns uit je hoofd hebt geleerd: toen ik een jongen was, nam mijn vader ons altijd mee naar de goedkoopst denkbare motels – van het soort dat het Bates Motel uit *Psycho* heel apart en wel ingericht doet lijken – dus was dit een heerlijke nieuwe ervaring voor me. Ik had nooit eerder in een echt chic hotel gelogeerd, nooit iets besteld via de roomservice, nooit gevraagd om de diensten van een conciërge of huisknecht, nooit een portier een fooi gegeven. (Nog steeds niet trouwens, nu ik erover nadenk.)

De grote openbaring was voor mij de roomservice. Ik was opgegroeid met de gedachte dat bestellen via de roomservice het toppunt van luxe was – iets wat gebeurde in films met Cary Grant, maar niet in de wereld die ik kende – dus toen een publiciteitspersoon voorstelde dat ik daarvan gebruik maakte, sprong ik er bovenop. Zodoende heb ik iets ontdekt wat jullie ongetwijfeld al weten: roomservice is *vreselijk*.

Ik heb minstens tien keer een roomservice-maaltijd besteld in hotels overal in de Verenigde Staten, en het was altijd even ellendig. Het duurde uren voordat het eten kwam, en het was steeds koud en leerachtig. Ik werd altijd gefascineerd door de inspanningen die men zich had getroost voor de presentatie – het witte tafellaken, het vaasje met een roos erin, het vertoon waarmee een koepelvormig zilveren deksel van elke schotel werd verwijderd – en hoe weinig aandacht men had besteed aan manieren om het eten warm en smakelijk te houden.

In het Huntington Hotel in San Francisco, dat herinner ik me heel goed, verwijderde de ober zwierig een zilveren deksel om een kom met wit spul te onthullen.

'Wat is dat?' vroeg ik.

'Vanille-ijs, geloof ik, meneer,' antwoordde hij.

'Maar het is gesmolten,' zei ik.

'Ja, inderdaad,' knikte hij. 'Eet smakelijk,' voegde hij daaraan toe met een buiging. Hij stak mijn fooi in zijn zak en trok zich terug.

Natuurlijk bestaat zo'n tournee niet alleen uit rondhangen in chique hotelkamers, tv kijken en gesmolten ijs eten. Je moet ook interviews geven – heel veel interviews, meer dan je je kunt voorstellen, vaak van voor zonsopgang tot na middernacht – en je moet daartussenin werkelijk krankzinnig veel reizen. Omdat er zoveel schrijvers zijn die hun boeken aan de man proberen te brengen – in drukke tijden wel tweehonderd, heb ik gehoord – en slechts een beperkt aantal radio- en tv-programma's waarin je kunt optreden, kun je gestuurd worden naar elke stad die een gaatje voor je heeft. Gedurende een periode van vijf dagen vloog ik van San Francisco naar Atlanta naar Chicago naar Boston en weer terug naar San Francisco. Ik ben een keer van Denver naar Colorado Springs gevlogen voor een interview van dertig seconden dat – ik zweer het – als volgt ging:

Interviewer: 'Onze gast van vandaag is Bill Bryson. Jij hebt dus een nieuw boek gepubliceerd, Bill?'

Ik: 'Dat klopt.'

Interviewer: 'Nou, dat is schitterend. Hartelijk dank voor je komst. Onze gast van morgen is dokter Milton Greenberg, die een boek over bedplassen heeft geschreven met de titel *Tears at Bedtime.*'

In drie weken tijd heb ik meer dan tweehonderdvijftig interviews van een of ander type gegeven, en nimmer kwam ik iemand tegen die mijn boek had gelezen of ook maar enig idee had wie ik was. Bij één radiozender bedekte de interviewer de microfoon met zijn hand, vlak voordat de uitzending begon, met de woorden: 'Vertel me even, ben jij de vent die ontvoerd was door buitenaardse wezens, of ben je die reisschrijver?'

Waar het om gaat is, zoals Bill Parkhurst me geleerd heeft, dat je jezelf schaamteloos verkoopt, en geloof me maar, dat leer je snel.

Ik neem aan dat ik aan dat alles moet denken omdat ik, tegen de tijd dat jullie dit lezen, halverwege een drieweekse boekentournee in Groot-Brittannië zal zijn. Nu moeten jullie niet denken dat ik stroop smeer, maar een tournee in Groot-Brittannië is een droom, vergeleken met Amerika. De afstanden zijn kleiner, wat heel aangenaam is, en over het algemeen blijken de interviewers het boek gelezen te hebben, of althans een boek gelezen te hebben. Het personeel van boekwinkels is toegewijd en vriendelijk, en het lezende publiek is, zonder uitzondering, intelligent, kritisch, enorm knap om te zien en royaal wat koopgewoonten betreft. Ik heb zelfs gezien hoe mensen een zondagskrant weglegden en zeiden: 'Ik geloof dat ik dat boek van Bill *nu meteen* ga kopen. Misschien koop ik wel een paar exemplaren, als kerstcadeaus.'

Het is een idiote manier om je brood te verdienen, maar het is een van de dingen die je moet doen. Ik dank alleen God dat mijn oprechtheid er niet door is aangetast.

Dodenwake

De laatste keer dat het bij me opkwam, echt serieus, dat de dood bestaat – je weet wel, echt bestaat, op het punt staat toe te slaan – en dat mijn naam in zijn boek staat, was tijdens een korte vliegreis van Boston naar Lebanon, New Hampshire, toen we wat problemen kregen.

Het is een vlucht van slechts vijftig minuten, boven de oude industriesteden van noordelijk Massachusetts en zuidelijk New Hampshire, en dan verder naar de Connecticut River, waar de ronde heuvels van de Green en de White Mountains traag in elkaar overgaan. Het was een namiddag in oktober, vlak nadat de klokken op wintertijd gezet waren, en ik had gehoopt te kunnen genieten van de laatste roestrode blos van de herfstkleuren op de bergen voordat het donker werd, maar binnen vijf minuten na de start kwam ons kleine vliegtuig – een De Havilland met zestien zitplaatsen – terecht in wolken met veel turbulentie, en was het duidelijk dat er die dag geen spectaculaire vergezichten zouden zijn.

Dus las ik een boek en probeerde ik niet te letten op die turbulentie, en mijn gedachten niet te laten spelen met akelige fantasieën van versplinterende vleugels en een langdurige, schrille neerstorting op aarde.

Ik haat kleine vliegtuigen. Ik heb niet veel affectie voor de meeste vliegtuigen, maar voor kleine vliegtuigen ben ik bang omdat ze koud zijn en vreselijk schudden en rare geluiden maken, en ze vervoeren zo weinig passagiers dat ze slechts weinig aandacht trekken wanneer ze neerstorten, zoals ze tegenwoordig regelmatig lijken te doen. Bijna dagelijks lees je in elke Amerikaanse krant een artikel als het volgende:

Dribbleville, Indiana – Alle passagiers en bemanning zijn vandaag omgekomen toen een vliegtuig met zestien zitplaatsen, van Bounce Airlines, als een vuurbal neerstortte, kort na de start op Dribbleville Regional Airport. Getuigen zeiden dat het vliegtuig, jeetje, gedurende een eeuwigheid neerviel voordat het zich met een snelheid van 2838 kilometer per uur in de grond boorde. Dit was het elfde onopvallende vliegtuigongeluk van een forensenverbinding sinds afgelopen zondag.

Die dingen storten echt aan de lopende band neer. Begin dit jaar is een forensenvliegtuig neergestort tijdens een vlucht van Cincinnati naar Detroit. Een van de omgekomen passagiers was op weg naar een herdenkingsdienst voor haar broer die twee weken eerder was omgekomen bij een vliegtuigongeluk in West-Virginia.

Dus probeerde ik in mijn boek te lezen, maar ik keek telkens even naar buiten, in die ondoordringbare duisternis. Toen we iets meer dan een uur gevlogen hadden – en later dan gewoonlijk waren – daalden we door die turbulente wolken en kwamen uit in heldere lucht. We bevonden ons slechts zo'n honderd meter boven een schemerig landschap. Er waren een paar boerderijen te zien in het laatste daglicht, maar geen stadjes. Bergen – afwijzend en gespierd – rezen aan alle kanten omhoog.

We stegen opnieuw, de wolken in, vlogen nog een paar minuten rond en daalden opnieuw. Er was nog steeds geen spoor te bekennen van Lebanon of enige andere plaats, wat heel eigenaardig was, want het dal van de Connecticut River wemelt van kleine stadjes. Hier zag ik niets dan donker wordende wouden, tot aan alle horizonnen.

We stegen opnieuw, en herhaalden het kunstje nog tweemaal. Na een paar minuten hoorden we de piloot, die met kalme, ontspannen stem zei: 'Ik weet niet of jullie het gemerkt hebben, maar we hebben wat moeite het vliegveld te vinden, vanwege het, eh, stormachtige weer. Lebanon heeft geen radar, dus moeten we het allemaal op het oog doen, en dat maakt het een beetje, eh, lastig. Het hele oostelijke kustgebied zit potdicht van de mist, dus heeft uitwijken naar een ander vliegveld geen zin. Maar goed, we blijven het proberen, want als er één ding zeker is, dan is het dat dit vliegtuig ergens moet landen.'

Dat laatste zinnetje heb ik erbij verzonnen, maar daar kwam het wél op neer. We hobbelden rond in de wolken en het wegstervende licht, op zoek naar een vliegveld dat tussen bergen verscholen lag. We waren inmiddels al bijna negentig minuten in de lucht. Ik wist niet hoelang die dingen in de lucht kunnen blijven, maar het was duidelijk dat we op een gegeven moment geen brandstof meer zouden hebben. In die tussentijd konden we elk moment tegen een berghelling vliegen.

Dat leek me oneerlijk. Ik was op weg naar huis na een lange reis. Schoongeboende kleine kinderen, geurend naar zeep en frisse handdoeken, zouden op me zitten wachten. Die avond stond er steak op het menu, misschien wel met uiringen. Extra wijn was ingeslagen. Ik had cadeautjes uit te delen. Dit was geen geschikt ogenblik om tegen bergen te botsen. Dus sloot ik mijn ogen en zei heel zacht: 'Alstublieft alstublieft alstublieft o alstublieft laat dit ding veilig landen en dan beloof ik dat ik altijd braaf zal zijn, en dat meen ik echt. Dank u.'

Als door een wonder werkte dit. Ongeveer de zesde keer dat we uit de wolken daalden, zagen we beneden ons de platte daken, lichtreclames en heerlijk mollige klanten van de Lebanon Shopping Plaza, en recht daartegenover was het hek van het vliegveld. We kwamen van de verkeerde kant, maar de piloot maakte een scherpe bocht en liet het vliegtuig zo steil dalen dat ik, onder andere omstandigheden, zou zijn gaan gillen. We landden met een prachtig zacht gepiep. Ik ben nog nooit zo gelukkig geweest.

Mijn vrouw wachtte op me in de auto voor de ingang van het vliegveld, en onderweg naar huis vertelde ik haar alles over mijn spannende momenten in de lucht. Het vervelende van de overtuiging dat je bij een vliegtuigongeluk zult omkomen, in tegenstelling tot echt bij een vliegtuigongeluk omkomen, is dat het lang niet zo'n mooi verhaal oplevert.

'Arme schat,' zei mijn vrouw geruststellend, maar wel een tikje verstrooid, en ze klopte op mijn dij. 'Maar je bent zó weer thuis, en er staat een heerlijke bloemkool-gratiné voor je in de oven.'

Ik keek haar aan. 'Bloemkool-gratiné? Wat be...' Ik schraapte mijn keel en zette een andere stem op. 'En wat is een bloemkool-gratiné precies, lieveling? Ik had begrepen dat we steak aten.'

'Dat was ook zo, maar dit is veel gezonder voor jou. Ik heb het recept van Maggie Higgins gekregen.'

Ik zuchtte. Maggie Higgins was een ergerlijk gezondheidsbewuste bemoeial, en haar sterke overtuigingen werden voor mij altijd weer vertaald in gerechten als bloemkool-gratiné. Zij was bezig te veranderen in de last van mijn leven, of op zijn minst van mijn maag.

Het leven is raar, nietwaar? Het ene moment zit je te bidden of je mag blijven leven, en beloof je alle ontberingen zonder klagen te doorstaan, en het volgende zou je het liefst met je hoofd tegen het dashboard timmeren, en denk je: Ik had steak gewild, ik had steak gewild, ik had steak gewild.

'Overigens, heb ik je verteld,' vervolgde mijn vrouw, 'dat Maggie laatst in slaap is gevallen terwijl ze haar haar verfde, en dat haar haar toen knalgroen is geworden?'

'O ja?' zei ik, enigszins oplevend. Dat was echt goed nieuws. 'Zei je knalgroen?'

'Nou ja, iedereen zei tegen haar dat het een beetje citroenachtig was, maar eigenlijk had het de kleur van kunstgras.'

'Verbijsterend,' zei ik – en dat was het ook. Ik bedoel maar, twee gebeden verhoord, op één avond.

De fijnste Amerikaanse feestdag

Als ik er vandaag een beetje dik en traag uitzie, dan komt dat doordat het hier afgelopen donderdag Thanksgiving was, en ik ben er nog niet helemaal van bijgekomen. Ik houd zo van Thanksgiving omdat dit, afgezien van al het andere, in de tijd dat ik opgroeide de enige keer in het jaar was dat we bij ons thuis aten. Op alle andere dagen van het jaar stopten we eigenlijk alleen maar eten in onze monden. Mijn moeder kon namelijk niet zo geweldig koken. Begrijp me alsjeblieft niet verkeerd. Mijn moeder is een lieve, opgewekte, door en door goede ziel, en als ze doodgaat, zal ze regelrecht naar de hemel gaan, maar jullie mogen me geloven – niemand zal zeggen: 'O, gelukkig dat u er bent, mevrouw Bryson. Kunt u voor ons iets te eten maken?'

Om volkomen eerlijk te blijven: mijn moeder had een aantal dingen tegen wat de keuken betrof. Om te beginnen kon ze niet koken – altijd een beetje een handicap als het om de culinaire kunsten gaat. Let wel: ze wilde niet zo bijzonder graag kunnen koken, en trouwens, ze had het niet gekund, zelfs als ze wél had gewild. Ze had namelijk een baan, en dat betekende dat ze altijd twee minuten voor het moment om het eten op tafel te zetten, kwam binnenvliegen.

Bovendien was ze een beetje verstrooid. Ze had de neiging ingrediënten met eenzelfde kleur door elkaar te halen, zoals suiker en zout, peper en kaneel, azijn en ahornsiroop, maï-

zena en gipspoeder, waardoor haar gerechten vaak een onverwachte dimensie kregen. Haar grootste specialiteit was
dingen koken terwijl ze nog in hun verpakking zaten. Ik was
al bijna volwassen toen het tot me doordrong dat plastic fo-
lie niet een soort taai glazuur was. De combinatie van haast,
vergeetachtigheid en een charmante onhandigheid als het om
huishoudelijke voorwerpen ging, had tot gevolg dat de meeste van haar kookervaringen gepaard gingen met enorme
rookwolken en af en toe een kleine explosie. In ons huis hadden we als vuistregel: etenstijd was wanneer de brandweer
vertrok.

Merkwaardigerwijs vond mijn vader dat allemaal best.
Mijn vader beschikte over wat men een rudimentair smaak-
gevoel kan noemen als het om eten ging. Zijn gehemelte reageerde slechts op drie smaken – zout, ketchup en verbrand.
Zijn voorstelling van een voortreffelijke maaltijd was een
bord waarop iets lag wat bruin was en niet nader te identificeren, iets wat groen was en niet nader te identificeren, en
iets wat verkoold was. Ik ben ervan overtuigd dat hij, als je
bijvoorbeeld een luffaspons heel langzaam in de oven ge-
stoofd had en voldoende met ketchup overdekte, gezegd zou
hebben: 'Hé, dat is heel smakelijk.' Kortom: lekker eten was
aan hem verspild, en mijn moeder heeft jarenlang hard gewerkt om ervoor te zorgen dat hij nimmer teleurgesteld werd.

Op Thanksgiving echter trok ze, door een of ander mira-
kel, alle registers open en overtrof ze zichzelf. Ze riep ons
aan tafel, en daar vonden we, wachtend op ons ongewoon
genot, een verrukkelijk tafereel van voedsel – een enorme
glanzende kalkoen, mandjes met maïsbrood en warme brood-
jes, groenten die zowaar herkenbaar waren, een soepterrine
vol cranberrysaus, een schaal voortreffelijk luchtige aardap-
pelpuree, een schaal met dikke worstjes en nog veel meer.

We aten alsof we in een jaar tijd niet gegeten hadden (wat
eigenlijk ook zo was) en dan serveerde ze het pièce de rési-
stance – een goudgele pompoenpastei met een knapperig

korstje, afgedekt met een Matterhorn van slagroom. Het was volmaakt. Het was hemels.

En daardoor koester ik nog steeds de diepste vreugde en dankbaarheid voor dit heerlijkste van alle feesten – want Thanksgiving is de allermooiste dag, vergis je niet. De meeste Amerikanen, geloof ik, denken dat Thanksgiving altijd op de laatste donderdag van november is gevierd, en dat dat altijd zo geweest is – of op zijn minst zo lang als 'altijd' is in Amerika.

Maar hoewel de Pilgrim Fathers van de 'Mayflower' inderdaad in 1621 een beroemd feestmaal hebben georganiseerd om de plaatselijke indianen te bedanken voor hun hulp tijdens dat eerste moeilijke jaar, en ook omdat zij hun hadden geleerd hoe je popcorn en zo moet maken (waarvoor ik zelfs nu nog dankbaar ben), weet niemand precies wanneer dat feestmaal geweest is. Gezien het klimaat van New England is het onwaarschijnlijk dat het eind november was. In elk geval is gedurende de volgende 242 jaar Thanksgiving als feest nauwelijks gevierd. De eerste officiële viering was pas in 1863 – en dat was in augustus, nota bene. Het jaar daarop heeft president Abraham Lincoln de datum eigenmachtig naar de laatste donderdag van november verplaatst – niemand lijkt zich nog te herinneren waarom op een donderdag en waarom zo laat in het jaar – en zo is het altijd gebleven.

Thanksgiving is verrukkelijk, om allerlei redenen. Om te beginnen heeft het feest het lovenswaardige effect dat het Kerstmis op afstand houdt. Terwijl in Groot-Brittannië het seizoen voor de kerstinkopen tegenwoordig omstreeks de laatste dagen van augustus lijkt te beginnen, start de kerstmanie in Amerika pas in het laatste weekend van november.

Bovendien blijft Thanksgiving een zuivere feestdag, grotendeels onbezoedeld door de commercie. Er komen geen wenskaarten aan te pas, er hoeven geen bomen versierd te worden, het is niet nodig in verbijstering alle laden en kasten te doorzoeken, op zoek naar versieringen. Het enige wat je met Thanksgiving doet, is aan een tafel gaan zitten en proberen je maag te modelleren tot het formaat van een strandbal, en vervolgens op de tv te kijken naar een Amerikaanse footballwedstrijd. Het is echt mijn soort feestdag.

Het aardigste en in elk geval het nobelste aspect van Thanksgiving is echter dat je daarbij een formele, officiële gelegenheid krijgt om je dank uit te spreken voor al die dingen waarvoor je dankbaar hoort te zijn. Persoonlijk heb ik heel veel om dankbaar voor te zijn. Ik heb een vrouw en kinderen op wie ik dol ben. Ik heb mijn gezondheid en beschik over de meeste van mijn geestvermogens (zij het niet altijd tegelijkertijd). Ik leef in een periode van vrede en welvaart. Ronald Reagan zal nooit meer president worden. Dat zijn allemaal dingen waarvoor ik dankbaar ben, en dat wil ik best weten.

Het enige nadeel is dat het verstrijken van Thanksgiving de onontkoombare komst van Kerstmis inluidt. Het kan nu elke dag – elk moment – gebeuren dat mijn lieve echtgenote naast me verschijnt en meedeelt dat het tijd is geworden om mijn opgezette buik te verplaatsen en de feestversiering te voorschijn te halen. Dat is een afschuwelijk ogenblik voor mij, en terecht, want het impliceert fysieke inspanning, wiebelige ladders, elektrische schokken, door een zolderluik kruipen, met bijbehorende aanwijzingen van genoemde dierbare mevrouw – allemaal dingen die in staat zijn mij ernstig en blijvend te schaden. Ik heb het akelige voorgevoel dat die dag vandaag is.

Maar het is nog niet zo ver – en daarvoor ben ik uiteraard het allerdankbaarst.

Versier de zalen

Toen ik vorige week afscheid van jullie nam, sprak ik van een zeker onpasselijk voorgevoel bij de gedachte dat mijn vrouw de kamer zou binnenkomen om mee te delen dat de tijd voor de kerstversieringen was aangebroken.

Nou, hier ben ik weer, er is een week verstreken en het is nog maar achttien korte daagjes voordat het Kerstmis is, en nog steeds geen kik van haar kant. Ik weet niet hoelang ik het nog uithoud.

Ik haat het aanbrengen van de kerstversieringen omdat ik dan, om te beginnen, naar de vliering moet. Vlieringen zijn vuile, donkere, onaangename oorden. Je vindt daar altijd dingen die je niet wílt vinden – stukken aangeknaagde bedrading, gaten tussen de dakleien waar je daglicht doorheen ziet en waar je soms zelfs je hoofd doorheen kunt steken, en kisten vol nutteloze prullen die je zo achterlijk bent geweest helemaal daarheen te sjouwen. Maar drie dingen staan vast wanneer je je op een vliering waagt: dat je minstens tweemaal je hoofd tegen een balk zult stoten, dat je spinnenwebben over je gezicht gedrapeerd krijgt, en dat je niet zult vinden wat je was gaan zoeken.

Het ergste van naar de vliering gaan is de wetenschap dat je, als het tijd wordt om weer naar beneden te klimmen, zult zien dat de trapladder op mysterieuze wijze een meter in de richting van de badkamerdeur is verschoven. Ik weet niet hoe dat in zijn werk gaat, maar het gebeurt altijd.

Dan laat je dus je benen door het luik zakken en tast blindelings met je voeten naar de ladder. Als je je rechterbeen zo ver mogelijk strekt, kun je hem net met een teen aanraken, en daar heb je natuurlijk niet veel aan. Uiteindelijk ontdek je dat je, als je je benen heen en weer zwaait, als een atleet op de brug met gelijke leggers, één voet op de ladder kunt krijgen, en vervolgens allebei je voeten. Dat betekent echter nog geen grote doorbraak, want je ligt dan onder een hoek van ongeveer zestig graden, en verdere vooruitgang is onmogelijk. Zacht kreunend probeer je de ladder met je voeten naar je toe te trekken, maar je slaagt er slechts in hem om te gooien, met een flinke klap.

Dan zit je echt in de knel. Je probeert je weer omhoog te worstelen, naar de vliering, maar daartoe ontbreekt je de kracht, dus hang je daar aan je oksels. Je roept je vrouw, maar die hoort je niet. Dat is zowel ontmoedigend als vreemd. Normaal hoort je vrouw dingen die geen ander op aarde kan horen. Ze kan horen hoe een likje jam twee kamers verderop neervalt op het tapijt. Ze kan horen hoe gemorste koffie stiekem wordt opgedept met een van de goede badhanddoeken. Ze kan horen hoe vuil van schoenen een spoor trekt over een schone vloer. Ze kan horen dat je alleen maar *denkt* over het doen van iets wat je niet hoort te doen. Maar als je klem komt te zitten in een vlieringluik, is het opeens net alsof ze in een geluiddichte cabine zit.

Dus wanneer ze, een uurtje later of zo, toevallig over het bovenportaal loopt en daar je benen ziet bengelen, is ze totaal verbijsterd. 'Wat ben je aan het doen?' vraagt ze ten slotte.

Je gluurt naar haar, daar in de diepte. 'Aerobics voor in het vlieringluik,' antwoord je, met slechts een zweem van sarcasme.

'Wil je de trapladder hebben?'

'Hé, dat is een goed idee. Weet je dat ik al uren hang te

denken wat ik hier toch mis, en jij hebt het meteen door.'

Je hoort hoe de ladder overeind wordt gezet, je voelt hoe je voeten over de treden worden geleid. Dat hangen heeft je kennelijk goed gedaan, want je herinnert je opeens dat de kerstversieringen niet op de vliering zijn opgeborgen – daar zijn ze nooit geweest – maar in het souterrain, in een kartonnen doos. Natuurlijk! Wat gek dat je dat niet meer wist! En je haast je erheen.

Twee uur later vind je de versierselen, verborgen achter een paar oude autobanden en een kapotte kinderwagen. Je sjouwt de doos naar boven en besteedt nogmaals twee uur aan het ontwarren van de draden van de lampjes. Wanneer je de stekker in het contact doet, willen ze natuurlijk niet branden, alleen is er één slinger bij die je, onder een regen van vonken, een schok geeft zodat je achterwaarts tegen een muur vliegt, en die het vervolgens eveneens niet doet.

Je besluit de lampjes te laten voor wat ze zijn en de boom uit de garage te halen. De boom is enorm groot en stekelig. Je neemt hem in een onhandige berenomhelzing, zwoegt ermee naar de achterdeur, valt het huis binnen, staat op en vervolgt je weg. Terwijl takken in je ogen steken, naalden in je wangen en tandvlees prikken, en hars er op de een of andere manier in slaagt omhoog te kruipen in je neus, stommel je door kamers, je slaat schilderijen van muren, veegt tafels leeg, gooit stoelen om. Je vrouw, die zopas nog op onverklaarbare wijze vermist was, lijkt nu overal te zijn, en schreeuwt verwarde en drukke instructies – 'Pas op de dinges! Niet deze kant op – díé kant! Naar links! Niet jóúw links – míjn links!' en ten slotte, op iets zachtaardiger toon: 'Oooh! Gaat het een beetje, schat? Had je dat afstapje niet gezien?' Tegen de tijd dat je de woonkamer bereikt, ziet de boom eruit alsof hij door zure regen ontnaald is, en voor jou geldt hetzelfde.

Op dat moment herinner je je dat je geen idee hebt waar de kerstboomhouder is. Zuchtend trek je dus naar het centrum, naar de ijzerwinkel, om een andere te kopen, al die tijd wetend dat de komende drie weken alle kerstboomhouders die je ooit gekocht hebt – drieëntwintig in totaal – spontaan opnieuw in je leven zullen verschijnen, meestal door op je hoofd te vallen van een hoge plank wanneer je onder in een kast aan het zoeken bent, maar soms ook midden in donkere kamers of in de weg staand bij de bovenste tree van de trap. Als je het nog niet weet, knoop het dan nu in je oor: kerstboomhouders zijn het werk van de duivel en ze wensen je dood. Terwijl je bij de ijzerwinkel bent, koop je nog twee slingers met kerstboomlampjes. Ook die zullen het niet doen.

Ten slotte, uitgeput naar lichaam en geest, slaag je erin de boom in zijn standaard te krijgen, de lichtjes doen het en de ballen hangen. Je staat erbij in de houding van Quasimodo en kijkt ernaar met een zekere slappe weerzin.

'O, bééldig!' roept je vrouw, en ze slaat de handen extatisch ineen onder haar kin. 'En dan gaan we nu de buitenversieringen doen,' kondigt ze opeens aan. 'Ik heb dit jaar iets speciaals gekocht – een levensgrote kerstman die op de schoorsteen zit. Als jij nou de twaalfmeterladder haalt, maak ik de kist open. O, is dit niet enig!' En daar huppelt ze weg.

Nu zouden jullie natuurlijk tegen me kunnen zeggen: 'Waarom laat je je dat allemaal aandoen? Waarom ga je naar de vliering als je weet dat de versieringen daar niet liggen? Waarom ontwar je de lampjesslingers als je weet dat ze het nooit van hun leven zullen doen?' En mijn antwoord luidt dat dit deel uitmaakt van het ritueel. Zonder die dingen zou Kerstmis geen Kerstmis zijn.

En dat is de reden waarom ik besloten heb er nu mee te beginnen, al heeft mevrouw Bryson me daartoe geen opdracht gegeven. Er zijn bepaalde dingen in het leven die je nu eenmaal moet doen, of je wilt of niet.

Als jullie me ergens voor nodig hebben – ik hang zo dadelijk uit het vlieringluik.

De generatie van de verkwisters

Een van de verbijsterendste statistieken die ik sinds lang gezien heb is dat vijf procent van alle energie die in de Verenigde Staten wordt gegenereerd, verbruikt wordt door computers die dag en nacht aanstaan.

Ik kan dat niet persoonlijk bevestigen, maar ik kan jullie wel vertellen dat ik vele malen 's avonds laat uit hotelkamers heb gekeken, in allerlei Amerikaanse steden, en dat ik dan getroffen werd door het feit dat alle lampen in alle aangrenzende kantoorgebouwen nog branden, en dat er inderdaad flikkerende computerschermen te zien zijn.

Waarom zetten Amerikanen die dingen niet uit? Om dezelfde reden, neem ik aan, waarom zoveel mensen hier hun motor laten draaien terwijl ze even een winkel binnenschieten, of overal in huis de lampen laten branden, of de centrale verwarming zo hoog zetten dat een Finse saunahouder zich zou schamen – omdat kortom elektriciteit, benzine en andere energiebronnen hier relatief zo goedkoop zijn, en al zo lang zijn geweest, dat het niet in hun hoofd opkomt zich anders te gedragen.

Waarom zou je elke ochtend twintig seconden ergernis verdragen terwijl je wacht tot je computer op gang komt, als hij onmiddellijk voor je klaar kan staan doordat hij de hele nacht aan is gebleven?

Wij zijn vreselijk – nee, wij zijn belachelijk – spilziek met energiebronnen in dit land. De gemiddelde Amerikaan verbruikt tweemaal zoveel energie in de loop van zijn leven als de gemiddelde Europeaan. In ons land woont slechts vijf procent van de wereldbevolking, maar wij consumeren twintig procent van de wereldenergie. Dat zijn geen statistieken om trots op te zijn.

In 1992, bij de milieutop in Rio de Janeiro, hebben de Verenigde Staten, samen met andere ontwikkelde landen, toegezegd de emissie van broeikasgassen omstreeks het jaar 2000 terug te brengen tot het niveau van 1990. Dat was geen belofte om erover na te denken. Het was een belofte om het te doen.

Het is erop uitgelopen dat de emissie van broeikasgassen door de Verenigde Staten genadeloos is toegenomen – in totaal met acht procent sinds die top in Rio, met 3,4 procent alleen al in 1996. Kort gezegd: we hebben niet gedaan wat we beloofd hadden. We hebben het niet geprobeerd. We hebben niet eens gedaan alsof we het probeerden, wat de manier is waarop we gewoonlijk omgaan met dergelijke problemen. Het enige wat de regering-Clinton heeft gedaan is de invoering van een aantal vrijwillige normen die de industrieën mogen negeren als ze dat willen, en natuurlijk willen ze dat.

Er is hier bijna niets wat het milieudenken stimuleert. Alternatieve energiebronnen als windkracht zijn niet alleen schaars, maar nemen zelfs nog af. In 1987 voorzagen ze in ongeveer 0,4 procent van de totale energie die in het land geproduceerd wordt; in 1997 is dat nog maar 0,2 procent.

En nu wil president Clinton, zoals jullie gelezen zullen hebben, een uitstel van nogmaals vijftien of zestien jaar voordat de broeikasgasemissies teruggedraaid worden naar het niveau van 1990. Het kost hier moeite iemand te vinden die zich daar echt druk over maakt. Er is zelfs steeds eerder sprake van een zeker antagonisme als het gaat om milieubehoud, zeker als er kosten aan verbonden zijn. Een recent onderzoek onder 27 000 mensen overal ter wereld, door een Canadese groep die Environics International heet, heeft uitgewezen dat in vrijwel elke hoogontwikkelde staat mensen bereid zijn althans een kleine hoeveelheid economische groei op te offeren als dat zou neerkomen op schonere lucht en een gezonder milieu. De enige uitzondering was de Verenigde Staten. Het lijkt krankzinnig dat er mensen zijn die een groeiende economie hoger aanslaan dan een leefbare aarde, maar zo is het nu eenmaal.

Zelfs de inventief-zorgvuldige voorstellen van president Clinton om het probleem door te geven aan een opvolger, vier verkiezingen verderop, zijn op fel verzet gestuit. Een coalitie van industriëlen en andere belangengroepen, met de naam Global Climate Information Project, heeft dertien miljoen dollar bijeengebracht om te strijden tegen zo ongeveer elk initiatief dat hun schoorstenen bedreigt. Ze hebben in het hele land over de radio reclametijd gekocht waarin ze op grimmige toon waarschuwen dat uitvoering van de nieuwe energieplannen van de president er weleens toe zouden kunnen leiden dat de benzineprijzen met twaalfenhalve dollarcent per liter stijgen.

Dat bedrag is waarschijnlijk overdreven, maar dat doet er niet toe. Evenmin als het feit dat de Amerikanen, als het wél zo was, nog steeds maar een fractie zouden betalen van wat mensen in andere rijke landen moeten dokken. Het doet er ook niet toe dat uitvoering van de plannen voordelen zou kunnen opleveren waaraan iedereen wat zou hebben. Dat doet er allemaal niet toe. Begin over een verhoging van de benzineprijzen, om welke reden ook, en dan zullen – hoe gering het bedrag ook is, en hoe voortreffelijk de reden – de meeste mensen in Amerika instinctief ontzet terugdeinzen.

Het treurigste van dit alles is dat een behoorlijk deel van dat streven om de emissie van broeikasgassen te verminderen, vervuld zou kunnen worden zonder merkbare kosten, als de Amerikanen alleen maar hun verspilling zouden beperken. Men heeft geschat dat de natie als geheel per jaar ongeveer 300 miljard dollar aan energie verspilt. We hebben het hier niet over energie die bespaard zou kunnen worden door investering in nieuwe technologieën. We hebben het over energie die bespaard zou kunnen worden door dingen uit te zetten of laag te zetten. Volgens *US News and World Report*, een weekblad, moeten de Verenigde Staten het equivalent van vijf kernenergiecentrales handhaven voor de energievoorziening van apparatuur en toestellen die aanstaan, maar niet gebruikt worden – videorecorders die voortdurend stand-by staan, computers die aan blijven staan wanneer de mensen gaan lunchen of 's avonds naar huis gaan, al die zwijgende, in de muur gemonteerde tv-toestellen die, zonder dat iemand ernaar kijkt, in de hoeken van bars staan te flikkeren.

Ik weet niet hoe zorgwekkend het broeikaseffect is. Dat weet niemand. Ik weet niet hoezeer we onze toekomst in gevaar brengen door zo buitengewoon slordig te zijn in onze consumptie. Maar ik kan jullie het volgende vertellen. Vorig jaar heb ik veel tijd doorgebracht met het lopen van het Appalachian Trail, een langeafstandsvoetpad. In Virginia, waar het pad door Shenandoah National Park gaat, was het toen ik een tiener was – nog niet eens zo erg lang geleden – nog mogelijk bij helder weer Washington, DC, te zien, op een afstand van honderdtwintig kilometer. Tegenwoordig is het zicht, zelfs onder de gunstigste omstandigheden, tot minder dan de helft teruggelopen. Bij warm, nevelig weer blijft het tot slechts drie kilometer beperkt.

De Appalachian Mountains vormen een van de oudste bergketens ter wereld en de bossen die hen bedekken, behoren tot de rijkste en fraaiste. Eén enkel dal in het Great Smoky Mountains National Park kan meer inheemse boomsoorten bevatten dan heel westelijk Europa. Veel van die bomen verkeren in moeilijkheden. Door de strijd tegen zure regen en andere vervuiling via de lucht worden ze vatbaar voor ziekten en schadelijke insecten. Eiken, bitternoten en ahorns zijn in schokkende hoeveelheden stervende. De bloeiende kornoelje – een van de mooiste bomen van het Amerikaanse Zuiden, en voorheen een van de meest voorkomende – staat op het punt uit te sterven. De Canadese den lijkt op het punt die boom te volgen.

Misschien is dit slechts een bescheiden voorspel. Als de wereldtemperatuur gedurende de volgende halve eeuw met vier graden stijgt, zoals sommige geleerden vol overtuiging voorspellen, zullen alle bomen van Shenandoah National Park en de Smoky's, en honderden kilometers in het rond, doodgaan. Over twee generaties zal een van de laatste grote wouden van de gematigde zones ter wereld veranderd zijn in kleurloos grasland.

Ik vind dat men, om dat te voorkomen, wel een paar computers mag uitzetten. Jullie toch ook?

Winkelwaanzin

Ik ging laatst met mijn jongste zoon naar een 'Toys Я Us', zodat hij wat poen kon uitgeven die hij verdiend had. (Hij had, tegen het advies van zijn makelaar in, *à la baisse* gespeculeerd in Anaconda Copper, het schurkje.) En tussen twee andere haakjes: is 'Toys Я Us' niet de raadselachtigste naam van een handelsonderneming die jullie ooit gehoord hebben? Wat betekent dat? Ik heb het nooit begrepen. Bedoelen ze dat ze denken dat ze zelf speelgoed zijn? Hebben hun managers visitekaartjes op zak waarop staat 'Dick Я Ik'? En waarom staat die R in de titel achterstevoren? Toch vast niet in de hoop of verwachting dat onze bewondering daardoor zal toenemen? En bovenal: waarom is het zo dat elke 'Toys Я Us' ter wereld zevenendertig kassa's heeft, maar dat er altijd maar één open is?

Dat zijn belangrijke vragen, maar helaas gaat ons onderwerp van heden niet daarover, althans niet specifiek. Nee, ons onderwerp van heden, nu we op de drempel van de drukste winkelweek van het jaar staan, is winkelen. Als men zegt dat winkelen een belangrijk onderdeel van het Amerikaanse leven is, is dat hetzelfde als zeggen dat vissen van water houden.

Afgezien van werken, slapen, tv kijken en vetweefsel aanzetten wijden Amerikanen meer tijd aan winkelen dan aan enig ander tijdverdrijf. Volgens de Travel Industry Associa-

271

tion of America is winkelen inmiddels zelfs de belangrijkste vakantiebezigheid van Amerikanen. Men plant zijn vakantie werkelijk rond uitstapjes om te winkelen. Honderdduizenden mensen reizen jaarlijks naar de Niagarawatervallen, zo blijkt, niet om die watervallen te bekijken, maar om te dwalen door de twee mega-winkelcentra daar. En als de projectontwikkelaars in Arizona hun zin krijgen, zullen de vakantiegangers binnenkort naar de Grand Canyon kunnen reizen en die eveneens niet zien, want er zijn plannen, nauwelijks te geloven, om een winkelcentrum van 41 400 vierkante meter te bouwen aan de hoofdroute daarheen.

Winkelen is tegenwoordig niet zozeer een bedrijf als wel een wetenschap. Er is tegenwoordig zelfs een universitair vak dat 'verkoop-antropologie' heet, en waar ze je precies kunnen vertellen waar, hoe en waarom mensen winkelen zoals ze doen. Ze weten welk gedeelte van de klanten rechtsaf zal slaan bij het betreden van een winkel (87 procent) en hoelang die mensen gemiddeld zullen rondkijken voordat ze weer naar buiten schuifelen (twee minuten en 36 seconden). Ze kennen de beste manieren om klanten binnen te lokken in het magische, winstmakende inwendige van de winkel (een gedeelte dat in het vak bekendstaat als 'Zone 4'), en de inrichting, de kleurenschema's en de achtergrondmuziek die de pretentieloze grasduiner het meest effectief zullen hypnotiseren, zodat hij verandert in een hulpeloze koper. Ze weten alles.

En dan komt mijn vraag. Hoe komt het dan dat ik in Amerika niet kan gaan winkelen zonder de wens in tranen uit te barsten, of iemand te vermoorden? Ondanks al die wetenschap is winkelen in dit land namelijk niet leuk meer, als het dat al ooit geweest is.

Een groot deel van het probleem ligt bij de winkel. Die zijn er in drie soorten, en allemaal zijn ze onaangenaam.

In de eerste plaats zijn er de winkels waar je nooit iemand kunt vinden om je te helpen. Dan zijn er de winkels waar je geen hulp nodig hebt, maar waar je tot in het oneindige getreiterd wordt door een hardnekkige verkoopster die waarschijnlijk op commissie werkt. En ten slotte zijn er de winkels waar je, als je vraagt waar je iets kunt vinden, altijd als antwoord krijgt: 'Straatje zeven.' Ik weet niet waarom, maar dat krijg je altijd te horen.

'Waar vind ik de dameslingerie?' vraag je.

'Straatje zeven.'

'Waar is het dierenvoedsel?'

'Straatje zeven.'

'Waar is straatje zes?'

'Straatje zeven.'

De minst aangename van alle winkels vind ik de winkel waar je de verkoopster maar niet kwijtraakt. Meestal zijn dat warenhuizen in grote winkelcentra. De verkoopster is altijd een witharige dame die op de afdeling herenkleding werkt.

'Kan ik u helpen?' vraagt ze.

'Nee, dank u, ik kijk alleen even rond,' zeg je tegen haar.

'Oké,' antwoordt ze, en ze laat je een zalvende glimlach zien die zegt: 'Ik vind je niet echt aardig; ik moet nou eenmaal naar iedereen glimlachen.'

Dus dwaal je rond op die afdeling, en op een gegeven moment voel je nonchalant aan een trui. Je weet niet waarom, want je vindt hem niet mooi, maar je raakt hem toch aan.

Ogenblikkelijk staat de verkoopster naast je. 'Dat is een van onze best verkochte modellen,' zegt ze. 'Wilt u hem passen?'

'Nee, dank u.'

'Toe maar, past u hem maar. Het is echt iets voor u.'

'Nee, dat doe ik toch maar niet.'

'De kleedhokjes zijn daar.'

'Ik wil hem heus niet passen.'

'Wat is uw maat?'

'Luistert u nou toch, ik wil hem niet passen. Ik kijk alleen maar rond.'

Ze schenkt je nogmaals een glimlach – die waarmee ze zich terugtrekt –, maar dertig seconden later is ze weer terug, met een andere trui. 'We hebben hem ook in perzikkleur,' komt ze vertellen.

'Ik wil die trui niet. In geen een kleur.'

'Wat dacht u dan van een mooie das?'

'Ik wil geen das. Ik wil geen trui. Ik wil helemaal niets. Mijn vrouw laat haar benen ontharen en heeft gezegd dat ik hier op haar moet wachten. Ik zou willen dat ze dat niet had gezegd, maar het is nu eenmaal zo. Ze blijft misschien uren weg, en ik zal nog steeds niets willen kopen. Dus vraagt u me alstublieft niets meer. Alstublieft.'

'En hoe zit u in uw broeken?'

Snappen jullie wat ik bedoel? Het komt neer op de keuze tussen tranen en doodslag. De ironie is dat je, als je echt hulp nodig hebt, nooit iemand kunt vinden.

Bij 'Toys Я Us' wilde mijn zoon een Star Troopers Intergalactic Cosmic Death Blaster of een overeenkomstig stuk plastic rommel. We konden er nergens een vinden, en ook konden we niemand vinden die ons wilde helpen met zoeken. De winkel leek in zijn geheel overgelaten aan een jongen van zestien die achter de enige open kassa zat. Bij zijn kassa stond een rij van ongeveer vijfentwintig mensen, die hij heel langzaam en methodisch afwerkte.

Geduldig in de rij staan is niet een van mijn hoogontwikkelde sociale vaardigheden, vooral niet wanneer ik alleen maar in de rij sta om inlichtingen te vragen. De rij vorderde pijnlijk langzaam. Op een gegeven moment nam de jongeman tien minuten om een kassarol te vervangen, en toen heb ik hem bijna vermoord.

Eindelijk kwam ik aan de beurt. 'Waar zijn de Star Troopers Intergalactic Cosmic Death Blasters?' vroeg ik.

'Straatje zeven,' antwoordde hij, zonder op te kijken.

Ik staarde naar de bovenkant van zijn hoofd. 'Ik laat niet met me spotten,' zei ik.

Hij keek op. 'Pardon?'

'Jullie zeggen altijd: "Straatje zeven."'

Het moet aan mijn gezicht gelegen hebben, want zijn antwoord kwam op jammerende toon: 'Maar meneer, het is écht straatje zeven – Gewelds- en agressiespeelgoed.'

'Dat hoop ik dan maar voor je,' zei ik dreigend, en vertrok.

Negentig minuten later vonden we de Death Blasters in straatje twee, maar tegen de tijd dat ik terugkwam bij de kassa, had die jongen geen dienst meer.

Die Death Blaster is schitterend, overigens. Hij vuurt pijlen met een rubber zuignap af, die blijven kleven aan het voorhoofd van het slachtoffer – het doet geen pijn, maar het is wel even schrikken. Mijn zoon was natuurlijk teleurgesteld dat hij het ding van mij niet mocht kopen, maar jullie begrijpen het: ík heb het nodig voor als ik ga winkelen.

Over vermiste vliegtuigen en vermiste vingers

Lieve help, niet te geloven, alweer een jaar bijna voorbij. Ik weet niet waar de tijd blijft. Op dezelfde plaats als mijn haren, neem ik aan.

Ik had deze week willen schrijven over mijn goede voornemens voor het nieuwe jaar, maar helaas was mijn eerste voornemen dit jaar dat ik geen enkel voornemen zou koesteren waar ik me niet aan kon houden (en ik ben er niet eens zeker van dat ik me dááraan kan houden, eerlijk gezegd), en toen kon ik daar dus niet meer over schrijven. Dus bedacht ik dat we in plaats daarvan het afgelopen jaar eens konden overzien.

Als steeds wanneer je werkt in de voorste frontlinie van de dieptejournalistiek (of, zoals in het geval van deze column, alleen maar wat moet kwebbelen, week in week uit), zijn er onafgehandelde zaken, en wat kunnen we beter doen dan ons daarin verdiepen, nu we op de drempel van een nieuw jaar staan?

Een van de zorgwekkendste aspecten van schrijven voor de pers, zo heb ik gemerkt, is: zodra je een uitspraak hebt gedaan – het geeft eigenlijk niet waarover – wordt die meestal weerlegd door latere ontwikkelingen. In maart van dit jaar bijvoorbeeld heb ik stralend verslag gedaan over ons stadje in New Hampshire, waar de gemeenschap zo veilig en heerlijk vrij van criminaliteit is. Nou, jullie weten dat niet, maar geen vier dagen nadat dat artikel was verschenen, heeft een tweetal gemaskerde mannen een juwelierszaak aan Main Street overvallen, en zwaaiend met handvuurwapens hebben die twee een grote, maar niet nader genoemde, hoeveelheid geld en sieraden meegenomen. Een paar dagen later is een vrouw op beleefde wijze overvallen toen ze langs de campus van de universiteit wandelde. Die twee dingen waren hier nog nooit voorgekomen – en ook sindsdien niet meer, kan ik er-aan toevoegen – maar het was toch een tikje abnormaal dat er een plotselinge uitbarsting van misdadigheid is geweest, precies in de week dat ik beweerd had dat dergelijke dingen in mijn woonomgeving onbekend waren.

Ik zal niet beweren dat hier iets mystieks achter zat; het is eerder zo dat er in het publiciteitswezen een soort idiotenwet bestaat dat alles wat je schrijft of zegt onmiddellijk door de realiteit gelogenstraft zal worden – je zou het het 'Orkaan-voorspellingssyndroom van de Meteorologische Dienst' kun-nen noemen.

Maar als je paranoïde neigingen hebt, zoals in mijn geval, begin je een ongemakkelijk verantwoordelijkheidsgevoel te ontwikkelen. In oktober maakte ik terloops een grap over de muziek van John Denver. De volgende dag is hij omgekomen doordat zijn vliegtuig in zee neerstortte, de arme man.

Aan de andere kant heb ik ook een paar trotse en voor-uitziende momenten gehad. In juli schreef ik hoe schrikwek-kend nonchalant Amerika is ten aanzien van veilig voedsel en hygiëne, en nog geen drie weken later, alsof ze daarmee op mijn woorden reageerden, is een enorme fabriek van Hudson's Food in Nebraska gesloten nadat geconstateerd was dat men daar, tja, schrikwekkend nonchalant was ten aanzien van veilig voedsel en hygiëne. Meer dan 21 miljoen kilo rundvlees moest worden opgespoord en vernietigd – de grootste voedselstrop in de geschiedenis.

Ongeveer in diezelfde tijd heeft de Amerikaanse Senaat hoorzittingen gehouden waarbij het hoofd van de Internal

Revenue Service, de Amerikaanse belastinggaarder, strenge kritiek kreeg en heerlijk vernederd werd wegens zijn beheer van een inefficiënte, harteloze, wraaklustige en incompetente instantie. Ik wil me niet op de borst slaan, maar ik had dat alles al overduidelijk gemaakt op deze plaats, in de maand april.

Het belangrijkste nieuws van het jaar was de mysterieuze verdwijning van een straalvliegtuig in de bossen hier in de buurt. Op kerstavond een jaar geleden, zoals jullie je misschien vagelijk herinneren uit mijn column van februari dit jaar, was een Lear-jet met twee mannen aan boord aan het cirkelen voor een routinelanding op het vliegveld toen het radiocontact opeens verloren ging en het toestel verdween van het radarscherm in de controletoren.

In de weken daarna heeft men vanuit de lucht en op de grond de grootste speurtocht georganiseerd die deze staat ooit heeft meegemaakt, maar het vliegtuig is niet gevonden. Een jaar later is het nog steeds niet gevonden, en het mysterie eromheen is alleen maar groter geworden.

Een belangrijk element van het mysterie is dat een uitzonderlijk groot aantal mensen – volgens de laatste stand 275 – beweren het straalvliegtuig gezien te hebben, vlak voordat het neerstortte. Sommigen beweren zo dichtbij te zijn geweest dat ze die twee mannen door de raampjes zagen turen. Het probleem met die getuigen is dat ze ver van elkaar vandaan woonden in twee verschillende staten, in plaatsen die wel 250 kilometer van elkaar vandaan lagen. Het is duidelijk dat ze niet allemaal hetzelfde vliegtuig gezien kunnen hebben in de paar seconden voordat het neerstortte, dus wat hebben ze dan wél gezien?

Veel ander nieuws over die noodlottige vlucht is aan het licht gekomen sinds ik over de verdwijning van dat vliegtuig heb geschreven. Het verrassendst voor mij was dat een vliegtuig dat verdwijnt in de bossen van New Hampshire niet zó uitzonderlijk is. In 1959 zijn, volgens onze plaatselijke krant, twee professoren van de universiteit hier met een klein vliegtuigje neergestort in de bossen, tijdens een sneeuwstorm. Uit aantekeningen die ze hebben achtergelaten, blijkt dat ze minstens nog vier dagen zijn blijven leven. Helaas is hun vliegtuig pas tweeënhalve maand later gevonden. Twee jaar daarna is opnieuw een klein vliegtuig in de bossen verdwenen, en dat is pas zes maanden later gevonden. Een derde vliegtuig is in 1966 gecrasht, en dat is pas in 1972 gevonden, lang nadat de meeste mensen het hele vliegtuig waren vergeten. De bossen, zo schijnt het, kunnen heel veel wrakken opslokken en niet veel prijsgeven.

Desondanks lijkt de volstrekte verdwijning van een Lear-jet onverklaarbaar. Om te beginnen is een Lear-jet een groot vliegtuig, met een vleugelwijdte van twaalf meter. Je zou denken dat zo'n groot voorwerp niet spoorloos kan verdwinen, maar kennelijk kan dat tóch. Dan was er al die technologie die inmiddels kon worden ingezet – warmtesensoren, infraroodkijkers, lange-afstandmetaaldetectoren en dergelijke. De luchtmacht heeft zelfs een verkenningssatelliet ter beschikking gesteld. Maar het mocht allemaal niet baten. Het lot van het ongeluksvliegtuig is nog evenzeer een mysterie als een jaar geleden. Ik houd jullie op de hoogte.

Tot mijn verrassing was de column die meer brieven heeft opgeleverd dan alle andere van het afgelopen jaar mijn verslag in het voorjaar over onze krankzinnig ergerlijke, twee jaar durende worsteling om de immigratiedienst van de Verenigde Staten zo ver te krijgen dat mijn echtgenote het recht heeft samen met mij te wonen in mijn eigen land. Veel van jullie blijken eveneens de verbijsterende botheid en onbuigzaamheid van de US Immigration and Naturalization Service te hebben ondervonden.

Vlak nadat die column was verschenen, kwam ik in de krant het verhaal tegen van een man die Raul Blanco heette en wiens aanvraag voor het staatsburgerschap herhaaldelijk was afgewezen omdat hij geen volledig aantal vingerafdrukken had ingeleverd. Blanco had geduldig in de ene na de andere brief uitgelegd dat hij geen volledig aantal vingerafdrukken kon inleveren omdat hij slechts zeven vingers had – hij was er drie kwijtgeraakt bij een fabrieksongeluk, jaren geleden, in zijn geboorteland Cuba. Volgens de laatste berichten was Blanco nog steeds bezig iemand van de Immigration and Naturalization Service zo ver te krijgen dat hij begreep wat zijn probleem was. Eigenlijk zou hij zich beter kunnen verdiepen in het terugkrijgen van die vermiste vingers.

Mijn vrouw, zo kan ik jullie tot mijn genoegen vertellen, heeft zes weken na de publicatie van mijn column haar papieren gekregen, en bovendien is ze nog in het bezit van al haar vingers, zodat het al met al nogal een goed jaar is geweest. En in die positieve toonaard wil ik jullie allemaal een heel gelukkig, welvarend en voltallig gevingerd 1998 toewensen.

Je nieuwe computer

Gefeliciteerd. U hebt een Anthrax/2000 Multimedia 615X Personal Computer met Digital Doo-Dah Enhancer gekocht. Hij zal u jarenlang trouwe dienst bewijzen, als u hem ooit aan de praat krijgt. Bij uw pc behoort ook een gratis pakket reeds geïnstalleerde software – Grasmaaiplanner, Meneertje Kunstenaar, Lege Screensaver en Routeplanner voor Oost-Afrika – die u urenlang zinloos amusement zal schenken en die tevens het grootste deel van het geheugen van uw computer in beslag neemt.

Sla dus de pagina om, dan beginnen we!

Voorbereiding: Gefeliciteerd. U bent erin geslaagd de pagina om te slaan, en bent klaar om verder te gaan.

Belangrijke zinloze opmerking: De Anthrax/2000 is geconfigureerd voor 80386, 214J10 of hogere processoren die op 2,472 hertz draaien met variabele snelheid. Controleer uw elektrische installaties en verzekeringspolissen alvorens verder te gaan. Niet in de wasdroger stoppen.

Kies ter voorkoming van hittestuwing in het inwendige een koele, droge omgeving voor uw computer. De onderste plank van een koelkast is ideaal.

Maak de doos open en bekijk de inhoud. (Waarschuwing: Open de doos niet als de inhoud ontbreekt of gebreken vertoont, want dan vervalt uw garantie. Stuur alle ontbrekende zaken terug in hun oorspronkelijke verpakking met een brief waarin staat waarheen ze zijn gegaan, en dan zal u binnen twaalf werkmaanden een vervanging worden toegezonden.) De inhoud van de doos behoort uit het volgende te bestaan: monitor met mysterieuze De-Gaussknop; toetsenbord met een snoer van 6,25 cm lengte; computersysteem; diverse snoeren en kabels die niet noodzakelijkerwijs voor dit model zijn ontworpen; een *Handboek voor de eigenaar*, 2000 pagina's dik; een *Korte Verklaring van het Handboek voor de eigenaar; Snelle gids voor de Korte Verklaring van het Handboek voor de eigenaar; Gelamineerde Super-Snelle Installatiegids voor lieden die uitzonderlijk ongeduldig of dom zijn*; 1 167 pagina's garantiebewijzen, tegoedbonnen, mededelingen in de Spaanse taal en andere losse papiertjes; 8,17m² piepschuim als verpakkingsmateriaal.

Wat ze u in de winkel niet hebben verteld: Vanwege de extra stroombehoefte van de reeds geïnstalleerde software, zult u een upgrade-pakket hulpsoftware voor de Anthrax/2000 moeten aanschaffen, een 900-volt geheugenactivator voor het pakket hulpsoftware, een 50-mega-hertz oscillatoreenheid voor de geheugenactivator, 2500 mega-gigabytes aanvullend geheugen voor de oscillator, en een elektrisch onderstation.

Installatie: Gefeliciteerd. U bent klaar voor de installatie. Als u nog geen diploma elektrotechniek hebt behaald, dan is nu de tijd gekomen.

Verbind de monitorkabel (A) met het linker contact op het systeem (D); bevestig stroominductie-eenheid sub-orbiter (Xii) aan het coaxiale AC/DC servokanaal (G); steek driepolige muiskabel in toetsenbordeenheid (maak extra opening indien nodig); verbind modem (B2) met rechterzijde parallelle audio/video-poort. Of steek de kabels in de meest waarschijnlijk uitziende openingen, zet het geheel aan en kijk wat er gebeurt.

Nog een zinloze opmerking: de bedrading in de ampul-modulatoreenheid zijn als volgt aangegeven volgens internationale afspraken: blauw = neutraal of onder stroom; geel = onder stroom of blauw; blauw en onder stroom = neutraal en groen; zwart = onmiddellijke dood. (Behalve waar dit bij de wet verboden is.)

Zet de computer aan. Uw harddisk zal automatisch downloaden. (Reken op drie tot vijf dagen.) Wanneer het downloaden voltooid is, zal op uw monitor de vraag verschijnen: 'Ja, wat is er?'

Nu wordt het tijd uw software te installeren. Steek Diskette A (waarop staat 'Diskette D' of 'Diskette G') in gleuf B of J, en typ: 'Hallo? Is er iemand thuis?' Typ achter de DOS-prompt uw Licentieverificatienummer. Uw Licentieverificatienummer is te vinden door intikken van uw Officiële Gebruikersnummer, dat gevonden kan worden door uw Licentieverificatienummer in te tikken. Als u uw Licentieverificatie- of Officieel Gebruikersnummer niet kunt vinden, bel dan de Software-Helpdesk om hulp. (Zorg ervoor dat u uw Licentieverificatie- en Officieel Gebruikersnummer bij de hand hebt, want anders kunnen de Helpdeskmedewerkers u niet helpen.)

Als u nog geen zelfmoord hebt gepleegd, schuif dan Installatiediskette I in gleuf 2 (of omgekeerd) en volg de instructies op uw scherm. (Let op: Als gevolg van een software-aanpassing zullen sommige instructies in het Roemeens gesteld zijn.) Bij elke aanwijzing moet u het aangegeven bestandspad opnieuw configureren, dubbelklikken op startknop, een eentallig vrij bestand kiezen uit het macro-keuzeregister, de VGA-graphicskaart in het achterste draagvlak steken en 'C:\>' intikken, gevolgd door de geboortedata van alle mensen die u ooit gekend hebt.

Op uw scherm leest u dan: 'Ongeldige bestandsroute. Ho! Stoppen of doorgaan?' Waarschuwing: Als u kiest voor 'Doorgaan' kan dat resulteren in onherstelbare bestandscompressie, permanent geheugenverlies en een overmaat aan default in de harde schijf. Aan de andere kant: kiezen voor 'Stoppen' verplicht u weer helemaal opnieuw te beginnen met dat saaie, ergerlijke installatieproces. U mag het zelf zeggen.

Wanneer de rook is opgetrokken: steek Diskette A2 (waarop staat 'Diskette A1') in de gleuf en herhaal dit volgens de aanwijzingen met alle overige 187 diskettes.

Ga, wanneer de installatie compleet is, terug naar de bestandsroute en tik uw naam, adres en creditcardnummers in, en druk op 'Verzenden'. Daardoor wordt u automatisch geregistreerd voor onze gratis softwareprijs, 'Lege Screensaver IV: Nacht in het holst van de ruimte', en bovendien kunnen wij dan uw naam doorgeven aan talloze computertijdschriften, online-services en andere commerciële ondernemingen, die binnenkort contact met u zullen opnemen.

Gefeliciteerd. U kunt nu uw computer gebruiken. Hier volgen enkele eenvoudige oefeningen, voor een vliegende start.

Brief schrijven: Typ 'Beste....' en laat dat volgen door de naam van iemand die u kent. Schrijf een paar regels over uzelf, en typ dan 'Hartelijke groeten', gevolgd door uw eigen naam. Gefeliciteerd.

Bestand opslaan: Kies om uw brief op te slaan het keuzemenu. Kies 'Ophalen' uit Subdirectory A, tik een backup-bestandsnummer in en plaats een punt naast de macro-dialoogknop. Kies een secundair tekstvenster uit het sorteermenu en dubbelklik op het aanvullende, lege documentvenster. Wijs de tegelcascade toe aan een sorteermenu en voeg een tekstvenster toe. Alternatief: schrijf de brief met de hand en stop hem in een la.

Adviezen voor het gebruik van de spreadsheet: Gebruik het niet.

Veelvoorkomende problemen: U zult heel veel problemen met uw computer krijgen. Hier volgen enkele veelvoorkomende problemen, met hun oplossing.

Probleem: Mijn computer doet het niet.

Oplossing: Controleer of de stekker in het stopcontact zit; controleer of de knop op 'Aan' staat; controleer de kabels op beschadiging; graaf de ondergrondse kabels in uw tuin op en kijk of ze beschadigd zijn; rijd de stad uit en kijk naar de hoogspanningsmasten of er draden naar beneden hangen; bel de hotline.

Probleem: Mijn toetsenbord lijkt geen toetsen te hebben.

Oplossing: Keer de juiste kant naar boven.

Probleem: Mijn muis wil zijn water niet drinken of in zijn draaimolentje lopen.

Oplossing: Probeer het met een speciaal eiwitrijk dieet of bel de hulplijn van uw dierenwinkel.

Probleem: Ik krijg steeds de boodschap: 'Non-System General Protection Fault.'

Oplossing: Dit komt waarschijnlijk doordat u probeert de computer te gebruiken. Zet de computer op 'uit', dan zullen alle ergerlijke boodschappen verdwijnen.

Probleem: Mijn computer is een massa onbruikbare rotzooi.

Correct – en gefeliciteerd. U bent nu klaar om over te stappen op een Anthrax/3000 Turbo-model, of om terug te keren tot pen en papier.

Lang leve de 'diners'

Een paar jaar geleden, toen ik door mijn gezin vooruitge-stuurd werd om uit te zoeken waar we konden gaan wonen in de Verenigde Staten, had ik ook het stadje Adams, Mas-sachusetts, als mogelijkheid op mijn lijstje staan, omdat daar zo'n heerlijk ouderwetse *diner* (restaurantje) aan Main Street was.

Helaas heb ik Adams van mijn lijstje moeten schrappen toen ik me helemaal geen andere gunstige dingen over dat stadje kon herinneren, misschien omdat die er niet waren. Toch geloof ik dat ik daar gelukkig zou zijn geweest. Dat effect hebben diners wel vaker op mensen.

Diners waren vroeger mateloos populair, maar als zoveel dingen zijn ze steeds zeldzamer geworden. Hun beste tijd was de periode tussen de wereldoorlogen, toen de kroegen geslo-ten waren door de drooglegging en de mensen ergens anders moesten gaan lunchen. Vanuit zakelijk standpunt waren di-ners een aantrekkelijk idee. Ze waren goedkoop in aanschaf en onderhoud en, omdat ze geprefabriceerd waren, arriveer-den ze vrijwel compleet. Als je er een had gekocht, hoefde je hem alleen op een vlak stuk grond neer te zetten, water en elektriciteit aan te sluiten, en dan kon je aan de slag. Als de klandizie uitbleef, zette je hem gewoon op een dieplader en beproefde je elders je geluk. Aan het eind van de jaren twin-tig waren er een stuk of twintig bedrijven die massaal diners construeerden, bijna allemaal in een gestroomlijnde art-de-costijl die *moderne* heet, met een glimmend roestvrij stalen buitenkant, en een interieur van glanzend donker hout en nog meer glimmend metaal.

De fans van diners lijken een beetje op treinspotters. Ze kunnen je vertellen of een bepaalde diner een Kullman Blue Comet uit 1947 is of een Worcester Semi-Streamliner uit 1932. Ze kennen de bijzonderheden die een Ralph Musi onderscheiden van een Starlite of een O'Mahoney, en zijn bereid grote afstanden te rijden voor een bezoek aan een zeldzame en goed geconserveerde Sterling, waarvan er tussen 1935 en 1941 slechts drieënzeventig zijn gebouwd.

Het enige waarover ze niet veel zeggen is het eten. Dat komt doordat het eten in een diner meestal hetzelfde is, waar je ook komt – en dat wil zeggen: niet erg best. Mijn vrouw en kinderen weigeren om die reden met me mee te gaan naar een diner. Wat zij niet begrijpen is dat een bezoek aan een diner niets met eten te maken heeft; het gaat om het behoud van een hoogst belangrijk onderdeel van het Amerikaanse erfgoed.

In de tijd dat ik opgroeide hadden we geen diners in Iowa. Ze kwamen het meest voor aan de oostkust, zoals restaurants in de vorm van dingen (varkens, donuts, bolhoeden) weer typisch een verschijnsel van de westkust waren. Wat bij ons nog het dichtst een diner naderde was een tentje aan de rivier dat 'Ernie's Grill' heette. Alles daar was smerig en vettig, inclusief Ernie, en het eten was verschrikkelijk, maar het had wél veel van de kenmerken van een diner, namelijk een lange bar met draaiende krukken, een wand met zitjes, gasten die eruitzagen of ze net terug waren van het doden van grote dieren in de wouden (misschien zelfs met hun tanden), en een voorkeur voor het taalgebruik van de diner. Als je iets bestelde, riep de dienster in een niet te kraken geheimtaal: 'Twee vlekken op een stip, zuinig met de Brylcreem, druppel op de plaat en tweemaal kuchen in een emmer,' of iets dat even alarmerend en verwarrend klonk.

'Ernie's Grill' bevond zich echter in een hoekig, laag, anoniem bakstenen gebouw, waar duidelijk de gestroomlijnde glamour van een klassieke diner ontbrak. Dus toen ik tientallen jaren later eropuit gestuurd werd om een leefbare gemeenschap in New England te zoeken, was een diner een van de dingen die hoog op mijn boodschappenlijstje stond. Helaas zijn ze steeds moeilijker te vinden.

Hanover, New Hampshire, waar we ons uiteindelijk gevestigd hebben, heeft wel een oude eetgelegenheid die 'Lou's' heet, en die vorig jaar zijn vijftigjarig bestaan heeft gevierd. Oppervlakkig gezien hangt er de sfeer van een diner, maar op het menu staan dingen als quiche en fajita, en ze pochen over de versheid van hun sla. De klanten zijn allemaal welgesteld en yuppie-achtig. Je kunt je bij hen niet voorstellen dat ze in een auto stappen waar een hert over de motorkap zit gesjord.

Jullie kunnen je dus mijn vreugde voorstellen toen ik, ongeveer zes maanden nadat we naar Hanover verhuisd waren, door het naburige plaatsje White River Junction reed en langs een eetgelegenheid kwam die de Four Aces heette. Impulsief ging ik naar binnen, en daar vond ik een Worcester van vlak na de oorlog, bijna puntgaaf. Het was fantastisch. Zelfs het eten was heel behoorlijk, wat ik een tikje teleurstellend vond, maar ik heb ermee leren leven.

Niemand weet hoeveel van zulke diners er nog zijn. Voor een deel komt dat doordat de definitie een probleem is. Een diner is in wezen elke tent die eten serveert en zichzelf 'diner' noemt. Als men de definitie zo ruim mogelijk maakt, zijn er ongeveer 2500 diners in de Verenigde Staten. Maar niet meer dan duizend daarvan, hooguit, zijn wat men 'klassieke' diners kan noemen, en hun aantal neemt elk jaar af. Nog maar een paar maanden geleden is Phil's, de oudste diner van Californië, gesloten. Deze eetgelegenheid had sinds 1926 in noordelijk Los Angeles bestaan, waardoor hij volgens Californische normen even oud en eerbiedwaardig was als Stonehenge, maar de sluiting ervan is slechts weinigen opgevallen. De meeste diners kunnen de concurrentie met de grote fastfoodketens niet aan. Een traditionele diner is klein, met misschien acht zitjes en een stuk of twaalf plaatsen aan de bar, en omdat er serveersters zijn en de maaltijden individueel worden toebereid, liggen de kosten hoger. Ook zijn de meeste diners oud, en in Amerika is vervanging bijna altijd goedkoper dan conservering. Een enthousiasteling die in Jersey City, New Jersey, een oude diner had gekocht, ontdekte tot zijn schrik dat het bijna 900 000 dollar zou kosten – misschien twintig jaar potentiële winst – om hem in oude glorie te herstellen. Het is veel goedkoper hem af te breken en de grond te verkopen aan een Kentucky Fried Chicken of een McDonald's.

Wat je tegenwoordig vaak ziet zijn ersatz-diners. De laatste keer dat ik in Chicago was, namen ze me mee naar een gelegenheid die Ed Debevic's heette, waar de serveersters naamkaartjes droegen waarop Bubbles of Blondie stond, en waar de wanden vol hingen met Eds kegeltrofeeën. Maar er is nooit een Ed Debevic geweest. Dat was slechts een creatief verzinsel van een marketingspecialist. Het deed er niet toe. Het was enorm druk bij Ed's. Een eetpubliek dat de echte diners had versmaad toen je ze op elke straathoek zag, stond nu in de rij voor een nep-diner. Dat plaatst me voor een mateloos raadsel, maar het is een algemeen verschijnsel in Amerika.

Je ziet het ook in Disneyland, waar de mensen in troepen op afkomen om te wandelen over een Main Street net als de straten die ze in de jaren vijftig massaal hebben verlaten in ruil voor winkelcentra. Het gebeurt in gerestaureerde koloniale dorpen als Williamsburg, Virginia, of Mystic, Connecticut, waar toeristen heel wat betalen om te proeven van de kalme dorpssfeer waarvoor ze lang geleden gevlucht zijn naar de buitenwijken van de grote steden. Ik kan er in de verste verte geen verklaring van geven, maar het schijnt zo te zijn dat Amerikanen, om het maar eens mooi te zeggen, eigenlijk alleen iets willen als het niet echt is.

Maar dat is een onderwerp voor een andere column. We zullen daar de volgende keer op terugkomen. In die tussentijd vertrek ik naar de Four Aces, nu ik nog de kans krijg. Daar zijn geen diensters die Bubbles heten, maar de kegeltrofeeën zijn echt.

Iets minder dan drie maanden nadat dit stukje was verschenen, begin april 1998, is de Four Aces gesloten.

Allemaal even afschuwelijk

Ik herinner me de eerste keer dat ik Europese chocolade proefde. Dat was in het Centraal Station van Antwerpen, op 21 maart 1972, op mijn tweede dag als jeugdig backpacker in Europa. Terwijl ik wachtte op een trein, kocht ik een Belgische chocoladereep bij een kiosk in het station, nam een hap en begon, na een moment van verbaasde verrukking, een reeks onwillekeurige hartstochtelijke geluiden te maken, zo heftig dat mensen van twintig meter afstand naar me staarden.

Jullie weten hoe een baby een bordje pudding opeet – met geluiden en smaak en een schrikwekkende hoeveelheid gorgelend gekwijl? Nou, zo handelde ik destijds. Ik kon er niets aan doen. Ik wist niet dat chocolade zo lekker kon zijn. Ik wist niet dat ook maar íéts zo lekker kon smaken.

Amerikaanse chocoladerepen, zoals jullie misschien weten, zijn raadselachtig smakeloze dingen. Ik heb me laten vertellen dat dat niet altijd zo is geweest. Vele malen heb ik van mensen van mijn ouders' generatie gehoord dat Amerikaanse chocoladerepen in de tijd dat zij jong waren, fantastisch smaakten – ze waren dikker, romiger, weelderiger voorzien van noten en noga en smaakextase. Mijn vader haalde weemoedige herinneringen op aan snoeprepen uit de jaren twintig die zo stevig waren dat je bijna de hele dag nodig had om ze op te eten, en een paar weken om ze te verteren. Diezelfde repen zijn in deze tijd vale dingetjes van niks.

De bekende verklaring is dat die producten in de loop der jaren voortdurend geherformuleerd – misschien moet ik zeggen: gedeformuleerd – zijn teneinde de kosten te drukken en hun aantrekkingskracht te vergroten voor mensen met minder gevoelige gehemeltes. Het is absoluut waar dat erg veel Amerikaans eten – wittebrood, de meeste inheemse kaassoorten, bijna alle kant-en-klaargerechten, de meerderheid van de soorten bier, nogal wat koffiemerken – lang niet zo krachtig en smakelijk en gevarieerd is als de tegenhangers bijna overal in Europa, inclusief Groot-Brittannië. Het is heel vreemd voor een land dat zo van eten houdt, maar het is nu eenmaal zo.

Ik schrijf het toe aan twee dingen. In de eerste plaats de kosten. Alles in Amerika wordt gebaseerd op kosten, veel meer dan in andere landen. Als de prijs een factor is tussen concurrerende bedrijven (en dat is altijd het geval), dan zal het goedkopere onvermijdelijk het duurdere de nek omdoen, en dat leidt zelden tot betere kwaliteit. (Of liever: het leidt nooit tot betere kwaliteit.)

Er was vroeger een goed Mexicaans fastfoodrestaurant in een stadje voorbij onze woonplaats. En toen, ongeveer een jaar geleden, opende Taco Bell, een nationale voedselketen, een vestiging recht aan de overkant. Ik geloof niet dat er één mens is die zou beweren dat Taco Bell echt goed Mexicaans eten levert, maar goedkoop is het wel – minstens vijfentwintig procent goedkoper dan het restaurant aan de overkant, waarmee het concurreerde. Binnen een jaar was het restaurant verdwenen. Dus wanneer je in onze streek Mexicaans fastfood wilt, dan moet je je neerleggen bij het goedkope, maar zorgvuldig ongeïnspireerde aanbod van Taco Bell.

Omdat Taco Bell zo scherp concurreert met de prijzen, overheersen hun vestigingen vrijwel overal. Waar je tegenwoordig ook komt over de Amerikaanse grote wegen – als je een taco wilt, moet je naar Taco Bell. Het verbijsterende is dat de meeste mensen het zo lijken te willen. En dat is de tweede van onze factoren – de vreemde, onwrikbare gehechtheid van Amerikaanse consumenten aan voorspelbare uniformiteit. Kortom: Amerikanen willen dat de dingen hetzelfde zijn, waar ze ook komen. Dat is het onderdeel dat mij zeer verbaast.

Neem bijvoorbeeld Starbucks, een keten van koffiebars die mij een lichte en mogelijk irrationele afkeer inboezemt, al was het maar omdat je ze zo langzamerhand overal tegenkomt. Starbucks is een paar jaar geleden heel stilletjes begonnen in Seattle, maar de afgelopen vijf jaar is hun aantal vestigingen vertienvoudigd, tot 1270, en dat aantal willen ze de komende twee jaar zo ongeveer verdubbelen. In veel steden waar je op zoek gaat naar een koffiebar bestaat de keus zo ongeveer uit Starbucks of niks.

Nou mankeert er niets aan Starbucks, maar er is ook niets bijzonders aan. Ze bieden een fatsoenlijke kop koffie aan. Nou en? Ik kan je ook een fatsoenlijke kop koffie geven. Je krijgt de indruk dat het hoofdmotief van Starbucks niet is de beste koppen koffie te leveren, maar eerder meer Starbucks te produceren. Als het Amerikaanse koffie drinkende publiek echt voortreffelijke koffie eiste, dan zou Starbucks daarin moeten voorzien als ze de grootste willen blijven, maar het Amerikaanse publiek zal dat niet eisen, dus zal er niet veel druk op Starbucks worden uitgeoefend om uitzonderlijke kwaliteit te bieden. Misschien doen ze dat wel, maar er is geen sprake van enige commerciële noodzaak, en wel omdat zij, in de meeste plaatsen, (a) de enige koffiebar zijn, en (b) de klanten volledig gewend zijn aan het merk van Starbucks.

Hier in Hanover hebben we twee heel sympathieke koffiebars, maar ik ben ervan overtuigd: als Starbucks zich hier vestigt, zouden de mensen opgewonden reageren. (Jullie hadden eens de dolzinnigheid moeten zien toen The Gap hierheen kwam.) Starbucks zou gezien worden als een soort schouderklopje voor de stad, van de kant van de buitenwereld. De toeristen, van wie het stadje afhankelijk is, zouden vrijwel zeker massaal daarheen gaan, omdat ze Starbucks kennen en zich daar op hun gemak voelen.

De mensen zijn zo gewend geraakt aan eenvormigheid dat ze er als het ware door gehypnotiseerd worden. Ongeveer acht kilometer van waar ik woon bevond zich tot voor kort een aardig, ouderwets restaurant dat door een familie gedreven werd. Een paar jaar geleden is daartegenover een McDonald's geopend. Bijna onmiddellijk verplaatste de klandizie van passerende gasten zich van de ene kant van de weg naar de andere. Afgelopen zomer is het restaurant van die familie gesloten. Korte tijd later zei ik tegen een buurman dat ik het teleurstellend vond dat de mensen een plaatselijke eetgelegenheid inruilden voor de universele aantrekkingskracht van McDonald's.

'Ja-a-a,' zei mijn buurman op die nadenkende, langgerekte manier die aangeeft dat men het ergens niet helemaal mee eens is. 'Maar het is natuurlijk wél zo dat je met McDonald's weet waar je aan toe bent, nietwaar?'

'Precies!' riep ik verontwaardigd uit. 'Snap je dan niet dat dát juist het probleem is!'

Ik had zin om hem bij zijn revers te pakken en uit te leggen dat dergelijk denken ertoe geleid had dat chocolade in Amerika geen smaak heeft, dat wittebrood als watten smaakt en dat kaas wel honderd namen heeft (colby, Monterey jack, cheddar, American, provolone), maar slechts één smaak, één structuur en één knalgele kleur.

Maar ik zag wel in dat het geen zin had. Hij was zo'n peulman uit de *Invasion of the Body Snatchers*. De krachten van de karakterloosheid hadden zijn geest gevangengenomen en zouden die nooit meer vrijlaten. Hij was een McPerson geworden.

Hij keek me onbehaaglijk aan – mensen in onze straat doen meestal niet opgewonden – en ik kon zien dat hij dacht: 'Uitkijken! Emotionele kerel!'

Misschien had hij gelijk. Ik moet toegeven dat ik me de afgelopen maanden een beetje kregelig heb gevoeld. Ik schrijf het toe aan ernstige chocoladedeprivatie.

De vetten des lands

Ik heb de laatste tijd veel nagedacht over eten. Dat komt doordat ik het niet krijg. Mijn vrouw heeft me namelijk onlangs op dieet gezet, nadat ze had opgemerkt (een tikje onvriendelijk, als je het mij vraagt) dat ik eruit begon te zien als iets wat Richard Branson in de lucht zou willen laten zweven.

Het is een interessant dieet, door haarzelf bedacht, en het komt erop neer dat ik alles mag eten wat ik wil, zolang het maar geen vet, cholesterol, natrium of calorieën bevat, en nergens naar smaakt. Om te voorkomen dat ik compleet verhonger, is ze naar de supermarkt gegaan, waar ze alles gekocht heeft wat 'zemelen' in zijn naam heeft. Ik weet het niet zeker, maar ik geloof dat ik gisteravond zemelschijfjes te eten heb gekregen. Ik ben zwaar depressief.

Zwaarlijvigheid is een ernstig probleem in Amerika. (Nou ja, ernstig voor dikke mensen, bedoel ik.) De helft van alle volwassen Amerikanen is te dik en meer dan een derde wordt aangemerkt als zwaarlijvig (dat wil zeggen: zo omvangrijk dat je aarzelt voordat je met ze in een lift stapt).

Nu vrijwel niemand meer rookt, is zwaarlijvigheid het grootste gezondheidsrisico in dit land geworden. Ongeveer 300 000 Amerikanen sterven elk jaar aan ziekten die met zwaarlijvigheid te maken hebben, en de natie geeft honderd miljard dollar uit aan de behandeling van ziekten die voortkomen uit te veel eten – diabetes, hartkwalen, hoge bloeddruk, kanker enzovoort. (Ik had het me niet gerealiseerd, maar door zwaarlijvigheid kan je kans op dikkedarmkanker – en dat is een ziekte die niemand zich wenst – met wel vijftig procent toenemen. Sinds ik dat gelezen heb, zie ik almaar voor me hoe een proctoloog mij onderzoekt en zegt: 'Wow, hoeveel kaasburgers hebt u van uw leven wel gegeten, meneer Bryson?') Overmatig dik zijn vermindert ook aanzienlijk je kansen op het overleven van een operatie, om maar te zwijgen van je kansen op een aardig afspraakje.

Bovenal betekent het dat mensen die je in theorie dierbaar zijn, je aanspreken als 'Meneer Vetzak' en vragen wat je doet, elke keer dat je een kastdeur opendoet en, volslagen toevallig, een grote zak kaascrackers pakt.

Het raadsel voor mij is hoe ook maar iemand slank kan zijn in dit land. We gingen laatst naar een restaurant waar iets gepromoot werd wat Skillet Sensations heette. Hier volgt (en het is de letterlijke waarheid) de beschrijving uit het menu van de Chilli Cheese Tater Skillet:

> We beginnen deze ongelooflijke combinatie met krokante, knapperig gebakken wafels. Daarop scheppen we met gulle hand scherpe chili, gesmolten Monterey jack en cheddar, en daarop stapelen we tomaten, lente-uitjes en zure room.'

Begrijpen jullie waartegen ik het moet opnemen? En dat was nog een van de meer bescheiden gerechten op het menu. Het meest deprimerend is dat mijn vrouw en kinderen dat spul kunnen eten zonder een onsje aan te komen. Toen de serveerster kwam, zei mijn vrouw: 'De kinderen en ik nemen het "De Luxe Supreme Goo Skillet Feast", met extra kaas en zure room, en als bijgerecht uiringen met warme toffeesaus en bruine jus.'

'En Meneer Vetzak?'

'Breng hem maar wat droge zemelen en een glas water.'

Toen ik de volgende ochtend, gezeten aan een ontbijt dat bestond uit havervlokken en kaf, tegen mijn vrouw zei dat dit, met alle respect, wel het idiootste dieet was dat ik ooit was tegengekomen, zei ze dat ik dan maar een beter dieet moest opzoeken, dus ging ik naar de bibliotheek. Er waren minstens honderdvijftig boeken over dieet en voedingsleer – *Dr Berger's Immune Power Diet*, *Straight Talk About Weight Control*, *The Rotation Diet* – maar die waren mij allemaal een beetje te serieus en van zemelen bezeten. Toen zag ik er een dat precies was wat ik zocht. Van Dale M. Atrens, Ph.D., en het heette *Don't Diet*. Dát was nog eens een titel waar ik wat mee kon beginnen.

Ik overwon mijn gebruikelijke afkeer om te lezen in een boek dat geschreven was door iemand die zo mateloos stom was om 'Ph.D.' achter zijn naam te zetten (ik zet zelf per slot van rekening ook geen Ph.D. achter mijn naam in mijn boeken – en niet alleen omdat ik die titel niet bezit), en nam het boek mee naar de leestafel die bibliotheken reserveren voor mensen die een beetje vreemd zijn en 's middags nergens heen kunnen, maar toch nog niet helemaal klaar voor het gesticht zijn, en ik wijdde me een uur lang aan diepgaande studie.

De vooronderstelling van het boek, als ik het goed begrepen heb (en jullie moeten me vergeven als ik over sommige details ietwat vaag ben, maar ik werd afgeleid door de man naast me, die een rustig gesprek voerde met een persoon in de volgende dimensie), is dat het menselijk lichaam door eonen van evolutie geprogrammeerd is om vetweefsel te kweken ter wille van warmte-isolatie in koude jaargetijden, ter wille van vulsel voor het gemak en als energiereserve voor jaren van misoogst.

Het menselijk lichaam – en het mijne in het bijzonder, zo bleek – is daar uitermate goed in. Boomspitsmuizen kunnen dat helemaal niet. Die moeten aan een stuk door eten zolang ze wakker zijn. 'Dat kan de reden zijn dat boomspitsmuizen zo weinig grote kunst of muziek hebben voortgebracht,' grapjast Atrens. Ha! Ha! Ha! Maar ja, het kan ook komen doordat de boomspitsmuis bladeren eet, terwijl ik Ben & Jerry's dubbel chocoladeroomijs tot me neem.

Het andere interessante feit waarop Atrens wijst is dat vet buitengewoon hardnekkig is. Zelfs als je je bijna ten dode uithongert, vertoont het lichaam een grote tegenzin om zijn vetreserves af te staan.

Men moet bedenken dat elk pond vet staat voor vijfduizend calorieën – ongeveer wat de gemiddelde mens in twee volle dagen eet. Dat wil zeggen: als je je een week lang zou uithongeren – helemaal niets zou eten – zou je niet meer dan drieënhalf pond vet kwijtraken en dan zou je, dat moeten we toegeven, nog steeds geen goed figuur slaan in je badpak.

Nadat je je zeven dagen lang op die manier had gekweld, zou je natuurlijk de provisiekamer in sluipen als niemand je kon zien, en dan zou je daar alles opeten, afgezien van een zak kikkererwten, zodat je al je gewichtsverlies weer goedmaakte, *plus* – en nu komt het – nog wat extra, omdat je lichaam nu weet dat je geprobeerd hebt het uit te hongeren, en dat je dus onbetrouwbaar bent, zodat het maar liever wat extra blubber vergaart voor het geval je weer van die dwaze ideeën krijgt.

Dat is waarom lijnen zo frustrerend is, en zo moeilijk. Hoe meer je je best doet je vet kwijt te raken, des te hardnekkiger houdt je lichaam het vast.

Dus heb ik nu een ingenieus alternatief dieet bedacht. Ik noem dit het Dieet dat je lichaam twintig uur per dag voor de gek houdt. Het gaat erom dat je je gedurende twintig van de vierentwintig uur genadeloos uithongert, maar op vier punten tijdens de dag – we zullen ze voor het gemak ontbijt, lunch, avondeten en nachtelijk hapje noemen – geef je je lichaam iets te eten als een bord met worst, chips en bonen, of een grote kom dubbel chocoladeroomijs, zodat je lijf zich niet realiseert dat je bezig bent het uit te hongeren. Is dat niet briljant?

Ik weet niet waarom ik dat niet al jaren geleden heb bedacht. Het zou kunnen komen doordat al die zemelen mijn hersens gezuiverd hebben. Of door iets anders.

Het sportleven

We zijn bevriend met een alleenstaande moeder; ze heeft een zesjarig zoontje dat zich onlangs heeft opgegeven voor ijshockey, een sport die hier heel serieus wordt genomen.

Bij de eerste bijeenkomst van het team deelde een van de vaders mee dat hij een formule had bedacht om te bepalen hoelang elk kind zou spelen. Het kwam erop neer dan de zeven beste spelers tachtig procent van elke wedstrijd zouden spelen, en de overige, meer hopeloze jochies zouden de resterende tijd onderling verdelen – zolang de overwinning tenminste niet in het geding kwam.

'Dat lijkt mij de eerlijkste manier,' zei hij, en de andere vaders knikten plechtig.

Onze vriendin, die de rol van testosteron in dergelijke zaken niet begrijpt, stond op en zei dat het haar eerlijker leek alle kinderen evenveel te laten spelen.

'Maar dan zouden ze niet winnen,' zei de vader, en zijn gezicht sprak van lichte ontzetting.

'Nee,' zei onze vriendin. 'En wat dan nog?'

'Maar wat heeft sport voor zin als je niet wint?'

Het ging hier, laat ik dat nog een keer zeggen, om kinderen van zes. Deze ruimte – deze hele krant zelfs – is te klein om in te gaan op alle dingen die zijn misgegaan met de sport in Amerika, op vrijwel alle niveaus, dus laat me slechts een paar voorbeelden noemen om jullie er een idee van te geven hoe Amerika tegenwoordig de wedstrijdsport benadert.

Voorbeeld: Teneinde hen aan te moedigen en onze plaats in de medaillestatistieken (die natuurlijk het allerbelangrijkste in het heelal is) te verbeteren, kregen Amerikaanse zwemmers bedragen tot 65 000 dollar uitbetaald uit officiële fondsen, voor elke medaille die ze bij de laatste Olympische Spelen hadden gewonnen. Kennelijk is het vertegenwoordigen van je land en je uiterste best doen niet meer genoeg.

Voorbeeld: Om de fans in eigen land en hun positie in de nationale competities te verbeteren spelen de footballteams van de grootste *colleges* tegenwoordig regelmatig wedstrijden tegen hopeloos ontoereikende tegenstanders. Een bijzonder trots moment voor de sport in het afgelopen seizoen was toen de University of Florida, die tweede staat in de nationale competitie, het opnam tegen de nederige krachten van de kleine Central Michigan University, en won met 86 tegen 6.

Voorbeeld: Om zestig minuten football op de televisie te zien tijdens de Super Bowl, moest je honderddertien reclamespots, aankondigingen van programma's of productreclame uitzitten. (Ik heb het bijgehouden.)

Voorbeeld: De gemiddelde kosten voor een gezin van vier personen om een honkbalwedstrijd van de Major League bij te wonen, bedragen nu meer dan 200 dollar.

Ik noem al die voorbeelden, niet om duidelijk te maken dat overdreven commercie en afstomping van sportbeoefenaars veel van het plezier in de sport hebben bedorven, al is dat een feit, maar om uit te leggen waarom ik zo dol ben op de basketbalwedstrijden van Dartmouth College.

Dartmouth is onze plaatselijke universiteit, en zit in de Ivy League, een groep van acht eerbiedwaardige en intelligente instellingen – Harvard, Yale, Princeton, Brown, Columbia, Penn, Cornell en Dartmouth. De studenten gaan naar Ivy League-universiteiten omdat ze raketspecialist en professor zullen worden, en niet omdat ze 12 miljoen dollar per jaar

willen verdienen als beroepsbasketballer. Ze spelen uit lief-
de voor het spel, om de kameraadschap, de spanning van het
meedoen – allemaal dingen die we in dit land voor het merendeel zijn kwijtgeraakt.

Ik ben drie winters geleden voor het eerst naar zo'n wedstrijd gegaan, toen ik een wedstrijdrooster in een etalage zag
hangen en het me opviel dat de openingswedstrijd van dat
seizoen die avond zou zijn. Ik had in geen twintig jaar een
basketbalwedstrijd bijgewoond.

'Zeg, Dartmouth heeft vanavond een wedstrijd,' vertelde
ik opgewonden toen ik thuiskwam. 'Wie gaat er mee?'

Vijf gezichten keken me aan met een uitdrukking die ik
daar niet meer had gezien sinds ik had voorgesteld in de volgende vakantie te gaan kamperen in Slovenië. 'Oké, dan ga
ik wel alleen,' zei ik treurig, maar uiteindelijk kreeg mijn jongste dochter, die toen elf was, medelijden, en ze ging met me
mee.

Nou, we hebben genoten. Dartmouth won een razend
spannende wedstrijd, en mijn dochter en ik kwamen opgewonden thuis. Een paar avonden later won Dartmouth weer
op het nippertje, met één punt verschil, en opnieuw konden
we nergens anders over praten.

Nu wilden ze allemaal mee. Maar dat ging zo maar niet.
Wij weigerden hen mee te nemen. Dit was iets van ons tweeën.

Sindsdien is nu al drie seizoenen lang het bijwonen van
wedstrijden van Dartmouth een ritueel geworden voor mijn
dochter en mij. Alles daar is schitterend. Het gebouw waar
de wedstrijden plaatsvinden ligt op loopafstand van ons huis.
De kaartjes zijn goedkoop en het publiek is klein, vriendelijk
en trouw. Een schattig sullig bandje speelt opgewekte wijs-
jes als de tune van *Hawaii 5-0* om ons in de stemming te
brengen. Na afloop stappen we naar buiten, de winterkou in,
en lopen babbelend naar huis. Door die wandelingen ken ik
nu de namen van de Spice Girls, ik weet dat *Scream 2* ontzettend cool was, en dat Matthew Perry zo knap is dat het

bijna ongelooflijk is. Als er niet de geringste kans is dat een levend wezen haar ziet, pakt ze soms mijn hand vast. Het is fantastisch.

Maar de kern wordt gevormd door de wedstrijd. Twee uur lang schreeuwen en kreunen we, we trekken de haren uit ons hoofd en zijn compleet vervuld van de hoop dat onze jongens vaker een bal door de hoepel kunnen gooien dan hun team. Als Dartmouth wint, zijn we in de wolken. Als ze niet winnen – nou ja, dat geeft niet. Het is maar een spel. Zo behoort sport te zijn.

Een van de spelers voor Dartmouth was vorig jaar een reus van twee meter tien, Chris geheten, die alle kwaliteiten voor een stralende carrière bezat, behalve helaas talent voor basketballen. Dientengevolge zat hij vrijwel de hele tijd op het uiteinde van de reservebank. Heel af en toe werd hij ingezet voor de laatste vijftien of twintig seconden van een wedstrijd. In zulke gevallen gooide steeds iemand hem de bal toe, en dan kwam er iemand die kleiner was dan hij, en die pikte die bal af. Dan schudde hij treurig zijn hoofd, en draafde als een giraf naar het andere eind van het veld. Dat was onze lievelingsspeler.

Volgens de traditie is de laatste wedstrijd van het seizoen een avond voor de ouders, die overal vandaan komen aangevlogen om hun zoons te zien spelen. Eveneens volgens traditie worden bij de laatste thuiswedstrijd de spelers die voor hun slotexamen zitten, als eersten ingezet.

Deze specifieke wedstrijd was niet belangrijk, maar dat leek niet te zijn doorgedrongen tot onze lange held. Hij kwam het veld op met een intens, opgepept gezicht. Dit was zijn eerste en laatste kans om te schitteren, en die wilde hij niet verspelen.

De scheidsrechter floot om de wedstrijd te starten. Onze Chris rende vier of vijf keer heen en weer over het veld, en toen werd hij, tot ons verdriet en het zijne, eruit gehaald en weer naar de bank gestuurd. Hij had maar een minuut of zo gespeeld. Hij had niets fout gedaan – hij had de tijd niet gekregen om iets fout te doen. Hij ging op zijn gebruikelijke plaats zitten, wierp zijn ouders een verontschuldigende blik toe en bekeek de rest van de wedstrijd met ogen vol tranen. Iemand had vergeten de coach te vertellen dat winnen niet alles is.

Deze week speelt Dartmouth zijn laatste thuiswedstrijd van dit seizoen. Dit jaar zijn er, geloof ik, twee spelers die dapper een paar symbolische minuten het veld op en neer mogen rennen, en dan vervangen zullen worden door handiger kerels.

Mijn dochter en ik hebben besloten deze wedstrijd over te slaan. Wanneer volmaaktheid zo moeilijk te vinden is, is het ellendig te zien hoe zoiets verpest wordt.

De laatste nacht op de Titanic

Op de avond dat het schip verging, waren onze tafels in de eetzaal beeldschoon! De enorme trossen druiven boven in de fruitmanden op elke tafel waren indrukwekkend. De menu's waren heerlijk gevarieerd en verleidelijk. Ik ben aan tafel gebleven van de soep tot aan de noten.

Titanic-passagier Kate Buss, geciteerd in *Last Dinner on the Titanic: Menus and Recipes from the Great Liner*

'Goeie help, Buss, wat is dat voor een drukte?'

'O, hallo Smythe. Niets voor jou om op te zijn om deze tijd. Wil je opsteken?'

'Dank je, daar heb ik niets op tegen. Maar wat is dat voor een consternatie? Ik zag de kapitein toen ik hierheen kwam, en die leek vreselijk in de war.'

'Het lijkt erop dat we zinkende zijn, ouwe jongen.'

'Nee toch!'

'Herinner je je die ijsberg die we tijdens het diner zagen?'

'Die zo hoog was als een gebouw van twintig verdiepingen?'

'Precies. Nou het heeft er alle schijn van dat we dat verdraaide ding geraakt hebben.'

'Wat een pech.'

'Zeg dat wel.'

'Dat verklaart waarschijnlijk waarom de deur van mijn hut onder mijn bed lag toen ik wakker werd. Ik vond het al een beetje vreemd. Zeg, is dit een Monte Cristo?'

'Nee, een H. Upmann. Ik heb een mannetje in Gerrard Street die ze speciaal voor me inslaat.'

'Heel aangenaam.'

'Ja... Jammer, eigenlijk.'

'Hoe bedoel je?'

'Nou, ik had net een dozijn kistjes besteld, voor twee guineas per stuk. Maar ja, ik neem aan dat onze Bertie ze graag van me wil overnemen.'

'Dus je denkt dat we het niet overleven?'

'Het ziet er niet gunstig uit. Mevrouw Buss vroeg het nog aan Croaker, de steward van het halfdek, toen hij haar nachtmutsje bracht, en die zei dat we het geen twee uur meer uithouden. Maar hoe is het met mevrouw Smythe? Is haar maagpijn al wat minder?'

'Ik zou het niet weten. Ze is namelijk verdronken.'

'O, wat een pech.'

'Ze gleed de patrijspoort aan stuurboord uit toen we scheef begonnen te hangen. Ik ben eigenlijk wakker geworden van haar gegil. Jammer dat ze alle opwinding misloopt. Ze heeft altijd genoten van een mooie zinkpartij.'

'Mevrouw Buss is net zo.'

'Zij is toch niet ook overboord gevallen?'

'O nee. Die is naar de purser. Ze wilde een telegram naar Fortnum's sturen om de bestelling voor het tuinfeest te annuleren. Dat heeft nu niet zoveel zin meer, snap je.'

'Aha. Maar ja, over het geheel genomen is het geen gekke reis geweest, vind je ook niet?'

'Ik ben het helemaal met je eens. Het eten was uitstekend. Onze Kate was bijzonder tevreden over de gedekte tafels. Ze vond ze beeldschoon, en de druiven waren indrukwekkend. Ze is aan tafel gebleven, van de soep tot aan de noten. Je hebt haar niet toevallig gezien?'

'Nee, hoezo?'

'Tja, ze liep nogal haastig weg, op een vreemde manier. Ze zei dat ze nog iets met de jonge lord D'Arcy moest afhandelen voordat we zinken. Iets met vlaggen, als ik het goed begrepen heb.'

'Vlaggen? Merkwaardig.'

'Nou ja, ze zei iets van een "jolly roger" die ze nodig had, als ik haar goed verstaan heb. Ik begrijp nog niet de helft van de dingen waar ze over praat. En trouwens, ik was enigszins afgeleid. Mevrouw Buss had net haar nachtmutsje over haar peignoir gemorst – door die botsing met de ijsberg, snap je – en ze was ontzettend kwaad omdat Croaker haar niet nog een glaasje wilde brengen. Hij zei dat ze dat zelf maar moest halen.'

'Wat ontzettend brutaal.'

'Ik neem aan dat hij een beetje van de wijs was omdat hij nu natuurlijk geen fooien krijgt, hè? Ik kan het hem eigenlijk niet kwalijk nemen.'

'Maar toch.'

'Ik heb het natuurlijk doorgegeven. Men moet zijn plaats weten, zelfs in een crisis, anders komen we vreselijk in de problemen, vind je niet? De kwartiermeester heeft me verzekerd dat hij niet nogmaals op dit schip aangenomen zal worden.'

'Nee, dat zou ik ook denken.'

'Een beetje een formeel punt, waarschijnlijk, maar het staat in elk geval in de boeken.'

'Wel een rare avond, overigens. Ik bedoel, vrouw verdrinkt, schip zinkt, en er was geen Montrachet '07 bij het diner. Ik moest me neerleggen bij een heel middelmatige '05.'

'En dat vind jij teleurstellend? Moet je deze hier eens bekijken.'

'Sorry, kerel, ik kan het niet zien bij dit licht. Wat zijn dat?'

'Retourtickets.'

'O, is dat even pech hebben.'

'Bakboordhut buitenzijde op het Promenadedek.'

'Zware pech... Zeg, wat is dat voor een lawaai?'

'Dat zijn waarschijnlijk de tussendekspassagiers die ver-
drinken.'

'Nee, het klonk naar muziek.'

'Ik geloof dat je gelijk hebt. Ja, het klopt helemaal. Beetje
somber, vind je niet? Daarop zou ik niet willen dansen.'

'"Nader mijn God tot U", geloof ik. Ze hadden wel iets
vrolijkers kunnen kiezen voor onze laatste nacht op zee.'

'Maar goed, ik denk dat ik naar beneden ga om te zien of
het souper al klaar staat. Kom je mee?'

'Nee, ik denk dat ik maar naar bed ga met een cognacje.
Hoelang hebben we nog, denk je.'

'Zo'n veertig minuten, neem ik aan.'

'O jé. Misschien dat ik de cognac dan maar oversla. Ik zal
je wel niet meer zien.'

'Niet in dit leven, ouwe jongen.'

'O, hé, dat heb je leuk geformuleerd. Moet ik onthouden.
Nou, goedenacht dan maar.'

'Goedenacht.'

'Tussen twee haakjes, daar schiet me iets te binnen. Heeft
de kapitein niet iets gezegd over reddingboten?'

'Niet dat ik me kan herinneren. Zal ik je wekken als hij
een mededeling doet?'

'Dat zou heel aardig van je zijn, als het niet te veel moeite is.'

'Dat is helemaal geen moeite.'

'Nou, goedenacht dan. Doe mijn groeten aan mevrouw
Buss en je dochter Kate.'

'Met alle genoegen. Het spijt me van mevrouw Smythe.'

'Ach, op zee gebeuren wel erger dingen, zoals men zegt. Ik
neem aan dat ze ergens weer boven water komt. Ze was heel
veerkrachtig. Goedenacht dan.'

'Goedenacht, ouwe jongen. Slaap lekker.'

Sneeuwpret

Om voor mij volstrekt ondoorgrondelijke redenen kreeg ik, toen ik een jaar of acht was, met Kerstmis van mijn ouders een paar ski's. Ik ging naar buiten, gespte ze vast en zakte door mijn knieën om weg te racen, maar er gebeurde niets. Dat komt doordat er in Iowa geen heuvels zijn.

Ik zocht naar iets met een helling, en besloot van het trapje van onze achterveranda te skiën. Het waren maar vijf treetjes, maar op ski's was de hoek van de helling verrassend steil. Ik racete de treetjes af met, zo schat ik, een snelheid van zo'n 160 kilometer per uur en kwam met zo'n klap op de grond terecht dat de ski's bleven steken, terwijl ik voortgleed, naar buiten over de patio, met een elegante boog omhoog. Ongeveer drieënhalve meter verderop rees de achtermuur van onze garage omhoog. Instinctief spreidde ik armen en benen voor maximale impact, ik raakte de muur ergens bij het dak en gleed langs dat verticale vlak naar beneden zoals voedsel neerkomt als je het tegen een muur smijt.

Dat was het moment waarop ik tot het besluit kwam dat wintersport niets voor mij was. Ik borg de ski's op en dacht de volgende vijfendertig jaar niet meer over de kwestie na. Toen verhuisden we naar New England, waar mensen echt uitkijken naar de winter. Als de eerste sneeuw valt, juichen ze van vreugde en gaan ze in hun kasten zoeken naar sleeën en skistokken. Ze raken vervuld van een vreemde vitaliteit –

een gretigheid om al dat witte spul in te trekken en heen en weer te schieten op een snelle, roekeloze wijze.

Toen ik zoveel actieve mensen om me heen had, inclusief al mijn gezinsleden, begon ik me veronachtzaamd te voelen. Een paar weken geleden heb ik daarom, in een poging een winters tijdverdrijf te vinden, een paar schaatsen geleend, en toen ging ik met mijn twee jongste kinderen naar Occum Pond, hier een populaire plek om te schaatsen.

'Weet je zeker dat je kunt schaatsen?' vroeg mijn dochter ongerust.

'Natuurlijk, mijn liefje,' stelde ik haar gerust. 'Ik ben vele malen aangezien voor Jane Torvill, zowel op het ijs als elders.'

En ik kan ook heus schaatsen, eerlijk. Alleen raakten mijn benen, na al die jaren van nietsdoen, een beetje over hun toeren toen ze met zoveel gladdigheid geconfronteerd werden. Zodra ik het ijs op stapte, besloten zij elke hoek van Occum Pond tegelijkertijd te bezoeken, vanuit allerlei verschillende richtingen. Ze gingen naar links en ze gingen naar rechts, ze kruisten zich en spreidden zich, soms wel drieënhalve meter van elkaar, maar ze gingen steeds sneller, tot ze ten slotte onder me uit vlogen en ik op mijn gat viel, met zo'n klap dat mijn staartbeen mijn gehemelte raakte en ik mijn slokdarm met mijn vingers moest terugduwen.

'Wow!' zei mijn geschrokken zitvlak toen ik moeizaam overeind krabbelde. 'Wat is dat ijs hárd!'

'Hé, dat wil ik óók zien,' riep mijn hoofd, en meteen viel ik weer om.

En zo ging het de volgende dertig minuten, en diverse extremiteiten van mijn lichaam – schouders, kin, neus, een of twee van de meer avontuurlijke inwendige organen – wierpen zich op het ijs alsof ze dat nader wilden inspecteren. Ik neem aan dat het uit de verte moet hebben geleken of ik door een onzichtbare gladiator werd ingemaakt. Ten slotte, toen ik niets meer had wat nog gekwetst kon worden, kroop ik naar de oever en vroeg of ze me wilden toedekken met een deken. En daarbij is mijn poging tot schaatsen gebleven.

Vervolgens probeerde ik sleetje te rijden, waar ik niet eens over wil vertellen, alleen dat die man eigenlijk heel begripvol was ten aanzien van zijn hond, en dat die mevrouw aan de overkant van de straat ons allemaal een boel problemen bespaard zou hebben als ze gewoon haar garagedeur open had gelaten.

Omstreeks dat tijdstip betrad mijn vriend professor Danny Blanchflower het toneel. Danny – hij heet eigenlijk David, maar hij is een Engelsman, dus was hij er in zijn jeugd aan gewend dat iedereen hem Danny noemde, en die naam is blijven hangen – is professor in de economie aan Dartmouth en een heel geleerde kerel. Hij schrijft boeken waarin zinnen voorkomen als 'Wanneer de winst-per-werknemer gelijktijdig in de volledige specificaties van kolom 5.7 wordt opgenomen, heeft deze een coëfficiënt van 0,00022 met een T-statistiek van 2,3', en dat bedoelt hij niet eens grappig. Misschien betekent het zelfs iets. Zoals ik al zei, hij is echt een intelligente kerel, ware het niet dat hij gek is op snowmobiels.

Een sneeuwmobiel, zo moet ik misschien uitleggen, is een raketschip dat door satan is ontworpen om zich over sneeuw voort te bewegen. Hij kan een snelheid van ongeveer honderd kilometer per uur halen, en dat vind ik – noem me maar een lafbek, mij kan het niet schelen – een tikje haastig op smalle, kronkelige paden door bossen waar het wemelt van de rotsblokken.

Wekenlang had Danny aan mijn hoofd gezeurd dat ik een keer mee moest gaan voor zulke waanzin in de openlucht. Ik probeerde uit te leggen dat ik zekere problemen had met buitensporten in de winter, en dat ik eigenlijk niet dacht dat een krachtige, gevaarlijke machine daarvoor een oplossing zou bieden.

'Onzin!' riep hij. Maar goed, om een lang verhaal kort te maken, voordat ik wist wat er gebeurde bevond ik me aan

de rand van de wouden van New Hampshire, met een nauw-
sluitende, zware helm op mijn hoofd die me beroofde van al
mijn zintuigen behalve doodsangst, terwijl ik op een slank,
diervormig voertuig zat waarvan de motor ronkte, in blijde
afwachting van alle bomen waartegen het me zo dadelijk te
pletter zou gooien. Danny gaf me instructies over de bediening van het apparaat, al klonken zijn woorden naar een passage uit een van zijn boeken, en toen sprong hij op zijn eigen sneeuwmobiel.

'Klaar?' schreeuwde hij boven het gebrul van zijn motor
uit.

'Nee.'

'Geweldig!' brulde hij, en hij vertrok met vlammende na-
branders. Binnen twee seconden was hij een luidruchtig stipje in de verte.

Zuchtend trapte ik zachtjes op het gaspedaal, en met een
verrast kreetje en even wat gesteiger op het achterwiel, vertrok het voertuig met een snelheid zoals die zelden gezien
wordt buiten een Road-Runnertekenfilm. Hysterisch krijsend
en bij elke stevige hobbel gewicht verliezend via mijn blaas,
vloog ik door de bossen alsof ik op een Exocet-raket zat. Takken sloegen tegen mijn helm. Elanden steigerden en sloegen
op de vlucht. Het landschap flitste voorbij als in een door een
hallucinogeen middel veroorzaakt delirium.

Eindelijk stopte Danny bij een kruising van wegen, breed
grijnzend, met lopende motor. 'En, wat vind je ervan?'

Ik bewoog mijn lippen, maar ik kon geen geluid uitbrengen. Dat vatte Danny op als instemming.

'Zullen we, nou je weet hoe het moet, de snelheid wat ver-
hogen?'

Mijn lippen vormden de woorden: 'Danny, alsjeblieft, ik
wil naar huis. Ik wil naar mijn moeder,' maar opnieuw was
er niets te horen.

En daar ging hij. Urenlang raceten we in krankzinnig tem-
po door de eindeloze wouden, we bonkten door beken, vlo-

gen vlak langs rotsblokken en schoten de lucht in over om- gevallen boomstammen. Toen de levende nachtmerrie over was, stapte ik van mijn voertuig met benen die uit water be- stonden.

Na afloop, om te vieren dat we er als door een wonder nog heelhuids vanaf waren gekomen, gingen we naar Murphy's Tavern om een biertje te drinken. Toen de bardame de gla- zen voor ons neerzette, bedacht ik, een geïnspireerde inge- ving, dat dit eindelijk iets was wat ik kon doen: drinken in de winter.

Ik had mijn bestemming gevonden. Ik ben er nog niet zo goed in als ik hoop te worden – mijn benen zijn na een uur of drie nog steeds geneigd dienst te weigeren – maar ik ben bezig mijn uithoudingsvermogen te trainen en kijk uit naar een voortreffelijk seizoen in 1998-'99.

De vliegende nachtmerrie

Mijn vader was sportjournalist, en hij moest voor zijn werk veel vliegen in een tijd dat dat nog niet zo gewoon was, en af en toe nam hij mij mee op een van zijn reizen. Het was natuurlijk opwindend, een weekend met mijn vader op stap, maar de kern van de ervaring was de spanning van het in een vliegtuig stappen en ergens heen vliegen.

Alles daarbij gaf me een speciaal en bevoorrecht gevoel. Bij het inchecken behoorde je tot een klein groepje goedgeklede mensen (want in die tijd kleedden mensen zich als ze gingen vliegen). Wanneer de vlucht werd afgeroepen, liep je over een brede asfaltbaan naar een glimmend zilveren vliegtuig, en dan beklom je zo'n trap op wielen. Als je het vliegtuig binnenkwam, was het of je tot een exclusieve club werd toegelaten. Alleen al door voet aan boord te zetten, werd je wat modieuzer en wereldwijzer. De stoelen waren comfortabel en, voor een kleine jongen, ruim. Een glimlachende stewardess kwam op je af en gaf je een insigne met vleugels, waarop stond 'Assistent-Piloot' of iets anders met zo'n verantwoordelijke klank.

Al die romantiek is sinds lang verdwenen. Tegenwoordig zijn Amerikaanse verkeersvliegtuigen weinig meer dan autobussen met vleugels, en de luchtvaartmaatschappijen beschouwen, zonder merkbare uitzondering, passagiers als hinderlijk vrachtgoed dat zij, op een tijdstip in het verre verleden, bereid waren geweest te vervoeren van de ene plaats naar de andere, al wensten ze nu dat ze nooit zo vriendelijk waren geweest.

Het is mij onmogelijk op deze bescheiden ruimte een beeld te geven van alle geest ondermijnende aspecten van moderne vliegreizen in Amerika – de vanzelfsprekend te vol geboekte vluchten, het eindeloze in de rij staan, de vertragingen, de ontdekking dat je 'rechtstreekse' vlucht naar Miami in werkelijkheid een stop maakt in Pittsburgh, wat neerkomt op een onderbreking van anderhalf uur en overstappen in een ander vliegtuig, het feit dat het vrijwel onmogelijk is een vriendelijk gezicht te vinden, en dat je behandeld wordt als een idioot en een nul.

Toch gaan luchtvaartmaatschappijen op de raarste manieren door met doen alsof het nog 1955 is. Neem de demonstratie van de veiligheidsmaatregelen. Waarom trekt het cabinepersoneel na al die jaren nog steeds een reddingsvest over hun hoofd en laten ze je zien hoe je moet trekken aan het koordje waardoor zo'n ding zichzelf opblaast? In de geschiedenis van de commerciële luchtvaart is nog nooit een leven gered doordat voorzien was in reddingsvesten. Ik word bovenal gefascineerd door het feit dat op elk vest een fluitje zit. Ik stel me altijd voor dat ik verticaal naar de oceaan stort met een snelheid van 1800 kilometer per uur, en dat ik dan denk: 'Nou, gelukkig maar dat ik dat fluitje heb.'

Het heeft geen zin te vragen wat voor gedachte daarachter zit, want ze denken helemaal niets. Laatst stapte ik in een vliegtuig van Boston naar Denver. Toen ik het bagagevak boven mijn hoofd openmaakte, vond ik daar een opgeblazen rubberbootje, dat de ruimte volledig vulde.

'Er zit een bootje in,' fluisterde ik verbijsterd naar een passerende steward.

'Ja meneer,' zei de steward snauwerig. 'Dit vliegtuig houdt zich aan de FAA-bepalingen voor vluchten boven water.'

Ik staarde hem lichtelijk verwonderd aan. 'En welke oceaan steken we over tussen Boston en Denver?'

'Dit vliegtuig houdt zich aan de FAA-bepalingen voor vluchten boven water, of vluchten boven water nu geprogrammeerd op het vliegschema staan of niet,' was zijn kordate antwoord, of woorden van gelijke achterlijke en verhaspelde strekking.

'Wilt u me vertellen dat als we neerstorten in water, honderdvijftig passagiers plaats zouden moeten vinden in een bootje voor twee man?'

'Nee meneer, we hebben hierin nog een drijvend vaartuig.' Hij wees op de bergruimte aan de overkant.

'Twee bootjes dus, voor honderdvijftig personen? Vindt u dat niet een klein beetje absurd?'

'Meneer, ik heb de regels niet gemaakt, en u blokkeert het middenpad.'

Hij praatte op die manier tegen me omdat alle employés van luchtvaartmaatschappijen uiteindelijk zo tegen je praten als je hen een beetje in het nauw brengt, en soms zelfs wanneer je dat helemaal niet doet. Ik durf best te beweren dat er nergens in de Verenigde Staten een industrie te vinden is waar minder aandacht wordt geschonken aan ideeën als service en klantvriendelijkheid. Maar al te vaak leiden de onschuldigste dingen – naar een balie stappen voordat de check-inpersoon klaar is je te ontvangen, vragen waarom een vlucht vertraagd is, geen plaats voor je jas vinden omdat de bergruimte boven je hoofd een opgeblazen bootje bevat – tot gesnauw en standjes.

Overigens hebben de meeste passagiers in Amerika, met duidelijke uitzondering van mij en enkele andere zachtmoedige zielen die in ordelijkheid geloven, volkomen verdiend wat ze krijgen. Dat komt doordat ze enorme kledingkoffers en tassen op wieltjes als handbagage meenemen, dingen die minstens tweemaal zo groot zijn als toegestaan, zodat de bergruimten vol zijn, lang voordat iedereen is ingestapt. Om een eigen bergruimte te veroveren, stappen ze in voordat hun rij wordt opgeroepen. Bij elke vlucht in Amerika zie je tegenwoordig dat minstens twintig procent van de zitplaatsen wordt ingenomen door mensen wier nummer nog niet was opgeroepen. Ik heb dat proces nu enkele jaren lang met vermoeide ergernis gadegeslagen, en ik kan jullie vertellen dat het ongeveer tweemaal zo lang duurt voordat de mensen in een Amerikaans vliegtuig zijn ingestapt en het vliegtuig is vertrokken als elders ter wereld.

Als gevolg daarvan is sprake van een zekere oorlog tussen luchtvaartemployés en passagiers, die maar al te vaak terugslaat op onschuldigen, op een wijze die schreeuwt om rechtvaardigheid.

Ik herinner me met name een ervaring van een paar jaar geleden, toen mijn vrouw, mijn kinderen en ik in Minneapolis aan boord gingen van een vliegtuig naar Londen, en ontdekten dat we zitplaatsen hadden gekregen op zes verschillende rijen in het vliegtuig, soms wel twintig rijen van elkaar verwijderd. Mijn vrouw, die verbijsterd was, begon daarover tegen een passerende stewardess.

'En wat denkt u dat ik daaraan kan veranderen?' antwoordde de stewardess op een toon die wees op dringende noodzaak van een opfriscursus klantvriendelijkheid.

'Tja, we zouden graag bij elkaar willen zitten, alstublieft.'

De stewardess liet een onoprecht lachje horen. 'Ik kan er nu niets aan veranderen. We zijn bezig met instappen. Hebt u dan niet op uw instapkaart gekeken?'

'Alleen op de bovenste. De vrouw bij de incheckbalie' – die, laat ik dat hier even melden, zelf ook een onaangenaam type was – 'heeft ons niet verteld dat ze ons door het hele vliegtuig verspreid had neergezet.'

'Ik kan er nu niets aan veranderen.'

'Maar we hebben nog heel jonge kinderen.'

'Het spijt me.'

'Wilt u me vertellen dat ik een kind van twee en een kind van vier alleen moet laten zitten tijdens een vlucht van acht uur over de Atlantische Oceaan?' vroeg mijn vrouw. (Dat

was een gedachte waar ik me niet zo tegen zou willen ver-
zetten, maar ik hield mijn gezicht in de plooi, uit solidari-
teit.)

De stewardess zuchtte uitvoerig en vroeg met onverhulde
wrok aan een vriendelijk, maar verlegen witharig echtpaar
of ze van stoel wilden ruilen, zodat mijn vrouw en de twee
jongste kinderen bij elkaar konden zitten. Voor het overige
zouden we gescheiden blijven.

'De volgende keer moet u uw instapkaarten bekijken voordat u de terminal verlaat,' snauwde de stewardess mijn vrouw
in het voorbijgaan toe.

'Nee, de volgende keer zullen we met een andere maatschappij vliegen,' antwoordde mijn vrouw, en dat hebben we
sindsdien inderdaad steeds gedaan.

'En ooit krijg ik een column in een krant, en dan schrijf ik
hierover,' riep ik haar hooghartig achterna. Natuurlijk heb
ik zoiets helemaal niet gezegd, en het zou op gruwelijk misbruik van mijn positie neerkomen als ik jullie vertelde dat het
Northwest Airlines was die ons zo beroerd behandeld heeft,
dus zeg ik dat niet.

Verdwaald in cyberland

Toen we naar Amerika verhuisden, moest ik door de verandering van stroomsterkte allemaal nieuwe dingen voor mijn werk aanschaffen – computer, fax, antwoordapparaat enzovoort. Ik ben onder normale omstandigheden niet goed in winkelen of het uitgeven van grote sommen geld, en het vooruitzicht van een aantal winkels aflopen en luisteren naar verkopers die de wonderen van diverse kantoorapparatuur aanprezen, bezorgde me akelige voorgevoelens.

Men kan zich dus mijn vreugde voorstellen toen ik in de eerste de beste computerwinkel waar ik kwam, een apparaat vond waarbij alles ingebouwd zat – fax, antwoordapparaat, elektronisch adresboekje, mogelijkheid voor internet-aansluiting, noem maar op. Deze computer, die aangeprezen werd als de 'Complete oplossing voor het thuiskantoor', beloofde alles te doen, behalve koffiezetten.

Dus nam ik hem mee en installeerde hem, ik ontspande mijn vingers en schreef een zwierige fax aan een vriend in Londen. Ik tikte zijn faxnummer in het aangewezen vakje en drukte op 'verzenden'. Vrijwel onmiddellijk kwamen er geluiden van internationale telefonie uit de ingebouwde luidsprekers van de computer. Toen hoorde ik hoe een telefoon overging, en ten slotte een onbekende stem die '*Allo? Allo?*' zei.

'Hallo?' antwoordde ik, en toen realiseerde ik me dat ik

met die persoon, wie hij ook mocht zijn, onmogelijk een woord kon wisselen.

Mijn computer begon schrille faxgeluiden te maken. '*Allo? Allo?*' zei de stem opnieuw, met enige verwarring en schrik. Even later hing hij op. Onmiddellijk draaide mijn computer zijn nummer opnieuw.

En zo ging het door, het grootste deel van die ochtend: mijn computer viel een onbekende in een onbekend oord lastig, terwijl ik als een razende in de handleiding zat te bladeren om te zien hoe ik een eind aan dat alles kon maken. Ten slotte trok ik in wanhoop de stekker uit het contact, waarop de computer stopte, met een reeks geluiden voor 'Ernstige fout!' en 'Crisis in de harde schijfeenheid!'

Drie weken later – echt waar – kregen we een telefoonrekening die 68 dollar eiste voor telefoongesprekken met Algiers. Na informatie bleek dat de mensen die de software voor het faxprogramma hadden samengesteld, geen rekening hadden gehouden met de mogelijkheid dat iemand overzeese contacten nodig had. Het programma was bedoeld om uitsluitend Amerikaanse telefoonnummers te lezen. Als het met iets anders geconfronteerd werd, stapte het over op zenuwinstorting.

Ook ontdekte ik dat het elektronische adresboekje een overeenkomstige rare afkeer van niet-Amerikaanse adressen had, zodat het nutteloos was; en bovendien dat het antwoordapparaat de gewoonte had zich halverwege een gesprek in te schakelen.

Lange tijd stond ik versteld dat iets wat zo duur en zo hoogst geavanceerd was, zo nutteloos kon zijn, en toen drong het tot me door dat een computer een dom apparaat is met het vermogen ongelooflijk slimme dingen te doen, terwijl computerprogrammeurs slimme mensen zijn met het vermogen ongelooflijk domme dingen te doen. Kort gezegd, ze passen op een gevaarlijke manier volmaakt bij elkaar.

Jullie hebben vast wel gelezen over de millenniumbug. Dan

weten jullie: zodra het middernacht slaat op 1 januari 2000, zullen alle computers ter wereld om de een of andere reden een denkproces doormaken dat ongeveer als volgt gaat: 'Zo, hier zijn we in een nieuw jaar dat eindigt op '00. Dat zal wel 1900 zijn. Maar als het 1900 is, zijn er nog geen computers uitgevonden. Dus besta ik niet. Ik geloof dat ik maar beter kan afsluiten en mijn geheugen wissen.' De kosten om dit weer in orde te brengen bedragen naar schatting 200 biljoen dollar en nog wat, of een overeenkomstige krankzinnige som. Een computer kan namelijk het getal pi uitrekenen tot in 20 000 decimalen, maar kan niet bedenken dat de tijd zich altijd in voorwaartse richting beweegt. En programmeurs kunnen 80 000 regels ingewikkelde codes schrijven, maar het is ze niet opgevallen dat we om de honderd jaar een nieuwe eeuw krijgen. Dat is een rampzalige combinatie.

Toen ik voor het eerst las dat de computerindustrie zelf zo'n fundamenteel, zo'n immens en zo'n dom probleem had geschapen, begreep ik opeens waarom mijn fax en ander digitaal speelgoed waardeloos zijn. Maar dat biedt nog niet voldoende verklaring voor de wonderbaarlijke – de enorme – nutteloosheid van de spellingcontrole op mijn computer.

Als vrijwel alles wat met computers te maken heeft is spellingcontrole in principe iets prachtigs. Als je een stuk geschreven hebt, zet je hem aan, en dan speurt hij in de tekst naar woorden die verkeerd gespeld zijn. Eigenlijk zoekt hij, omdat een computer niet weet wat woorden zijn, naar lettercombinaties waarmee hij niet vertrouwd is, en op dat punt begint de teleurstelling.

In de eerste plaats herkent hij geen eigennamen – namen van mensen, plaatsen, bedrijven enzovoort – of de niet-Amerikaanse spelling van Engelse woorden als *kerb* en *colour*. Ook herkent hij niet veel meervouden of variante vormen (zoals *steps* of *stepped*), of afkortingen of acroniemen. En kennelijk ook niet enig woord dat ontstaan is sinds het presidentschap van Eisenhower. Hij herkent dus wel *sputnik* en *beatnik*, maar niet *Internet, fax, cyberspace* of *butthead*, om slechts enkele voorbeelden te noemen.

Maar wat mijn spellingcontrole echt van andere onderscheidt – en dat is iets wat uren van plezier kan schenken aan eenieder die niets heeft dat nadert tot een echt leven – is dat hij geprogrammeerd is om alternatieven voor te stellen. Die zijn zelden minder dan gedenkwaardig. Bij deze column stelde hij bijvoorbeeld bij *internet* het woord *internat* voor (een woord dat ik in geen enkel woordenboek, Brits noch Amerikaans, kan vinden), *internode, interknit* en *underneath. Fax* leverde niet minder dan drieëndertig suggesties op, onder meer *fab, fays, feats, fuzz, feaze, phase* en minstens nog twee die in de lexicografie niet bekend zijn: *falx* en *phose. Cyberspace* leidde tot niets, maar bij *cyber* verschenen de alternatieven *chubbier* en *scabbier*.

Ik ben er niet in geslaagd een logica te ontdekken volgens welke een computer en een programmeur gezamenlijk tot de conclusie zouden kunnen komen dat iemand die *f-a-x* typt, eigenlijk *p-h-a-s-e* bedoeld had, of waarom *cyber* wel zou kunnen verwijzen naar *chubbier* en *scabbier*, maar niet naar bijvoorbeeld *watermelon* of *full-service petrol station*, om maar twee even willekeurige alternatieven te noemen. Nog minder kan ik verklaren hoe niet-bestaande woorden als *phose* en *internat* in het programma terecht zijn gekomen. Jullie mogen me veeleisend noemen, maar ik zou willen stellen dat een computerprogramma dat een echt woord wil afschaffen ter wille van een dat niet bestaat, niet gereed is voor algemeen gebruik.

Het systeem biedt niet alleen ontzettend stomme alternatieven, maar het snakt er zelfs naar ze in je tekst te laten opnemen. Je moet het programma zo ongeveer bevelen het verkeerde woord niet over te nemen. Als je het per ongeluk accepteert, verandert het dat woord automatisch in je hele tekst. Daardoor heb ik, tot mijn vermoeide wanhoop, de afgelopen maanden werk geleverd waarin 'woollens' consequent veranderd was in *'wesleyans'*, *'Minneapolis'* in *'monopolists'* en – dit is een hele mooie – *'Renoir'* in *'rainware'*. Als er een eenvoudige manier is om die onvrijwillige transformaties te verwijderen, dan heb ik die nog steeds niet gevonden.

Nu lees ik in *US News & World Report* dat dezelfde computerindustrie die de komst van het nieuwe millennium over het hoofd had gezien, zich ook al jaren niet gerealiseerd had dat het materiaal waarop het informatie vastlegt – magneetbanden en dergelijke – snel afbreekbaar is. De NASA-geleerden die onlangs probeerden materiaal te raadplegen over de Viking-missie naar Mars in 1976, kwamen tot de ontdekking dat twintig procent daarvan domweg verdwenen is, en dat de rest ook snel begint weg te kwijnen.

Het ziet er dus naar uit dat computerprogrammeurs de komende jaren een paar nachtjes zullen moeten overwerken. En daarop antwoord ik, eerlijk gezegd, *hooray*. Of *haywire, heroin* en *hoopskirt*, zoals mijn computer liever zou zien.

Mars tegen de doodstraf

Men kan zich moeilijk een slechter wezen voorstellen dan Robert Alton Harris. Na een leven van gemene, willekeurige criminaliteit heeft hij in 1979 in Californië in koelen bloede twee tienerjongens vermoord omdat hij hun auto wilde hebben. Onder het wegrijden at hij de resten op van de kaasburgers waaraan zij begonnen waren.

Binnen enkele uren was hij gearresteerd, en hij gaf zijn schuld ronduit toe. Desondanks heeft het de staat Californië dertien jaren van ingewikkelde en dure processen en nieuwe processen gekost om alle juridische mogelijkheden uit te putten en Harris ter dood te brengen.

Er zitten nog bijna vijfhonderd van die mensen als Harris in de dodengang van gevangenissen in Californië. In totaal geeft deze staat per jaar naar schatting 90 miljoen dollar uit aan doodstrafkwesties. Sinds 1967 heeft de staat 1 miljard dollar uitgegeven aan doodstrafzaken, en precies twee personen terechtgesteld (onder wie Harris).

In mijn ogen is het op zijn minst duidelijk dat de doodstraf in Amerika waanzin is, maar het probleem is dat Amerikanen gek zijn op de doodstraf. Uit enquêtes blijkt consequent dat ongeveer driekwart van hen achter de doodstraf staat. Bovendien wensen ze deze – eisen ze deze zelfs – voor alle mogelijke misdrijven. Ongeveer de helft van de Amerikanen zou bijvoorbeeld de verkoop van drugs aan kinderen tot halsmisdrijf willen maken. In de Verenigde Staten kun je al voor meer dan vijftig soorten misdrijf ter dood gebracht worden.

Geheel los van morele kwesties zijn er, voor mijn gevoel, verscheidene praktische overwegingen die een verdediging van de doodstraf moeilijk maken. Een daarvan is dat deze straf niet consequent wordt toegepast. De mensen die ter dood veroordeeld worden, zijn vrijwel zonder uitzondering mannen – slechts één vrouw is sinds 1962 ter dood gebracht, al is er nog een in Texas die deze maand zou moeten sterven – en naar verhouding veel vaker arm en zwart, terwijl hun slachtoffers voor het merendeel blanken zijn. Van de ongeveer 360 mensen die sinds 1977 in de Verenigde Staten terechtgesteld zijn, was drieëntachtig procent veroordeeld wegens moord op een blanke, hoewel blanken slechts de helft van het totale aantal slachtoffers van moord vormen. Afhankelijk van de staat lopen criminelen tussen de vier- en elfmaal meer kans ter dood veroordeeld te worden wegens het doden van een blanke dan van een zwarte – wat men nauwelijks een duidelijke bevestiging kan noemen van het beginsel dat Vrouwe Justitia blind is.

Er is ook sprake van een treffende geografische ongelijkheid. In negenendertig Amerikaanse staten bestaat de doodstraf, maar in slechts zeventien daarvan – voornamelijk in het zuiden – zijn het afgelopen jaar mensen ter dood gebracht. Als je toch iemand wilt vermoorden in een staat die de doodstraf kent, kun je het veel beter doen in New Hampshire, waar al tientallen jaren niemand meer ter dood gebracht is, dan in Texas of Florida, waar mensen met relatief enthousiasme naar de andere wereld worden geholpen. Alleen al Texas heeft vorig jaar zevenendertig mensen geëxecuteerd, evenveel als de rest van het land samen.

In totaal zijn er in de Verenigde Staten ongeveer drieduizend mensen die in de dodengang zitten. In 1997 zijn vierenzeventig van hen terechtgesteld, het hoogste aantal sinds veertig jaar. Desondanks is het aantal dat per jaar aan de dodengang wordt toegevoegd, viermaal zo hoog als het aantal dat daar verdwijnt. (De belangrijkste oorzaak van overlijden op de dodengang is overigens van natuurlijke aard.) Om de achterstand in te halen en het toenemend aantal nieuwe gevangenen bij te houden zou Amerika gedurende vijfentwintig jaar dagelijks één persoon moeten executeren. Vanwege de rechtszaken die daarvoor nodig zijn, zal dat nooit gebeuren.

De grote vraag is waarom ze al die moeite doen. Gemiddeld duurt het tien jaar en vijf maanden voordat alle hogere beroepen die nodig zijn voor een terechtstelling zijn uitgeput. Het gevolg daarvan is, zoals een studie van Duke University heeft uitgewezen, dat het 2 miljoen dollar duurder is een gevangene terecht te stellen dan hem levenslang te geven.

Natuurlijk zou je daar tegenin kunnen brengen dat veroordeelde moordenaars niet het recht zouden moeten krijgen eindeloos in beroep te gaan op grond van nietswaardige formele kwesties. Het Congress, dat deze opvatting van harte is toegedaan, heeft er in 1995 voor gestemd de 20 miljoen dollar federale gelden te schrappen die werden uitgegeven voor bijstand aan gevangenen in de dodengang om in hoger beroep te gaan. Bijna van de ene op de andere dag daalde de gemiddelde tijdsduur tussen veroordeling en executie met elf maanden.

Dat zou goed nieuws zijn als je er zeker van kon zijn dat iedereen die ter dood gebracht wordt dat ook verdiend had, maar dat is niet zo. Neem bijvoorbeeld het geval van Dennis Williams uit Chicago, die zeventien jaar in de dodengang heeft doorgebracht voor een moord die hij luidkeels beweerde niet gepleegd te hebben om de zeer goede reden dat hij het niet gedaan had. Hij is alleen gered doordat een professor in de journalistiek van de University of Chicago zijn studenten opdracht had gegeven deze zaak te bestuderen als gezamenlijk project. Toen is onder meer geconstateerd dat de politie bewijsmateriaal had gesupprimeerd, dat getuigen gelogen hadden en dat een andere man bereid was een bekentenis af te leggen, als er maar iemand was die naar hem wilde luisteren.

Als de meeste gevangenen in de dodengang was Williams verdedigd door een door de rechtbank aangewezen advocaat. De staat Illinois betaalt pro-Deo-advocaten 40 dollar per uur. De gangbare kosten voor particuliere advocaten bedragen 150 dollar per uur. Je hoeft geen genie te zijn om te concluderen dat de beste advocaten waarschijnlijk geen pro-Deoanen onder hun cliënten zullen hebben. Over het algemeen krijgen ze slechts 800 dollar om hun verdediging van halsmisdrijven voor te bereiden en te presenteren, dus zal zelfs de meest toegewijde advocaat nauwelijks in staat zijn getuige-deskundigen op te roepen, om onafhankelijk forensisch onderzoek te verzoeken of enig ander middel toe te passen om de onschuld van zijn cliënt aan te tonen.

Dankzij het project van de studenten is Williams vorig jaar september vrijgelaten. Dat is minder ongebruikelijk dan jullie misschien denken. Sinds 1977, toen Illinois opnieuw de doodstraf invoerde, heeft deze staat acht mensen terechtgesteld, maar negen personen vrijgelaten. In het gehele land zijn in de afgelopen vijfentwintig jaar negenenzestig personen die wegens moord veroordeeld waren, later onschuldig gebleken en vrijgelaten. Nu de federale bijdrage voor hoger beroep besnoeid is, zullen niet veel van die mensen nog zo'n gunstige afloop kunnen verwachten.

Het is iets heel anders wanneer een burger een onschuldige vermoordt dan wanneer de staat zoiets doet. Toch is zelfs dit merkwaardigerwijs een minderheidsopinie. Volgens een Gallup-onderzoek uit 1995 zou zevenenvijftig procent van de mensen in de Verenigde Staten vóór de doodstraf blijven, zelfs als zou blijken dat een op elke honderd personen ten onrechte terechtgesteld bleek.

Ik geloof niet dat er één politicus in Amerika is – en zeker geen politicus van enige betekenis – die het tegen een dergelijk overwicht in de publieke opinie durft op te nemen. Er is een tijd geweest dat politici probeerden de publieke opinie te wijzigen. Tegenwoordig reageren ze nog slechts daarop, en dat is jammer, want zulke dingen zijn niet onveranderlijk.

In de *New Yorker* schreef Richard L. Nygaard in 1992 dat West-Duitsland in 1949 de doodstraf had afgeschaft, hoewel vierenzeventig procent van de bevolking ervóór was geweest. Omstreeks 1980 was het percentage voorstanders geslonken tot zesentwintig procent. Nygaard merkt op: 'Onder mensen die er niet mee zijn opgegroeid, wordt de doodstraf gezien als een barbaars overblijfsel uit het verleden, iets als slavernij of brandmerken.'

Ik zou willen dat het hier ook zo was.

Zo *is het wel genoeg*

Ik ben er eindelijk achter wat er mis is met alles. Er is te veel van. Ik bedoel daarmee dat er te veel is van ieder afzonderlijk ding dat een mens ooit zou kunnen wensen of nodig hebben, afgezien van tijd, geld, goede loodgieters en mensen die dankjewel zeggen als je een deur voor hen openhoudt. (En, tussen twee haakjes, ik wil hier even vastleggen: de volgende die door een deur gaat die ik open heb gehouden en geen 'Dankjewel' zegt, krijgt die deur tegen zijn gat.)

Amerika is natuurlijk een land van overvloedige variatie, en een hele tijd nadat we hierheen verhuisd waren, voelde ik me geïmponeerd en voldaan door de overdaad van keus, overal. Ik herinner me dat ik voor het eerst naar de supermarkt ging en oprecht onder de indruk was toen ik ontdekte dat ze daar niet minder dan achttien soorten incontinentieluiers voorradig hadden. Twee of drie, dat kon ik nog bevatten. Een half dozijn leek toch wel elke onvoorziene incontinentiesituatie te dekken. Maar achttien – tjonge! Het was écht een land van overvloed. Sommige hadden een geurtje, andere hadden kuiltjes voor extra absorptie, en ze waren er in alle mogelijke sterkten, van als het ware 'Oei, een paar druppies!' tot 'Hola! De dijken breken!' Dat waren natuurlijk niet termen die zij bezigden, maar daar kwam het wel op neer. Ze waren zelfs in allerlei kleuren te koop.

Bij vrijwel alle andere producten – diepvriespizza's, hon-

denvoer, roomijs, biscuitjes, chips – liepen de keuzemogelijkheden vaak letterlijk in de honderden. Elke nieuwe smaak
leek een nieuwe smaak te hebben voortgebracht. Toen ik een
jongen was, was *shredded wheat shredded wheat*, en daarbij
bleef het. Nu kon je dat krijgen met een laagje suiker overdekt, in hapklare brokjes, met plakjes spul dat echt op ba-
nanen leek, en de hemel weet hoe nog meer. Ik was diep onder de indruk.

De laatste tijd echter ben ik gaan beseffen dat je ook te véél
keus kunt hebben. Dat is me laatst duidelijk geworden toen
ik op een vliegveld in Portland, Oregon, was, en in de rij
stond met een stuk of vijftien mensen bij een koffiestalletje.
Het was kwart voor zes in de ochtend, wat mijzelf betreft
niet de fijnste tijd van de dag, en ik had nog maar twintig
minuten voordat mijn vlucht zou worden omgeroepen, maar
ik moest echt, heus, wat caffeïne hebben. Jullie weten hoe
dat gaat.

Vroeger was het zo dat je, als je een kop koffie wilde, gewoon daarom vroeg, en dat kreeg je dan. Maar deze tent,
een koffiekraampje uit de jaren negentig, offreerde vijfentwintig mogelijkheden – espresso, latte, caramel latte, breve,
macchiato, mokka, espresso mocha, Schwarzwälder mokka,
americano en god weet wat nog meer – in vier verschillende
hoeveelheden. Ook was er een enorme variatie aan muffins,
croissants, bagels en gebak. Al die dingen kon je in alle mogelijke variaties krijgen, zodat elke bestelling ongeveer als
volgt klonk:

'Geef mij maar een caramel latte combo met decaf mokka
en een kaneelkrul, en een magere zuurdeegbagel met room-
kaas, maar dan wil ik de piment geraspt en apart. Wordt het
maanzaad geroosterd in meervoudig onverzadigde olie?'

'Nee, wij gebruiken dubbel-extra-licht canola-extract.'

'O nee, daar heb ik niets aan. In dat geval wil ik een New
Yorkse croissant met drie kazen en roggebroodsaus. Wat
voor emulgatoren worden daarvoor gebruikt?'

Ik zag voor me hoe ik elke klant bij de oren greep, zijn of haar hoofd dertig of veertig keer door elkaar schudde en zei: 'Je wilt alleen maar een kop koffie en een broodproduct voordat je in je vliegtuig stapt. Vraag dus om iets simpels en schiet op.'

Die mensen hebben geluk gehad, want voordat ik 's ochtends mijn eerste kop koffie heb gehad (en dat geldt vooral voor de uren voor tienen) kan ik alleen maar opstaan, me (enigszins) aankleden en vragen om een kop koffie. Alles wat daar bovenuit gaat, is mij onmogelijk. Dus stond ik alleen maar in de rij en wachtte stoïcijns af, terwijl vijftien mensen ingewikkelde, tijdverslindende en krankzinnig geïndividualiseerde bestellingen plaatsten.

Toen ik eindelijk aan de beurt kwam, deed ik een stap naar voren en zei: 'Een grote kop koffie, graag.'

'Wat voor soort?'

'Heet en in een kopje en heel groot.'

'Ja, maar wat voor soort – mokka, macchiato of nog iets anders?'

'Ik wil hebben wat een normale kop koffie oplevert.'

'Wilt u americano?'

'Als dat een normale kop koffie is, ja.'

'Nou ja, het is allemaal koffie.'

'Ik wil een normale kop koffie, zoals miljoenen mensen die elke dag drinken.'

'U wilt dus een americano?'

'Kennelijk.'

'Wilt u daarbij caloriearme slagroom of gewone slagroom?'

'Ik wil geen slagroom.'

'Maar er hoort slagroom bij.'

'Luister,' zei ik op zachte toon, 'het is tien over zes. Ik sta al vijfentwintig minuten achter vijftien mensen die grote problemen met de besluitvaardigheid hebben, en mijn vlucht wordt nu afgeroepen. Als ik niet nu meteen een kop koffie krijg, ga ik iemand vermoorden, en ik geloof dat u moet weten dat u bijzonder hoog op mijn lijstje staat.' (Ik ben, zoals jullie begrepen zullen hebben, geen ochtendmens.)

'Wil dat dus zeggen dat u caloriearme slagroom wilt of gewone?'

En zo ging het maar door.

Door die overvloed aan keuzemogelijkheden duurt elke transactie tienmaal zo lang als normaal, maar op een eigenaardige manier levert dat weer ontevredenheid op. Hoe meer er is, des te meer verlangen de mensen, en hoe meer ze verlangen, des te meer, tja, verlangen ze. Je krijgt in Amerika het gevoel dat je je bevindt tussen miljoenen en miljoenen mensen die steeds meer nodig hebben van alles, voortdurend, tot in het oneindige, onstilbaar. We lijken een maatschappij geschapen te hebben waar de belangrijkste activiteit is het zoeken in winkels naar dingen – structuren, vormen, smaken – die men nooit eerder is tegengekomen.

En dat geldt voor alles. Je schijnt tegenwoordig te kunnen kiezen uit vijfendertig soorten Crest-tandpasta. Volgens *The Economist* 'besteedt de gemiddelde supermarkt in Amerika zes meter schap aan medicijnen tegen hoest en verkoudheid'. Toch waren van de 25 500 'nieuwe' producten die het vorig jaar in de Verenigde Staten op de markt zijn gekomen, drieënnegentig procent slechts gewijzigde versies van bestaande producten.

De laatste keer dat ik ging ontbijten, moest ik kiezen uit negen mogelijkheden voor mijn eieren (gepocheerd, roereieren, spiegelei, dubbelgebakken enzovoort), zestien soorten pannenkoek, zes variaties vruchtensap, twee vormen worst, vier soorten aardappel en acht variaties toast of muffin. Ik heb wel hypotheken genomen waarvoor ik minder beslissingen hoefde te nemen. Ik dacht dat ik klaar was toen de dienster vroeg: 'Wilt u geklopte boter, klontjes boter, margarine, halvaboter of halvarine?'

'U maakt grapjes.'

'Ik maak geen grapjes over boter.'

'Dan maar klontjes boter,' zei ik slap.

'Laag-natrium, geen natrium of normaal.'

'Maak er een verrassing van,' fluisterde ik.

Tot mijn verbazing vinden mijn vrouw en kinderen dat allemaal schitterend. Ze gaan dolgraag naar een ijssalon waar ze mogen kiezen uit vijfenzeventig smaken ijs, en vervolgens uit vijfenzeventig toppings voor op dat ijs.

Ik kan jullie niet zeggen hoe ik ernaar verlang naar Engeland te gaan en gewoon een lekker kopje thee te drinken en een simpel broodje, maar ik vrees dat ik de enige in huis ben die er zo over denkt. Ik ga ervan uit dat mijn vrouw en kinderen uiteindelijk verzadigd zullen raken door dat alles, maar daar is nog niets van te bespeuren.

Maar als ik het positief bekijk – problemen met luiers voor incontinentie staan me niet te wachten.

Nieuws over domheid

Ik zou een paar woorden willen zeggen over domheid in Amerika.

Laat me, voordat ik één woord verder ga, categorisch duidelijk maken dat Amerikanen niet intrinsiek simpeler zijn dan andere mensen. Amerika bezit de grootste economie, de rijkste mensen, de beste research-instituten, veel van de beste universiteiten en denktanks, en meer Nobelprijswinnaars dan de rest van de wereld bij elkaar. Dat alles ontstaat niet door domheid.

En toch vraag je je weleens iets af. Bijvoorbeeld het volgende. Volgens een enquête kan dertien procent van de vrouwen in de Verenigde Staten niet zeggen of ze hun panty onder hun slipje dragen of eroverheen. Dat komt dus neer op zo'n twaalf miljoen vrouwen die rondlopen in een toestand van aanhoudende onzekerheid aangaande hun ondergoed. Ik draag heel zelden dameskleren, dus kan ik niet geheel begrijpen wat daarbij allemaal komt kijken, maar ik ben er bijna zeker van dat ik, als ik panty's en slipjes zou dragen, zou weten waaruit de bovenste laag bestond. En wat nog belangrijker is: als een vreemde met een klembord op straat op me afkwam en vroeg hoe de configuratie van mijn lingerie eruitzag, geloof ik niet dat ik tegen hem zou zeggen dat ik dat niet wist.

En dat brengt me op een andere interessante kwestie: Waarom vroegen ze ernaar? Hoe heeft iemand zo'n vraag bedacht, en wat verwachtte men van de gegevens? Jullie zien, dat alles wijst op een veel omvangrijker soort domheid, niet alleen onder de dertien procent van de vrouwen die niet lingerie-bewust zijn, om het maar eens raak te formuleren, maar ook onder degenen die peilingen van de publieke opinie bedenken en verspreiden.

Eén ding staat vast, en dat is dat er vreselijk veel domheid aanwezig is. Dat weet ik omdat een vriend in New York me onlangs een verzameling domme citaten stuurde, uit de mond van bekende Amerikanen in 1997. Hier spreekt bijvoorbeeld de filmster Brooke Shields die, zonder enige hulp van grote mensen, aan een interviewer uitlegt waarom je niet zou moeten roken: 'Roken maakt mensen dood. En als je gedood wordt, ben je een heel belangrijk deel van je leven kwijt.'

Fraai geformuleerd, Brooke. En hier volgt de zangeres Mariah Carey die doordringt tot de kern van de problemen van de derde wereld: 'Elke keer als ik tv kijk en die arme, hongerige kinderen zie, overal ter wereld, móét ik wel huilen. Ik bedoel, ik zou dolgraag zo mager als zij willen zijn, maar niet met al die vliegen en dood en zo.'

De toestand die volgt op verbijstering bereik ik elke keer als ik dat citaat lees. Maar mijn favoriet is het antwoord dat Miss Alabama heeft gegeven bij een Miss Universe-wedstrijd toen haar gevraagd werd of ze eeuwig zou willen leven: 'Ik zou niet eeuwig willen leven omdat we niet eeuwig horen te leven, want als we eeuwig zouden moeten leven, dan zouden we eeuwig moeten leven, maar we kunnen niet eeuwig leven, en dat is de reden waarom ik niet eeuwig zou willen leven.'

Jullie mogen me onaardig noemen, maar ik wil er heel wat onder verwedden dat Miss Alabama niet alleen niet zou weten of haar panty onder of boven haar slipje zit, maar ook niet helemaal zeker weet welke ledematen ze in welke openingen moet stoppen.

Waar komt al die domheid vandaan? Ik heb geen idee,

maar ik ben er zeker van – heel serieus zeker – dat iets in het moderne Amerikaanse leven het denken onderdrukt, zelfs onder min of meer normale mensen. Daaraan werd ik gisteren herinnerd, terwijl ik stond te wachten achter een man die in een telefooncel stond te bellen. De man – van middelbare leeftijd, goedgekleed, waarschijnlijk een jurist of accountant naar zijn uiterlijk te oordelen – praatte kennelijk met het kleine kind van een collega of een cliënt, en hij zei: 'En wanneer denk je dat je mammie uit de douche komt, lieverd?'

Denk daar eens even over na. Wanneer je merkt dat je aan een kind van drie vraagt hoelang een volwassene zal doen over een bepaalde bezigheid, wordt het tijd voor een investering in een nieuw stel hersens. En trouwens, hoelang doet *wie dan ook* over een douche?

Amerika heeft geen monopolie op domheid, dat weet de hemel, maar er is minstens één factor die hier in grotere mate lijkt voor te komen dan elders, namelijk de gewoonte van kranten, tijdschriften en tv-omroepers om altijd te zeggen wat volstrekt voor de hand ligt. We hebben in deze column al kunnen zien hoe de *Washington Post* zijn lezers ongegeneerd meedeelt dat Schotland 'ten noorden van Engeland ligt', of hoe columnisten een grapje vertellen en vervolgens de clou gaan uitleggen. De bedoeling – de béste bedoeling, daar ben ik zeker van – is dat men de lezers wil besparen dat ze moeten worstelen met ongewone of moeilijke gedachten (zoals waar ligt Schotland in vredesnaam), maar het heeft het krachtige en verraderlijke effect dat het publiek gelobotomiseerd wordt.

De nare kant van dit alles is dat het tamelijk gemakkelijk is misbruik te maken van mensen die hun denkkracht zijn kwijtgeraakt. Een- of tweemaal per week ontvangen we, als vrijwel elk gezin in dit land, een brief van een abonneeservice van een tijdschrift waarin iets staat als: 'Gefeliciteerd, meneer Bryson, u hebt 5 miljoen dollar gewonnen!' Vlak boven die veelbelovende mededeling staat, in veel kleinere lettertjes:

'Als uw sweepstakenummer overeenkomt met het getrokken nummer, zullen we tegen u zeggen...' Je hoeft niet zo bijster snugger te zijn om uit te pluizen dat je niet echt 5 miljoen dollar gewonnen hebt. Helaas zijn heel veel mensen niet bijster snugger.

In de kranten stond niet zo lang geleden een artikel over een man die Richard Lusk heet, en die van Californië naar Florida was gevlogen, met in zijn hand een brief waarin stond dat hij, zo had hij begrepen, 11 miljoen dollar had gewonnen en slechts vijf dagen de tijd had om zijn prijs te innen. Het bedrijf wees hem op de kleine lettertjes en stuurde hem weer naar huis. Drie maanden later ontving meneer Lusk nog zo'n, in wezen identieke brief, en hij vloog opnieuw naar Florida, even blij en vol verwachting als de eerste keer. Volgens Associated Press zijn minstens twintig andere mensen de afgelopen vier jaar naar Florida gevlogen in dezelfde extatische, maar onterechte overtuiging.

Dat is nogal een deprimerende gedachte, dus laten we besluiten met het verhaal over mijn favoriete domoor van het ogenblik – namelijk een man die in Texas een overval wilde plegen en zijn gezicht met een bivakmuts had afgedekt om een kruidenierszaak te beroven, maar vergeten was van zijn borstzak het naamkaartje te verwijderen waarop zijn foto, naam en bedrijf te zien waren, dingen die door zo'n vijftien getuigen waren opgemerkt.

Ik ben ervan overtuigd dat hierin ergens een moraal zit, en ik zal het jullie laten weten zodra ik erop ben gekomen. Nu moeten jullie me even excuseren. Ik ga even kijken hoe mijn ondergoed zit, voor het geval iemand me daar vragen over stelt.

Oud nieuws

'De wetenschap ontdekt het geheim van de veroudering,' kondigde een kop in onze krant laatst aan, en dat verraste me, want ik had dat nooit als een geheim gezien. Het gebeurt gewoon. Niets geheimzinnigs aan.

Wat mijzelf betreft – ouder worden heeft drie goede kanten. Ik kan zittend slapen, ik kan herhalingen van *Morse* telkens en telkens weer zien zonder te weten hoe ze aflopen, en het derde weet ik niet meer. Dat is het probleem van ouder worden, natuurlijk – dat je je niets meer herinnert.

Bij mij wordt dat alleen maar erger. Ik heb steeds vaker telefoongesprekken met mijn vrouw die als volgt gaan:

'Hallo, schat, ik ben in de stad. Waarom ben ik daarheen gegaan?'

'Je moet je haar laten knippen.'

'Dank je.'

Je zou denken dat dat, naarmate ik ouder word, beter zou worden omdat ik minder hersens heb die afwezig kunnen zijn, maar zo lijkt het niet te werken. Jullie weten wel hoe je, naarmate de jaren verstrijken, steeds meer terechtkomt in een deel van het huis waar je niet zo vaak komt – de ruimte voor de wasmachine bijvoorbeeld – en hoe je dan met getuite lippen en een nadenkend gezicht probeert te bedenken waarom je daar bent. In zo'n geval gebeurde het dan wel dat ik, als ik terugliep naar waar ik begonnen was, me het doel van mijn verkenning weer herinnerde. Dat overkomt me niet meer. Tegenwoordig kan ik me niet meer herinneren waar ik begonnen was. Geen flauw idee.

Dus dwaal ik twintig minuten lang door het huis, op zoek naar een of ander teken van recente bezigheden – een vloerplank die uit de vloer gelicht was misschien, of een gebarsten buis, of misschien een telefoonhoorn op zijn zij met een nieuwsgierig stemmetje dat piept: '*Bill? Ben je daar nog?*' – iets wat mij ertoe zou hebben aangezet op te staan en een blocnote of een plugkraan of god weet wat te halen. Meestal vind ik op zo'n dooltocht wel iets anders wat aandacht eist – een kapotte peer die vervangen moet worden bijvoorbeeld – dus dan loop ik naar de keukenkast waar de lampen liggen en ik doe de deur open en… ja, inderdaad, dan heb ik geen idee waarom ik daar sta. Dus dan begint het proces weer van voren af aan.

De tijd is mijn speciale probleem. Wanneer iets verhuist naar het verleden, ben ik het spoor compleet bijster. Mijn ergste vrees in dit leven is dat ik gearresteerd word en dat ze me vragen: 'Waar was u tussen 8.50 en 11.02 uur op de ochtend van 11 december?' Als zoiets mocht gebeuren, dan steek ik maar gewoon mijn polsen uit voor de handboeien, want er is in de verste verte geen kans dat ik dat nog weet. Zo is het voor mij al zolang ik me kan herinneren, en dat is natuurlijk ook weer niet zo lang.

Mijn vrouw heeft dat probleem niet. Zij kan zich alles herinneren wat ooit gebeurd is, en wanneer. En dan bedoel ik tot in de kleinste details. Plotseling zegt ze bijvoorbeeld iets tegen me als: 'Zondag was het zestien jaar geleden dat je grootmoeder is gestorven.'

'O ja?' zeg ik dan, verbijsterd. 'Heb ik een grootmoeder gehad?'

Wat verder tegenwoordig nogal eens gebeurt is dat er, als ik met mijn vrouw uit ben, iemand die ik zou zweren nooit eerder gezien te hebben, op ons af komt en een vriendelijk praatje met ons maakt, op vertrouwelijke toon.

'Wie was dat,' vraag ik dan als hij weg is.

'Dat was de man van Lottie Rhubarb.'

Ik denk even na, maar er schiet me niets te binnen.

'Wie is Lottie Rhubarb?'

'Die heb je ontmoet bij de barbecue van de Talmadges aan Big Bear Lake.'

'Ik ben nooit van mijn leven bij Big Bear Lake geweest.'

'Jawel. Voor de barbecue van de Talmadges.'

Ik denk opnieuw even na. 'En wie zijn de Talmadges dan wel?'

'Die mensen van Park Street, die een barbecue gaven voor de Skowolski's.'

Inmiddels begin ik een zekere wanhoop te voelen. 'Wie zijn de Skowolski's?'

'Dat Poolse echtpaar dat je ontmoet hebt bij de barbecue aan Big Bear Lake.'

'Ik bén helemaal niet bij een barbecue aan Big Bear Lake geweest.'

'Natuurlijk wel. Je bent daar nog op een satéstokje gaan zitten.'

'Ben ik op een *satéstokje* gaan zitten?'

Dergelijke gesprekken gaan soms wel drie dagen door, en ten slotte ben ik dan nog geen steek wijzer.

Ik ben altijd verstrooid geweest, vrees ik. Toen ik een jongen was, had ik een krantenwijk in de rijkste buurt van ons stadje; dat klinkt als een moordbaantje, maar dat was het niet, in de eerste plaats omdat rijke mensen de grootste krenten zijn met Kerstmis (met name, ik zal ze even opsommen, de heer en mevrouw Arthur J. Niedermeyer van 27 St. John's Road, dr. en mevrouw Richard Gumbel in het grote bakstenen huis aan Lincoln Place en meneer en mevrouw Samuel Drinkwater van het kapitaal van de Drinkwaterbank; ik hoop dat jullie nu allemaal in een verpleeghuis zitten) en omdat elk huis zo'n vierhonderd meter van de straat vandaan lag, aan het eind van een lange, kronkelige oprit.

Zelfs onder hypothetisch ideale omstandigheden zou het uren kosten een dergelijke wijk te lopen, maar zo ver kwam ik nooit. Mijn probleem was: terwijl mijn benen de ronde aflegden, verkeerde mijn hoofd in de toestand van totale afwezige dromerigheid die kenmerkend is voor alle afwezige mensen.

Aan het eind van mijn ronde keek ik in mijn tas, en zonder mankeren constateerde ik dan met een zucht dat ik een half dozijn kranten over had, en die stonden stuk voor stuk voor een huis waar ik was geweest – een lange oprit waarover ik gesjokt was, een veranda die ik was overgestoken, een hordeur die ik had opengedaan – zonder dat ik er een krant had achtergelaten. Natuurlijk wist ik niet meer in welke van de tachtig villa's op mijn route dat gebeurd was, dus zuchtte ik nogmaals en deed de ronde een tweede keer. Zo heb ik mijn kinderjaren doorgebracht. Ik vraag me af of de Niedermeyers, Gumbels en Drinkwaters, als ze geweten hadden door wat voor een hel ik dag in dag uit ging om hun die stomme *Des Moines Tribune* te bezorgen, zich wel zo gelukkig zouden hebben gevoeld dat ze mij met Kerstmis zo'n rotfooi gaven. Waarschijnlijk wel.

Maar goed, jullie vragen je waarschijnlijk af wat het geheim van de veroudering is waarop ik in de eerste alinea zinspeelde. Volgens dat stuk in de krant schijnt een dokter Gerard Schellenberg van het Seattle Veterans Administration Medical Research Centre de genetische schuldige van de veroudering geïsoleerd te hebben. Het lijkt erop dat in elk gen iets verborgen zit dat een helicase heet, die deel uitmaakt van een familie van enzymen, en dat die helicase, om redenen die mij niet duidelijk zijn, de twee strengen chromosomen waaruit je DNA bestaat, uit elkaar haalt, en voordat je het weet sta je voor de keukenkast en probeer je je te herinneren waarom je daar in godsnaam staat. Ik kan jullie geen nadere bijzonderheden verschaffen, want ik ben dat artikel natuurlijk kwijt, en trouwens, het doet er nauwelijks toe, want over een week of twee verschijnt er iemand anders die weer een ander geheim van de veroudering ontsluiert, en dan vergeet iedereen dokter Schellenberg en zijn bevindingen – en daarmee ben ik natuurlijk al begonnen.

Onze conclusie luidt dus dat we zien dat vergeetachtigheid waarschijnlijk toch niet zo erg is. Ik geloof dat ik het daarover had willen hebben, maar om jullie de waarheid te zeggen – ik weet het eigenlijk niet meer.

Voor *uw* gemak

Ons onderwerp deze week is een kenmerk van het moderne leven dat echt op mijn zenuwstelsel werkt, namelijk de manier waarop bedrijven dingen doen om het zichzelf gemakkelijker te maken en dan doen alsof ze dat ter wille van jou doen. Je kunt meestal zien dat hiervan sprake is wanneer ergens de zinsnede 'voor uw gemak' of 'teneinde onze klanten beter van dienst te zijn' voorkomt in wat ze schrijven.

Ik was bijvoorbeeld laatst in een groot hotel, en ik ging ijsblokjes halen, en ik sjouwde kilometerslange gangen rond (misschien, zo begrijp ik nu, in een grote, ononderbroken kring) zonder iets te vinden. Vroeger was er een ijsblokjesmachine op elke verdieping van elk hotel in Amerika. Ik geloof dat dat iets was wat in de grondwet was vastgelegd, vlak boven het recht om wapens te dragen en onder het recht te winkelen tot we erbij neervallen. Maar er was niets te vinden op die achttiende verdieping van dat hotel. Ten slotte vond ik een nis waar kennelijk vroeger een ijsblokjesmachine had gestaan, en aan de muur hing een bordje met de tekst: 'Voor uw gemak zijn ijsblokjesmachines nu te vinden op de verdiepingen 2 en 27.' Jullie begrijpen natuurlijk wat ik bedoel.

Het gaat me niet speciaal om de verwijdering van ijsblokjesmachines, het is mij begonnen om het voorwendsel dat dit gebeurd is ter wille van mijn levensgeluk. Als er iets eerlijks op dat bordje had gestaan, als 'Waarvoor wil je eigenlijk ijs hebben? Je drankje is al gekoeld. Ga terug naar je kamer en hou op met dwalen door semi-openbare gangen in ongepaste kleding,' zou ik daar geen moeilijkheden over maken.

Natuurlijk is dit niet uitsluitend een Amerikaans verschijnsel. Inwoners van Skipton, North Yorkshire, herinneren zich misschien een ochtend, een paar jaar geleden, toen men kon zien hoe een anonieme en bescheiden in Amerika geboren journalist, die haast had omdat hij een trein moest halen, zich lijfelijk tegen de deur van een kantoor van een grote bank aan de High Street wierp en heftige overtuigingen door de brievenbus schreeuwde naar aanleiding van een briefje achter het raam waarop stond: 'Ter wille van betere dienstverlening zal de bank wegens personeelsopleiding op maandagen drie kwartier later opengaan.' (Diezelfde bank heeft later duizenden bankbedienden ontslagen en zei toen zonder duidelijke ironie dat dit gebeurde 'om onze klanten beter van dienst te zijn'. We wachten op de dag dat ze iedereen ontslaan en helemaal niet meer in geld handelen, het moment waarop de service vlekkeloos zal zijn.)

Maar het is ermee gesteld als met de meeste dingen, goed zowel als slecht: hypocrisie van de kant van bedrijven komt hier in grotere mate voor dan in de meeste andere landen. Ik was in een ander hotel in New York City, toen me opviel dat op het menu van de roomservice stond: 'Voor uw gemak zal $17\frac{1}{2}$ procent extra worden toegevoegd aan de rekening voor alle bestellingen.'

Mijn nieuwsgierigheid was gewekt, en ik belde roomservice en vroeg in wat voor zin het voor mijn gemak zou zijn als mijn roomservice-rekening $17\frac{1}{2}$ procent hoger uitviel.

Daarop volgde een langdurig zwijgen. 'Omdat dat garandeert dat u uw eten vóór aanstaande donderdag krijgt.' Dat zijn misschien niet letterlijk de woorden die de man in kwestie bezigde, maar dat was duidelijk de kant die zijn gedachten uitgingen.

Er is een eenvoudige verklaring waarom zulke dingen gebeuren. De meeste grote ondernemingen vinden jou niet zo aardig, behalve hotels, luchtvaartmaatschappijen en Microsoft, die je helemaal niet mogen.

Ik denk – al zal het erom spannen – dat hotels weleens de ergste kunnen zijn. (Eigenlijk is Microsoft het ergst, maar als ik daarover begon, zou ik nooit meer ophouden.) Een paar jaar geleden arriveerde ik omstreeks twee uur 's middags bij een groot hotel in Kansas City, nota bene, nadat ik per vliegtuig was aangekomen uit Fiji, al even onwaarschijnlijk. Fiji ligt, zoals jullie zullen begrijpen, een heel eind van Kansas City vandaan, en ik was moe en snakte naar een douche en wat uitrusten.

'De check-intijd is vier uur 's middags,' zei de man achter de balie doodkalm.

Ik keek hem aan met de gekwelde, hulpeloze uitdrukking op mijn gezicht die ik vaak vertoon aan de balie van een hotel. 'Vier uur 's middags? Waarom?'

'Bedrijfsbeleid.'

'Waarom?'

'Omdat het zo is.' Hij voelde aan dat dit ietwat ontoereikend was. 'De schoonmaaksters moeten de tijd krijgen om de kamers op te ruimen.'

'Wilt u beweren dat ze voor vier uur 's middags nog niet klaar zijn met één kamer?'

'Nee, ik zeg dat de kamers niet beschikbaar zijn vóór vier uur 's middags.'

'Waarom?'

'Dat is het bedrijfsbeleid.'

Op dat moment stak ik hem met twee opgestoken vingers in zijn ogen, en schreed weg om twee heerlijke uurtjes door te brengen in de afdeling etenswaren van een winkelcentrum aan de overkant.

Een andere plek om dit feit verder uit te zoeken, als je van zelfkwelling houdt, is in tijdschriften van luchtvaartmaatschappijen. Dergelijke bladen bevatten bijna altijd een rubriek die geschreven is door een minzame hoge piet die uitlegt hoe iets wat geen mens als een verbetering beschouwt – bijvoorbeeld de noodzaak van overstappen in Cleveland wanneer je van New York naar Miami vliegt – bedoeld is om de service te verbeteren. Mijn lievelingsvoorbeeld was de brief van een directeur waarin heel serieus werd uitgelegd dat te vol boeken (wat hier bij vrijwel elke vlucht gebeurt) in feite gunstig is. De logica, zoals hij die uiteenzette, was dat de maatschappij, door zeker te weten dat alle vluchten volgeboekt waren, zijn winst zou maximaliseren, en daardoor zou de maatschappij het goed doen, en dat zou hen weer in staat stellen tot betere dienstverlening. Hij leek het zelf echt te geloven.

Ik vermoedde al een hele tijd dat de mensen die aan het hoofd van de Amerikaanse luchtvaartmaatschappijen staan, alle contact met de werkelijkheid zijn kwijtgeraakt, en ik dacht dat ik dat nu bevestigd zag. Dat was in een verslag in de *New York Times* waarin werd nagegaan hoe zelden de maatschappijen tegenwoordig iets te eten aanbieden op binnenlandse vluchten, en hoe schamel dat eten is, vergeleken met vroeger. In dat artikel wordt een medewerker van Delta Airlines, een zekere Cindy Reeds, geciteerd: 'Het publiek heeft ons verzocht de maaltijden te schrappen.'

Pardon? De klanten hebben gevraagd of ze niet hoefden te eten? Dat kan ik eerlijk gezegd maar moeilijk, eh, slikken.

Een eindje verderop in dat artikel legt mevrouw Reeds de interessante gedachtegang van de maatschappij uit: 'Ongeveer anderhalf jaar geleden,' zegt ze, 'hebben we duizend passagiers ondervraagd... en die zeiden dat ze minder wilden betalen, dus hebben we de maaltijden afgeschaft.'

Hela, wacht even, Cindy. Als je tegen passagiers zegt: 'Willen jullie goedkopere tickets?' en zij antwoorden: 'Ja, inderdaad' (wat wel zo ongeveer is wat je zou verwachten, nietwaar?), dan is dat niet helemaal hetzelfde alsof ze gezegd hebben: 'Ja, inderdaad, en hou alsjeblieft op met die maaltijden, als jullie toch bezig zijn.'

Maar probeer dat, of wat dan ook, maar eens uit te leggen aan een luchtvaartmaatschappij. Ze zei tenminste niet dat de maatschappij gestopt was met maaltijden voor het gemak van de passagiers – al had ze dat, als ik er goed over nadenk, eigenlijk moeten doen.

Maar goed, in een poging tot betere dienstverlening zet ik er hier een punt achter.

De waarheid verzinnen

Een van de dingen waaraan je geleidelijk went in Amerika is de mate waarin je wordt voorgelogen door bedrijven en andere grote instanties. Overigens, ik heb zojuist ook gelogen. Je went er namelijk nooit aan.

Een paar jaar geleden, toen we nog nieuw in dit land waren, reden we door Michigan, op zoek naar een overnachtingsplaats, toen we een groot reclamebord passeerden van een nationale motelketen, met een bijzonder aantrekkelijk aanbod. Ik herinner me de details niet meer, maar de kinderen mochten voor niets overnachten en het hele gezin kreeg bonnen voor het ontbijt, voor een buitengewoon aangenaam all-inprijsje van iets van 35 dollar.

Tegen de tijd dat dat alles tot me was doorgedrongen, was ik de afrit natuurlijk al voorbij, en ik moest drieëntwintig kilometer doorrijden, en toen weer drieëntwintig kilometer terug en vervolgens een halfuur speuren langs secundaire wegen terwijl alle anderen in de auto me wezen op veel gemakkelijker bereikbare motels met betere faciliteiten. De ergernis was dus aanzienlijk. Maar dat deed er niet toe. Voor 35 dollar en een gratis warm ontbijt mag men me ergeren zoveel men wil.

Stel je dus mijn gezicht voor toen ik ons gezin incheckte en de man achter de balie me een rekening toeschoof die iets van 149,95 dollar bedroeg.

'Hoe zit het dan met dat speciale aanbod?' jammerde ik.
'Ach ja,' zei hij minzaam, 'dat geldt slechts voor enkele kamers.'
'Hoeveel kamers?'
'Twee.'
'En hoeveel kamers heeft dit motel?'
'Honderdvijf.'
'Maar dat is oplichterij,' zei ik.
'Nee meneer, dat is Amerika.'
Overigens geloof ik eigenlijk niet dat hij dat zei, maar hij had het kunnen zeggen. En dat was een grote, bekende motelketen met managers die zich vast en zeker gekwetst en verbijsterd zouden voelen als men hen als schurken en bedriegers beschreef. Ze hadden slechts de veranderlijke regels van de handelsmoraal in de Verenigde Staten gevolgd.

Ik heb net een boek gelezen dat *Tainted Truth: The Manipulation of Fact in America* heet, en dat vol staat met treffende verhalen over misleidende beweringen van adverteerders, verdraaide wetenschappelijke studies, bevooroordeelde opinieonderzoeken enzovoort – dingen die men in alle andere landen bedrog zou noemen.

Vrijwel alle advertenties voor auto's bijvoorbeeld pochen over veiligheidsaspecten als kreukelzones, die toch al wettelijk verplicht zijn. Chevrolet heeft ooit geadverteerd met een auto met '109 voordelen, bedoeld om voortijdige veroudering te voorkomen'. Toen een autojournalist zich daarin verdiepte, bleken tot die voordelen dingen te behoren als achteruitkijkspiegels, achteruitrijlampen, gebalanceerde wielen en andere zaken die in werkelijkheid standaard zijn bij alle auto's.

Wat mij verwondert is niet dat commerciële ondernemingen proberen de waarheid in hun eigen voordeel te verdraaien, maar de mate waarin ze dat ongestraft mogen doen. Producenten van voedingsmiddelen kunnen niets of praktisch niets van een specifiek ingrediënt in een product stoppen en toch doen alsof het er overvloedig in zit. Een groot bekend bedrijf, om maar een bijna willekeurig voorbeeld te noemen, verkoopt 'bosbessenwafels' die nooit een bosbes hebben gezien. De bosbes-achtige klontjes die erin zitten, zijn in werkelijkheid slechts brokjes chemicaliën met een smaakje, volkomen kunstmatig, maar je kunt een halve dag lang het pak bestuderen zonder dat dat tot je doordringt.

Als het niet mogelijk is te jokken over de inhoud, dan verdraaien de fabrikanten vaak de te serveren hoeveelheid. Een populair soort chocoladecake met weinig vet schept op dat een portie slechts zeventig calorieën bevat. Maar de portie die zij voor ogen hebben, is 28 gram – een sneetje dat fysiek vrijwel onmogelijk af te snijden is.

De ergerlijkste vorm van bedrog is voor mijn gevoel de reclame in de brievenbus, en wel omdat je daar vrijwel niet aan kunt ontkomen. Iedereen in Amerika ontvangt elk jaar gemiddeld zeventien kilo – vijfhonderd stuks – ongevraagde post. Omdat er zoveel van is, maken de verzenders gebruik van de misselijkste trucs om je zo ver te krijgen dat je erin kijkt. De enveloppen zien eruit alsof ze een cheque voor een prijs bevatten, of hoogst belangrijke documenten van de overheid, of alsof ze door een speciale koerier zijn overgebracht, of alsof ze je zelfs in moeilijkheden zouden kunnen brengen als je ze geen serieuze aandacht schenkt. Vandaag kreeg ik bijvoorbeeld een envelop in de bus waarop stond 'Documenten uitsluitend bestemd voor de geadresseerde [...] 2000 dollar boete of 5 jaar gevangenisstraf voor ieder die knoeit met de verzending of deze verhindert; US Code Title 18, Sec. 1702.' Dat was kennelijk iets heel belangrijks. In werkelijkheid zat er een uitnodiging in om een proefrit met een auto te maken in een stadje bij ons in de buurt.

Wat mij wanhopig maakt, is dat zelfs heel eerbiedwaardige organisaties intussen al naar dergelijke listen grijpen. Ik kreeg onlangs een officieel uitziende envelop met de mededeling 'Cheque ingesloten'. Het bleek een brief van de 'Cys-

tic Fibrosis Foundation' te zijn, een belangrijke liefdadig-
heidsorganisatie, en ze vroegen om een donatie. Er zat helemaal geen cheque in – alleen een stukje papier in de vorm
van een namaakcheque waarop stond hoe mijn donatie van
tien dollar aan de stichting eruit zou zien. Wanneer zelfs fatsoenlijke, goedbedoelende liefdadigheidsorganisaties zich gedwongen voelen je wat voor te liegen teneinde je aandacht te
trekken, dan weet je dat er iets aan het systeem mankeert.

Je begint het gevoel te krijgen dat je niemand kunt vertrouwen. Cynthia Crossen, schrijfster van het hierboven genoemde boek *Tainted Truth*, wijst er in haar boek op dat
veel zogeheten wetenschappelijke studies in werkelijkheid
nep zijn. Ze noemt een van die studies, waarover veel geschreven is in de landelijke pers, en waarin beweerd werd dat
het eten van wittebrood goed is als je wilt afvallen. De 'studie' waarop die bewering gebaseerd was, had betrekking op
118 proefpersonen gedurende twee maanden, en had in werkelijkheid geen bewijzen gevonden voor deze stelling, maar
de onderzoekers zeiden dat ze geloofden dat de beweringen
bevestigd zouden zijn 'als het onderzoek was voortgezet'.
Hun werk was gefinancierd door de grootste bakker van wittebrood in het land. Een andere studie – opnieuw getrouw
en zonder vraagtekens geciteerd in de kranten – beweerde dat
het eten van chocolade tandbederf voorkomt. Dat onderzoek
was, en dat zal jullie niet verbazen, zeer twijfelachtig en gefinancierd door een vooraanstaande chocoladefabrikant.

Zelfs rapporten in de meest gerespecteerde medische tijdschriften kunnen verdacht zijn, lijkt het. Vorig jaar hebben,
volgens de *Boston Globe*, twee universiteiten, Tufts en UCLA,
onderzoek gedaan naar de financiële belangen van de schrijvers van 789 artikelen in belangrijke medische tijdschriften,
en ze zijn tot de slotsom gekomen dat in vierendertig procent
van de gevallen minstens één van die schrijvers een niet-ge-
meld financieel belang had bij het slagen van het onderzoek.
In één typerend geval bezat een onderzoeker die de werk-

zaamheid testte van een nieuw middel tegen verkoudheid, enkele duizenden aandelen in het bedrijf dat het middel aan-
maakte. Na de publicatie van het verslag schoot de waarde
van de aandelen omhoog, en hij had ze verkocht, met een
winst van 145 000 dollar. Ik beweer niet dat de man zijn wetenschap slecht beoefend had, maar hij moet zich toch in zijn
achterhoofd bewust zijn geweest van het feit dat een nega-
tief rapport zijn aandelen waardeloos zou maken.

Het treffendste voorbeeld van dit soort zaken dateert uit
1986, toen de *New England Journal of Medicine* tegelijkertijd twee rapporten ontving over een nieuw antibioticum. Het
ene beweerde dat het middel werkzaam was, het andere dat
dat niet het geval was. Het positieve rapport bleek afkomstig van een onderzoeker wiens lab 1,6 miljoen dollar had
ontvangen van de farmaceutische industrie, en die persoonlijk 75 000 dollar had ontvangen van de betrokken fabrikanten. Het negatieve rapport kwam van een onafhankelij-
ke onderzoeker die niet door de farmaceutische bedrijven
gefinancierd was.

Wie kun je dus nog vertrouwen en geloven? Alleen mij,
vrees ik, en dan ook maar tot op zekere hoogte.

Storing in het gevoel voor humor

Hier volgt mijn tip van de week. Maak geen grappen in Amerika. Zelfs in ervaren handen – en ik geloof dat ik op dat punt met enig gezag kan spreken – kan een grap gevaarlijk zijn.

Tot die conclusie ben ik onlangs gekomen toen ik door de douane ging op Logan Airport in Boston. Toen ik bij de laatste man kwam, zei hij tegen me: 'Nog fruit of groenten?'

Ik dacht even na. 'Natuurlijk, waarom niet,' zei ik. 'Geeft u me maar twee kilo aardappels en een paar mango's, als ze vers zijn.'

Onmiddellijk drong het tot me door dat ik mijn publiek verkeerd had ingeschat en dat dit niet een man was die snakte naar een gezellig praatje. Hij keek me aan met zo'n trage, duistere, cerebraal aangesproken blik die je nooit wilt zien bij een geüniformeerd persoon, maar wel in de laatste plaats bij een ambtenaar van de US Customs and Immigration, want jullie mogen me geloven, die mensen beschikken over een macht die je echt beter niet op de proef kunt stellen. Als ik alleen maar de woorden 'lichaamsvisitatie' en 'rubberhandschoenen' noem, begrijpen jullie waarschijnlijk wat ik bedoel. Als ik zeg dat ze het juridische recht hebben je passage te hinderen, dan bedoel ik dat in alle denkbare betekenissen.

Gelukkig leek deze man tot de conclusie te komen dat ik alleen maar ongelooflijk stom was. 'Meneer,' vroeg hij nu zorgvuldiger, 'hebt u iets bij u wat in de categorie fruit of groenten valt?'

'Nee, meneer,' antwoordde ik onmiddellijk, en ik schonk hem de meest eerbiedige en kruiperige blik die ik volgens mij ooit heb geschonken.

'Loopt u dan maar door,' zei hij.

Ik liet hem hoofdschuddend achter. Ik ben ervan overtuigd dat hij gedurende de rest van zijn loopbaan aan anderen zal vertellen over die sukkel die dacht dat hij groenteboer was.

Neem dus maar van me aan – maak nooit grappen met een gezagspersoon in Amerika, en als je je landingskaart invult, moet je bij de vraag 'Bent u ooit lid van de communistische partij geweest of hebt u ooit tegenover ambtenaren gebruik gemaakt van ironie?' een vinkje zetten in het hokje 'Nee'.

Ironie is in dit geval natuurlijk het sleutelwoord. Amerikanen maken er niet vaak gebruik van. (Ik bedoel dit ironisch: ze maken er nooit gebruik van.) Onder de meeste omstandigheden is dat eigenlijk nogal aangenaam. Ironie is verwant aan cynisme, en cynisme is geen deugdzame emotie. De Amerikanen – niet allemaal, maar een belangrijk deel – hebben aan geen van beide behoefte. Hun benadering van alledaagse contacten is vriendelijk, ronduit, bijna ontroerend letterlijk. Ze verwachten geen verbale kunstjes in de conversatie, dus schrikken ze zich een ongeluk als je daar gebruik van maakt.

We hebben een buurman op wie ik deze hypothese heb toegepast in de eerste twee jaar dat we hier woonden. Het begon heel onschuldig. Kort nadat we in ons huis waren getrokken, was bij hem in de tuin een boom omgevallen. Ik kwam op een ochtend langs zijn huis en zag dat hij de boom in kleinere stukken aan het zagen was en ze op de imperiaal van zijn auto laadde om naar de belt te brengen. Het was een bladerrijke boom en de takken hingen nogal weelderig over de zijkanten.

'Aha, ik zie dat je je auto aan het camoufleren bent,' merkte ik droogjes op.

Hij keek me even aan. 'Nee,' zei hij heel nadrukkelijk. 'Er is laatst een boom omgewaaid bij die storm, en nu ga ik hem naar de vuilnisbelt brengen.'

Daarna kon ik het niet laten grapjes met hem te maken. Op een dag vertelde ik hem over een rampzalige vliegreis die ik had meegemaakt, en waardoor ik een hele nacht in Denver gestrand was.

'Met wie was je gevlogen?' vroeg hij.

'Dat weet ik niet,' antwoordde ik. 'Het waren allemaal vreemden.'

Hij keek me aan met een gelaatsuitdrukking waaruit een zekere paniek sprak. 'Nee, ik bedoelde met welke vliegmaatschappij je was gevlogen.'

Vlak daarna beval mijn vrouw me op te houden grapjes met hem te maken, want het had er alle schijn van dat onze babbeltjes bij hem uitliepen op migraine.

De gemakkelijke conclusie die men hieruit kan trekken, een conclusie waartoe zelfs de slimste waarnemers van buiten zich maar al te vaak laten verleiden, is dat Amerikanen een aangeboren gebrek aan gevoel voor humor hebben. Ik heb pas *In the Land of Oz* gelezen, van jullie eigen Howard Jacobson, een intelligent man met onderscheidingsvermogen, en hij zegt terloops: 'Amerikanen hebben geen gevoel voor humor.' In één middag zou ik zonder moeite dertig tot veertig opmerkingen van deze aard in moderne boeken kunnen vinden.

Ik kan me die gedachte wel voorstellen, maar in werkelijkheid klopt er niets van. Als we even nadenken, dan herinneren we ons dat veel van de allergeestigste mensen die ooit geleefd hebben – de Marx Brothers, W.C. Fields, S.J. Perelman, Robert Benchley, Woody Allen, Dorothy Parker, James Thurber, Mark Twain – allemaal Amerikanen zijn of zijn geweest. Bovendien, en al even voor de hand liggend: ze zouden nooit zo beroemd zijn geworden als ze niet een groot en waarderend publiek in eigen land hadden gehad. Het is dus niet alsof we in dit land geen grappige scherts kunnen maken of savoureren.

Het is echter volkomen waar dat geestigheid als kwaliteit hier niet zo vereerd wordt als in Groot-Brittannië. John Cleese heeft eens gezegd: 'Een Engelsman zou liever te horen krijgen dat hij niets voorstelt in bed dan dat hij geen gevoel voor humor heeft.' (Wat waarschijnlijk maar goed is ook, als je erover nadenkt.) Ik geloof niet dat er veel Amerikanen zijn die het daarmee eens zouden zijn. Humor is hier iets als goed kunnen autorijden of een neus voor wijn hebben of in staat zijn het woord *feuilleton* correct uit te spreken – prijzenswaardig, bewonderenswaardig, maar niet echt van levensbelang.

Het is niet zo dat er in Amerika geen mensen met een actief gevoel voor humor zijn – er zijn er alleen veel minder. Als je er een tegenkomt, is het een beetje zoals het voor mijn gevoel moet zijn wanneer twee vrijmetselaars elkaar herkennen in een volle kamer. De laatste keer dat ik dat meemaakte was een paar weken geleden, toen ik op ons plaatselijk vliegveld aankwam en een taxi nam om naar huis te rijden.

'Bent u vrij?' vroeg ik onschuldig aan de chauffeur.

Hij keek me aan met de blik die ik onmiddellijk herkende – de blik van iemand die een goed zinnetje kan waarderen als die hem op een presenteerblaadje wordt aangeboden.

'Nee,' zei hij, zogenaamd oprecht. 'Ik vraag er geld voor, zoals iedereen.'

Ik had hem bijna kunnen omhelzen, maar dan zou ik de grap natuurlijk te ver doorgedreven hebben.

De ongelukstoerist

Van alle dingen waar ik niet erg goed in ben, is leven in de echte wereld misschien het opvallendst. Ik sta voortdurend versteld van de vele dingen die andere mensen zonder zichtbare moeite doen, maar die nogal ver buiten mijn macht vallen. Ik kan jullie niet zeggen hoe vaak ik in een bioscoop op zoek ben gegaan naar de wc, bijvoorbeeld, en dan ten slotte in een steegje terecht ben gekomen, aan de verkeerde kant van een dichtgevallen deur. Mijn specialiteit op het ogenblik is twee, drie keer per dag teruggaan naar hotelbalies om te vragen wat mijn kamernummer is. Kortom, ik ben gemakkelijk in de war te brengen.

Daaraan moest ik denken toen we de laatste keer met het hele gezin een grote reis maakten. Dat was met Pasen, en we vlogen voor een week naar Engeland. Toen we op Logan Airport in Boston arriveerden en incheckten, herinnerde ik me opeens dat ik me kort daarvoor had aangesloten bij het 'frequent flyer-programme' van British Airways. Ook herinnerde ik me dat ik het bijbehorende kaartje had opgeborgen in de tas die om mijn nek hing. En daar begonnen de problemen.

De rits van de tas zat klem. Dus begon ik te trekken, te rukken, met grommende geluiden en gefronste wenkbrauwen en toenemende onrust. Ik ging daar een paar minuten mee door, maar het ding zat muurvast, dus rukte ik steeds harder, met meer gegrom. Nou, jullie kunnen wel raden wat er gebeurde. Plotseling bezweek de rits. De zijkant van de tas schoot open en alles wat erin zat – krantenknipsels en andere losse papieren, een halfpondsblik pijptabak, tijdschriften, paspoort, Engels geld, filmpjes – vloog met een overdreven vaart door de lucht en kwam neer op een oppervlak ter grootte van een tennisbaan.

Met stomheid geslagen staarde ik hoe honderd zorgvuldig geselecteerde documenten neer regenden als een fladderige waterval, hoe munten naar allerlei luidruchtige vergetelheden kinkelden en hoe het blik tabak, inmiddels dekselloos, als een gek door de hal rolde en daarbij zijn inhoud uitbraakte.

'Mijn tabak!' riep ik ontzet, want ik bedacht wat ik zou moeten betalen voor zoveel tabak in Engeland, nu er net weer een nieuwe begroting was aangenomen, en stapte toen over op 'Mijn vinger! Mijn vinger!', want ik ontdekte dat ik mijn vinger had opengehaald aan de rits en overvloedig bloed vergoot. (Ik ben in het algemeen al niet zo goed als het om vloeiend bloed gaat, maar als het van mijzelf afkomstig is – tja, ik vind dat hysterie dan volstrekt gerechtvaardigd is.) Mijn haren, verward en niet in staat me bij te staan, rezen overeind in paniek.

Op dat moment keek mijn vrouw me aan met een uitdrukking van verwondering – geen boosheid of ergernis, maar gewoon simpele verwondering – en ze zei: 'Ik kan gewoon niet geloven dat je dit voor je beroep doet.'

Maar ik vrees dat het wél zo is. Ik verzeil altijd in rampen wanneer ik op reis ga. Ik zat een keer in een vliegtuig, en ik bukte me om mijn veter te knopen, net op het moment dat iemand die voor me zat, zijn stoel in de ligstand klapte, zodat ik hulpeloos in de crash-houding terechtkwam. Alleen door te krabben aan het been van de man die naast me zat, ben ik erin geslaagd me te laten bevrijden.

Een andere keer heb ik een glas prik laten omvallen op de

schoot van een lief dametje dat naast me zat. De stewardess verscheen en droogde alles op, en bracht mij een ander glas prik, dat ik prompt weer op de schoot van die mevrouw liet omvallen. Tot op de dag van vandaag weet ik niet hoe ik dat heb gedaan. Ik herinner me alleen dat ik mijn hand uitstak naar het nieuwe glas en hulpeloos toekeek hoe mijn arm, als een goedkoop rekwisiet uit zo'n horrorfilm uit de jaren vijftig, met een titel als 'The Undead Limb', het drankje met geweld wegmepte, tot op haar schoot.

Het dametje keek me aan met het verbijsterde gezicht dat je zou verwachten van iemand die je herhaaldelijk drijfnat hebt gemaakt, en uitte een vloek die begon met 'Oh', eindigde met 'sake', met daartussenin een paar woorden die ik nooit eerder in het openbaar had horen uitspreken, zeker niet door een non.

Dat was echter nog niet mijn ergste ervaring tijdens een vliegreis. Mijn ergste ervaring was toen ik belangrijke gedachten aan het noteren was in een aantekenboekje ('Sokken kopen', 'drankjes voorzichtig aanpakken' en dergelijke), waarbij ik nadenkend op mijn pen zat te zuigen, zoals je in zo'n geval doet, en in gesprek raakte met een aantrekkelijke jongedame op de plaats naast me. Ik heb haar misschien twintig minuten geamuseerd met tal van wereldwijze bon-mots, en toen trok ik me terug naar het toilet, waar ik ontdekte dat mijn pen gelekt had en dat mijn mond, kin, tong, tanden en tandvlees nu een opvallende, onafwasbare marineblauwe kleur vertoonden, wat nog enkele dagen zou aanhouden.

Jullie zullen dus begrijpen, neem ik aan, als ik zeg hoezeer ik snak naar beminnelijkheid. Ik zou het zalig vinden als ik maar één keer van mijn leven zou kunnen opstaan van tafel zonder eruit te zien alsof ik zojuist een bijzonder plaatselijke aardbeving heb overleefd, ik zou in een auto willen stappen en het portier dichtdoen zonder dat vijfendertig centimeter jas naar buiten steekt, ik zou een lichtgekleurde broek willen dragen zonder aan het eind van de dag te constateren dat ik op diverse momenten ben gaan zitten in kauwgom, ijs, hoestsiroop en motorolie. Maar dat zal nooit gebeuren

Als tegenwoordig het eten wordt rondgedeeld in een vliegtuig, zegt mijn vrouw: 'Halen jullie de dekseltjes eens van het eten voor pappie' of: 'Capuchons op, jongens. Pappie gaat zijn vlees snijden.' Dat gebeurt natuurlijk alleen wanneer ik samen met mijn gezin vlieg. Als ik alleen ben, dan eet ik niet, ik drink niet, ik buk me niet om mijn veters te knopen en ik breng een pen nooit in de buurt van mijn mond. Ik zit alleen maar heel, heel stilletjes, soms op mijn handen om te voorkomen dat ze onverwacht uitschieten en vloeibare stoutigheden uithalen. Erg leuk is het niet, maar het drukt tenminste de rekeningen van de wasserij.

Ik heb overigens nooit mijn 'frequent flyer'-mijlen gekregen. Die krijg ik nooit. Ik kon mijn kaartje niet op tijd vinden. Dat is uitgegroeid tot een echte frustratie. Iedereen die ik ken – maar dan ook iedereen – vliegt voortdurend naar Bali, eersteklas, met zijn airmiles. Ik krijg nooit iets terug. Ik moet wel honderdduizend mijl per jaar vliegen, maar ik heb nog maar 212 airmiles bij elkaar, verdeeld over drieëntwintig maatschappijen.

Dat komt doordat ik vergeet te vragen om de airmiles wanneer ik incheck, of ik denk er wel aan, maar dan slaagt de maatschappij in kwestie erin ze niet vast te leggen, of de man van de incheckbalie vertelt me dat ik er geen recht op heb. In januari, toen ik naar Australië zou vliegen voor dit blad – een vlucht waarmee ik talloze airmiles zou verzamelen – schudde de dame achter de balie haar hoofd toen ik mijn kaartje overhandigde, en ze vertelde me dat ik nergens recht op had.

'Waarom niet?'

'Het ticket staat op naam van B. Bryson, en het kaartje staat op naam van W. Bryson.'

Ik legde haar de aloude relatie tussen Bill en William uit, maar dat hielp niets.

Dus kreeg ik geen airmiles, en ik zal voorlopig niet naar Bali vliegen, eersteklas. Misschien maar goed ook. Ik zou nooit zo lang zonder eten kunnen.

Wat is kenmerkend voor een Engelsman

Ik geloof dat ik de laatste tijd een beetje onvriendelijk voor mijn mede-Amerikanen ben geweest. De afgelopen weken heb ik hen beschuldigd van leugens in hun reclame, van onwetendheid aangaande het feit of hun panty's boven of onder hun slipje zitten, en van onvermogen een grap te herkennen, al zou je die in een schapenblaas verpakken en hen ermee op het hoofd timmeren. Het is natuurlijk allemaal waar, maar niettemin ietwat onaardig.

Ik dacht dus dat dit een goed moment zou zijn om eens een paar vriendelijke dingen over mijn dierbare oude land te zeggen. Ik heb ook aanleiding om dat te doen, want vandaag is het drie jaar geleden dat we naar de Verenigde Staten zijn verhuisd.

Ik bedenk nu dat ik in deze column nooit heb uitgelegd waarom we die belangrijke stap hebben gezet, en dat jullie je misschien afvragen hoe we tot dat besluit zijn gekomen. Ikzelf ook, trouwens.

Ik bedoel daarmee dat ik me eerlijk niet kan herinneren hoe of wanneer we besloten hebben van land te wisselen. Wat ik jullie kan vertellen is dat we in een nogal afgelegen dorp in de Yorkshire Dales woonden, en hoe mooi het daar ook was, en hoezeer ik ook genoot van gesprekken in de pub waar ik geen woord van begreep ('Heb schapen laten dekken op Windy Poop en het was zo smeurig bij put dat ik voor de nie euver kon. Nooit zo zwadderig gezien sinds oudjaar, en ik drink Tetley's als je wat wou aanbieden'), werd het steeds onpraktischer, omdat de kinderen groter werden en mijn werk me steeds verder van huis bracht, om zo geïsoleerd te wonen.

Dus besloten we te verhuizen naar iets waar wat meer huizen waren, wat meer stadssfeer. En toen – en op dit punt wordt het vaag – heeft dat eenvoudige idee zich ontwikkeld tot de gedachte een tijdlang in Amerika te gaan wonen.

Alles leek heel snel te gaan. Er kwamen mensen en die kochten ons huis, ik zette mijn handtekening op allerlei papieren en een troep verhuizers verscheen en haalde onze spullen weg. Ik kan niet doen alsof ik niet wist wat er gebeurde, maar ik kan me duidelijk herinneren dat ik, vandaag precies drie jaar geleden, wakker werd in een vreemd huis in New Hampshire, uit het raam keek en dacht: 'Wat doe ik hier in vredesnaam?'

Ik had daar echt helemaal niet willen zijn. Ik had niets tegen Amerika, begrijp me goed. Het is een buitengewoon schitterend land. Maar het voelde op een onaangename manier aan als een stap terug – alsof je op middelbare leeftijd weer bij je ouders bent gaan wonen. Dat kunnen schatten van mensen zijn, maar je wilt gewoon niet meer bij hen wonen. Je leven heeft je verder gevoerd. En dat waren mijn gevoelens over het land.

Terwijl ik daar stond in een toestand van toenemende verbijstering, kwam mijn vrouw binnen van een verkennende wandeling door de buurt. 'Het is heerlijk,' jubelde ze. 'De mensen zijn aardig, het weer is fantastisch en je kunt overal lopen zonder in koeienvlaaien te trappen.'

'Alles wat je verlangt van een land,' merkte ik op, enigszins wee.

'Ja,' zei ze, en dat meende ze.

Ze was verliefd, nog steeds trouwens, en dat kan ik begrijpen. Heel veel in Amerika is buitengewoon aantrekkelijk. Allemaal voor de hand liggende dingen waarover iedereen het altijd heeft – het gemak en comfort van het leven, de vriendelijkheid van de mensen, de verbazingwekkend gulle etensporties, de stimulerende gedachte dat vrijwel elke wens of gril eenvoudig en onmiddellijk bevredigd kan worden.

Mijn probleem was dat ik met dat alles was groot geworden, dus vervulde het me niet echt met datzelfde gevoel van anderszijn en verwondering. Ik was bijvoorbeeld niet verrukt wanneer mensen erop aandrongen dat ik een fijne dag zou hebben.

'Het kan ze eigenlijk niets schelen wat voor soort dag je hebt,' legde ik mijn vrouw dan uit. 'Het is gewoon een reflexhandeling.'

'Dat weet ik,' antwoordde ze dan, 'maar het blijft aardig.'

En ze had gelijk, natuurlijk. Het kan in wezen een loze kreet zijn, maar het komt wél voort uit de juiste impuls.

In de loop der tijden ben ik er zelf ook aan gaan wennen. Omdat ik van nature een krent ben, reageer ik enthousiast op alles wat gratis is in Amerika – gratis parkeren, gratis lucifersboekjes, gratis tweede kopje koffie en tweede glas prik, schaaltje gratis snoepjes naast de kassa in restaurants en cafés. Als je een maaltijd bestelt in een van de plaatselijke restaurants, krijg je een gratis kaartje voor de bioscoop. In ons fotokopieerbedrijf staat een tafel tegen de ene wand, vol gratis dingen waarvan je je kunt bedienen – potten lijm, nietapparaat, plakband, een guillotine om randjes netjes af te snijden, dozen met elastiekjes en paperclips. Je hoeft geen cent extra te betalen voor die dingen, je hoeft zelfs geen klant te zijn. Het staat er gewoon, voor iedereen die binnen komt wandelen en er gebruik van wil maken. In Yorkshire gingen we soms naar een bakker waar je een extra penny – een hele penny! – moest betalen als je je brood gesneden wilde hebben. Het contrast is zo groot dat je er wel van onder de indruk moet raken.

Ongeveer hetzelfde zou je kunnen zeggen van de Amerikaanse levenshouding, die over het geheel genomen opmerkelijk positief is, zonder negatieve aspecten – een kenmerk dat ik hier, helaas, als vanzelfsprekend beschouw, maar waaraan ik van tijd tot tijd herinnerd word als ik in Groot-Brittannië ben. De laatste keer dat ik op Heathrow aankwam, keek de ambtenaar die mijn paspoort controleerde me aan, en hij vroeg of ik 'die schrijver' was.

Zoals jullie je kunnen voorstellen was ik in mijn nopjes dat ik herkend werd. 'Inderdaad,' zei ik trots.

'Overgekomen om nog meer geld te maken, zeker?' zei hij vol weerzin, en hij gaf me mijn paspoort terug.

Zulk soort dingen overkomt je niet vaak in de Verenigde Staten. Over het geheel genomen hebben de mensen een instinctief positieve instelling tegenover het leven en zijn mogelijkheden. Als je een Amerikaan zou vertellen dat een enorme asteroïde de aarde naderde met een snelheid van achttienduizend kilometer per uur, en dat onze planeet binnen twaalf weken uit elkaar zou barsten, zou hij zeggen: 'O ja? Laat ik me in dat geval maar meteen opgeven voor die cursus Mediterrane kookkunst.'

Als je een Brit hetzelfde zou meedelen, zou hij zeggen: 'Weer typisch wat voor ons, niet? En heb je de weersvoorspelling voor het weekend gezien?'

Oké, het niet-aflatende optimisme van Amerika kan soms wat simplistisch lijken – ik denk bijvoorbeeld aan de kennelijke overtuiging van vrijwel alle Amerikanen dat je, als je maar op je cholesterol let, regelmatig aan lichaamsbeweging doet en flessenwater drinkt, eeuwig zult leven – en ik kan niet doen alsof ik de rest van mijn leven daarmee wil doorbrengen, maar het heeft een zeker verfrissend aspect waarvan ik best een tijdje wil genieten.

Ik vroeg laatst aan mijn vrouw of ze ooit bereid zou zijn terug te keren naar Engeland.

'O ja,' zei ze, zonder enige aarzeling.

'Wanneer?'

'Ooit.'

Ik knikte, en ik moet toegeven, ik was niet meer zo wanhopig als ik vroeger zou zijn geweest. Het is hier over het geheel genomen niet zo gek, en zij had bepaald gelijk gehad in één kwestie. Het is plezierig als je niet hoeft uit te kijken voor koeienvlaaien.

En nu – en dat meen ik oprecht – wens ik jullie een fijne dag.

DANKBETUIGING

Ik ben de volgende personen innig dankbaar voor hun aanbod van vriendelijkheid, geduld, gulheid en drank: Simon Kelner en al zijn dierbare, fantastische collega's bij *Night & Day*, inclusief Tristan Davies, Kate Carr, Ian Johns, Rebecca Carswell en Nick Donaldson; Patrick Janson-Smith, Marianne Velmans, Alison Tulett, Larry Finlay, Katrina Whone en Emma Dowson, evenals vele, vele anderen bij Transworld Publishers; Carol Heaton, mijn literair agent; mijn oude makker David Cook; Allan Sherwin en Brian King omdat ze me columns lieten schrijven terwijl ik voor hen had moeten werken; en bovenal – ver boven alles – mijn vrouw Cynthia en mijn kinderen David, Felicity, Catherine en Sam, omdat ze goed hebben gevonden dat ik hen erbij heb betrokken.

En een bijzonder dankwoord aan kleine Jimmy, wie hij ook mag zijn.